ALBERT COHEN

Mes jeux de vacances

Illustrations
FRANÇOIS FOYARD
PASCAL GAUFFRE

Ce cahier propose plus de 270 jeux pour réviser en s'amusant tout le programme de CM2. Pendant ses vacances, votre enfant va travailler à son rythme et dans la bonne humeur pour préparer sa rentrée en 6e.

Sur chaque page du cahier et dans toutes les matières, des jeux attractifs permettent de réviser une notion de façon **ludique**. Un **mémo** rappelle l'essentiel de ce qu'il faut savoir. Huit grands jeux, autour des thématiques préférées des enfants, offrent une pause **100% vacances** !

Ce cahier suit une progression pédagogique qu'il est préférable de respecter, mais votre enfant peut aussi choisir de faire les jeux dans l'ordre qu'il veut.

En fonction du rythme de vos vacances et de ses priorités de révision, votre enfant peut, s'il le souhaite, suivre un des **parcours de révision** proposés au début du cahier : parcours pressé en 3 semaines, parcours express en 2 semaines, parcours spécial Français ou parcours spécial Maths.

Toutes les **solutions** sont regroupées à la fin du cahier.

Ces jeux doivent être avant tout un moment de plaisir et de complicité.

Édition : **Tréma / Emmanuelle Rocca-Poliméni**
Illustrations : **François Foyard** (Français, Histoire, Anglais, Grands jeux, Parcours), **Pascal Gauffre** (Maths, Géographie, Sciences, Grands jeux)
Conception graphique : **valerienizard.com**
Mise en pages : **STDI**

PARCOURS pressé
en 3 semaines
Un parcours de jeux, alternant toutes les matières, permettra de réviser les acquis de l'année et de préparer sa rentrée.
26 Droites parallèles
20 La phrase
35 Méridiens et fuseaux horaires
84 Multiplication des nombres entiers
7 Les 3 groupes verbaux
14 Holidays (en vacances)
101 Les homophones à/a et on/ont
18 Les fractions
49 La Première Guerre mondiale
22 Proportionnalité
197 Les synonymes
1 La Terre
124 Le pluriel des mots composés
136 Additionner et soustraire les durées
135 L'air et la pollution de l'air
34 Tri de textes
206 Encadrer les nombres décimaux par des entiers
144 Time (l'heure)
12 L'accord sujet/verbe
222 Les solides
224 Les présidents de la Ve République
97 Sens propre, sens figuré
236 Problème
234 The body (le corps)
210 Le plus-que-parfait
190 Tableau de conversion des mesures
226 Les pays du monde
41 La segmentation
201 Multiplication des nombres décimaux
199 La circulation sanguine
Évalue ton résultat en coloriant chaque case
= Super, j'ai tout bon !
= Oups, j'ai juste fait quelques erreurs...
= Aïe ! Je relis le mémo et je fais un autre jeu.

PARCOURS Express

en 2 semaines

Un parcours de jeux, alternant **toutes les matières**, permettra de réviser les notions essentielles de l'année et de préparer sa rentrée.

PARCOURS Spécial

Français

Un parcours de jeux, **renforcé en français,** pour réviser et préparer sa rentrée sans oublier les notions essentielles des autres matières.

PARCOURS Spécial

Maths

Un parcours de jeux, **renforcé en maths**, pour réviser et préparer sa rentrée sans oublier les notions essentielles des autres matières.

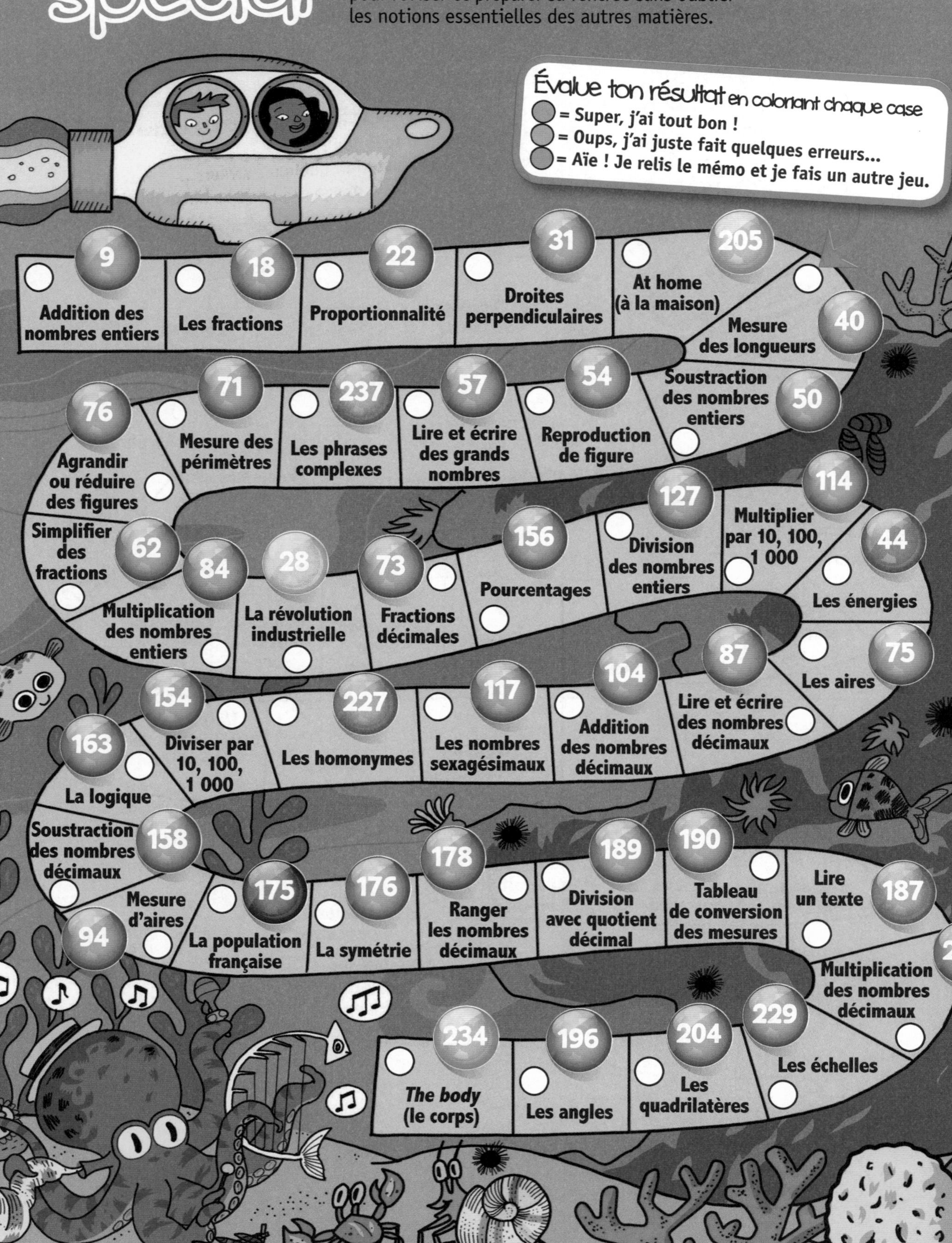

Parcours libre

Un parcours de jeux **à personnaliser** avec les notions que **votre enfant** doit réviser **en priorité**.

Évalue ton résultat en coloriant chaque case

- **= Super, j'ai tout bon !**
- **= Oups, j'ai juste fait quelques erreurs...**
- **= Aïe ! Je relis le mémo et je fais un autre jeu.**

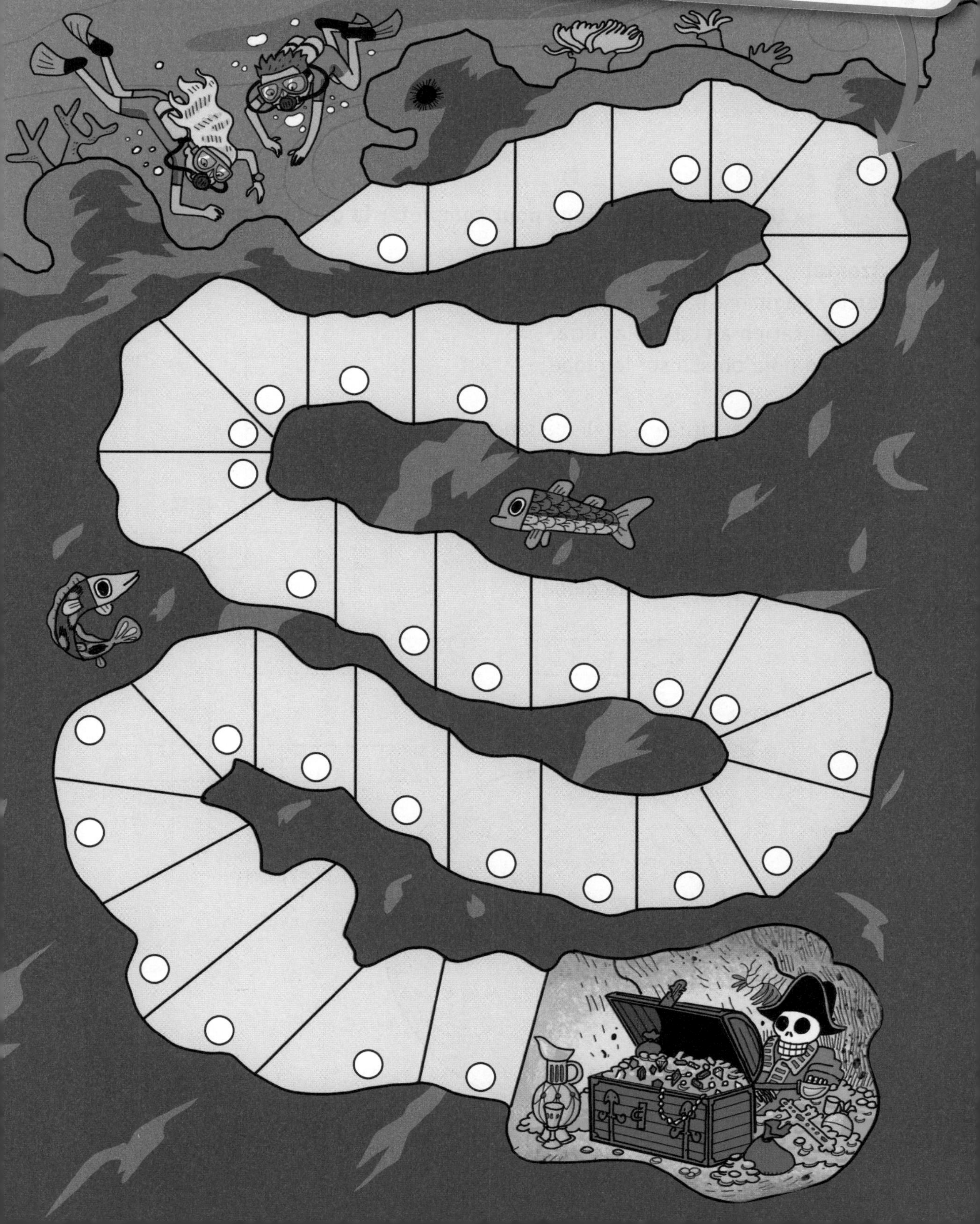

La Terre

La Terre est une planète constituée de **continents** et d'**eau à 70 %** : c'est pour cette raison qu'on l'appelle la planète bleue. On la représente soit par un **globe** (il ne déforme pas ses proportions) soit par un **planisphère** (une représentation à plat qui déforme plus ou moins les continents). Les quatre **points cardinaux** définissent le **nord**, le **sud**, l'**est** et l'**ouest.** Enfin, on a tracé sur la Terre des lignes imaginaires pour situer les points de repère.

1 Et pourtant elle tourne !

→ Utilise les définitions pour compléter la grille et aide-toi de la carte.

Horizontal

8) cercle imaginaire parallèle à l'équateur.
6) représentation à plat de la Terre.
7) position nord ou sud sur le globe.

Vertical

1) ligne imaginaire située à égale distance des pôles.
2) sphère sur laquelle on a représenté une carte de la Terre.
3) demi-cercle imaginaire qui relie les deux pôles.
4) extrémité nord ou sud de la Terre.
5) position est ou ouest sur le globe.

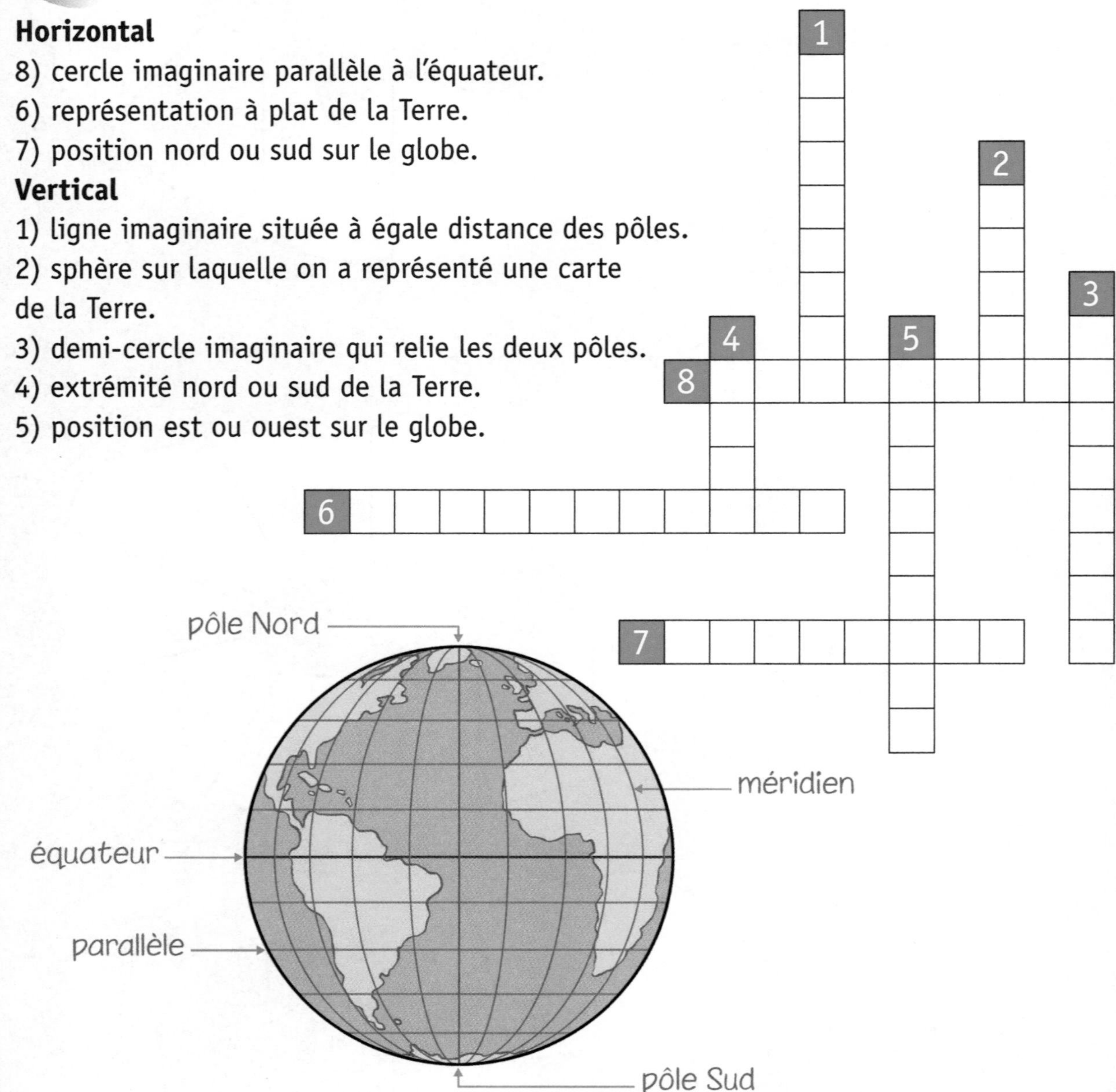

Hello! (Salut !)

Pour se présenter, on commence par saluer en employant "**hello!**" ou "**hi!**".
Hello! My name's Albert, I'm a boy. I come from Paris and I'm French.
Hello! My name's Mary, I'm a girl. I come from Nice and I'm French too.

2 Where are you from? (D'où viens-tu ?)

→ Relie chaque enfant à sa phrase puis complète le texte avec « boy » ou « girl » selon que celui qui parle est un garçon ou une fille.

Hello! My name's John, I'm a ...... I come from New York and I'm American.
Hello! My name's Ines, I'm a ...... I come from Barcelona and I'm Spanish.
Hello! My name's Henry, I'm a ...... I come from London and I'm English.
Hello! My name's Regina, I'm a ...... I come from Pisa and I'm Italian.
Hello! My name's Ling Tao, I'm a ...... I come from Beijing and I'm Chinese.

3 Drapeaux en couleurs

→ Colorie le drapeau représentant le pays de chacun des enfants selon le code.

a b c d

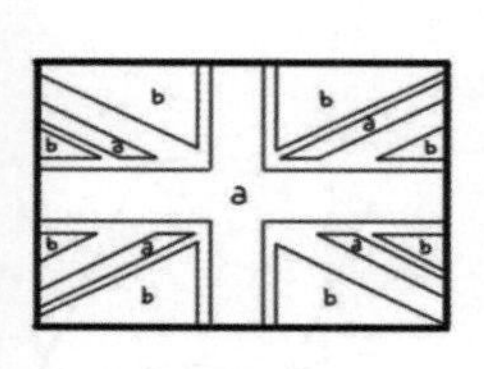

UNITED KINGDOM

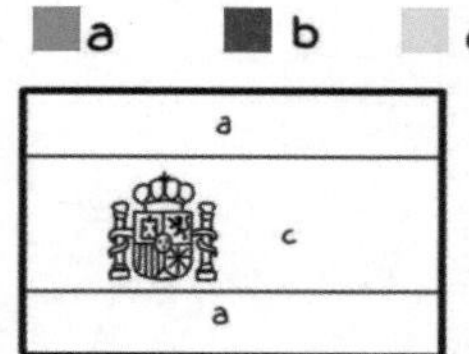

SPAIN

CHINA

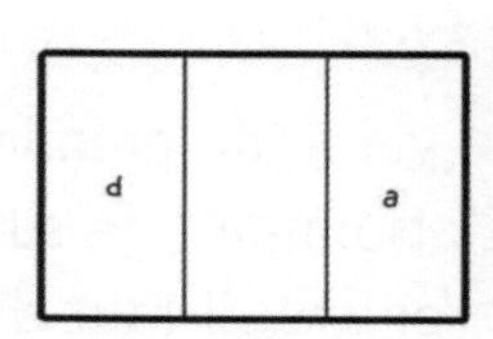

ITALY

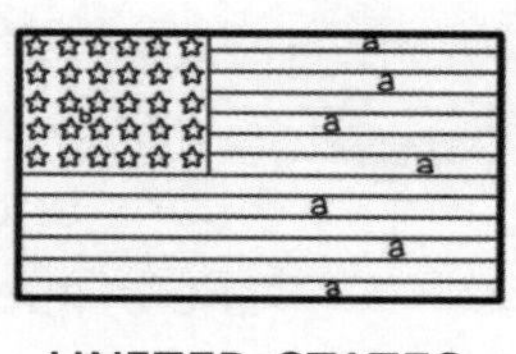

UNITED STATES OF AMERICA

L'infinitif

mémo

L'infinitif est comme le nom de famille du verbe, sa forme est **invariable** car il est impersonnel et intemporel.

*Ne pas les **présenter**.*

Si, dans une phrase, deux verbes se suivent, le deuxième est à l'infinitif.

*Il doit **travailler**.*

Après certaines prépositions (à, pour...), le verbe est à l'infinitif.

*Tu apprends à **écrire**. – Elle lit pour **comprendre**.*

4 Suivez le verbe

→ **Retrouve dans la grille l'infinitif des verbes soulignés.**

Les musiciens jouent ce soir.
Cet enfant observe les étoiles.
Vous skiez à la montagne.
Elles recevront bientôt une lettre.
Il fait très beau ce matin.
Les Anglais boivent du thé.
Vous avez vendu votre maison.
À l'automne, les feuilles tomberont.
On ne pouvait pas perdre.
Ils ont atteint le pôle nord.
Tu ne dois pas sortir seule.
Nous n'attendrons pas longtemps.
Chacun mettra son maillot à la plage.
Il suffisait d'être le premier.
Je ne peins que le ciel bleu.

R	A	S	K	E	O	M	P	T	E	E
A	T	O	D	U	Z	O	I	O	R	R
E	T	E	N	J	U	N	R	M	T	D
R	E	C	E	V	O	I	R	B	T	N
D	N	B	O	I	R	E	S	E	E	I
N	D	I	E	Z	V	C	A	R	M	E
I	R	B	E	R	I	F	F	U	S	T
E	E	V	E	N	D	R	E	R	K	T
P	A	S	R	I	O	V	E	D	I	A
S	B	J	O	U	E	R	P	T	E	Z
O	E	R	I	A	F	E	I	S	R	A

5 Devinette

Je suis un verbe du premier groupe.
Dans le dictionnaire, je suis après « travailler ».
Pour que j'existe, il faut d'abord me chercher !
Je suis le verbe ....

Les 3 groupes verbaux

mémo

Les verbes se classent en **trois groupes** grâce à leur infinitif.
Premier groupe : tous les verbes dont l'infinitif se terminent par « **ER** » sauf le verbe aller.
Deuxième groupe : tous les verbes dont l'infinitif se terminent par « **IR** » et qui ont un participe présent en « -issant ».
Troisième groupe : tous les autres verbes.

6 La bonne route

→ **Retrouve la bonne terminaison des infinitifs.**

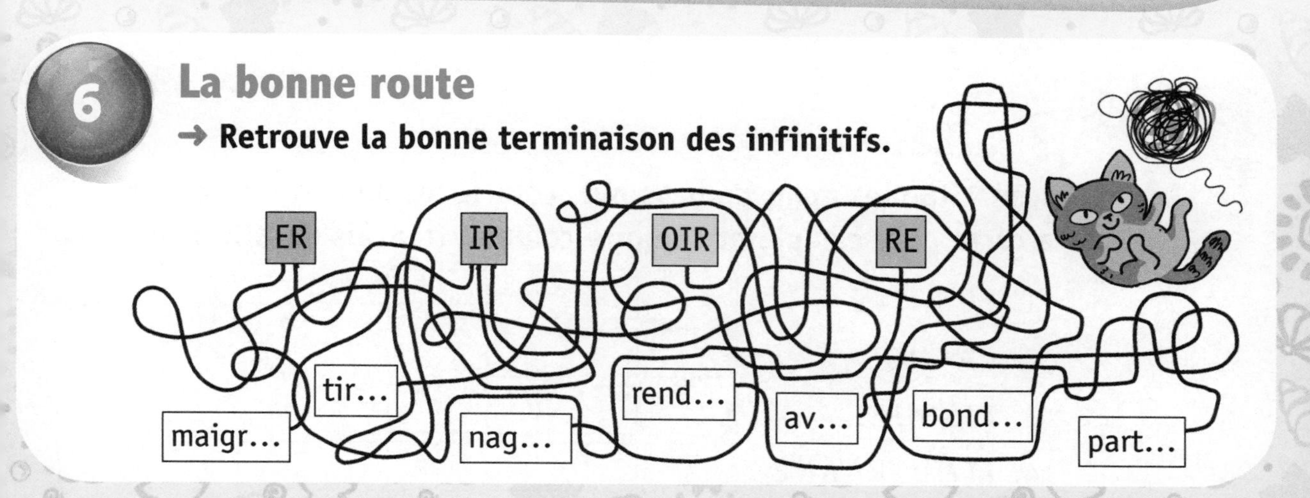

7 Coloriage magique

→ **Colorie suivant le code.**

■ verbes du 1er groupe ■ verbes du 2e groupe ■ verbes du 3e groupe

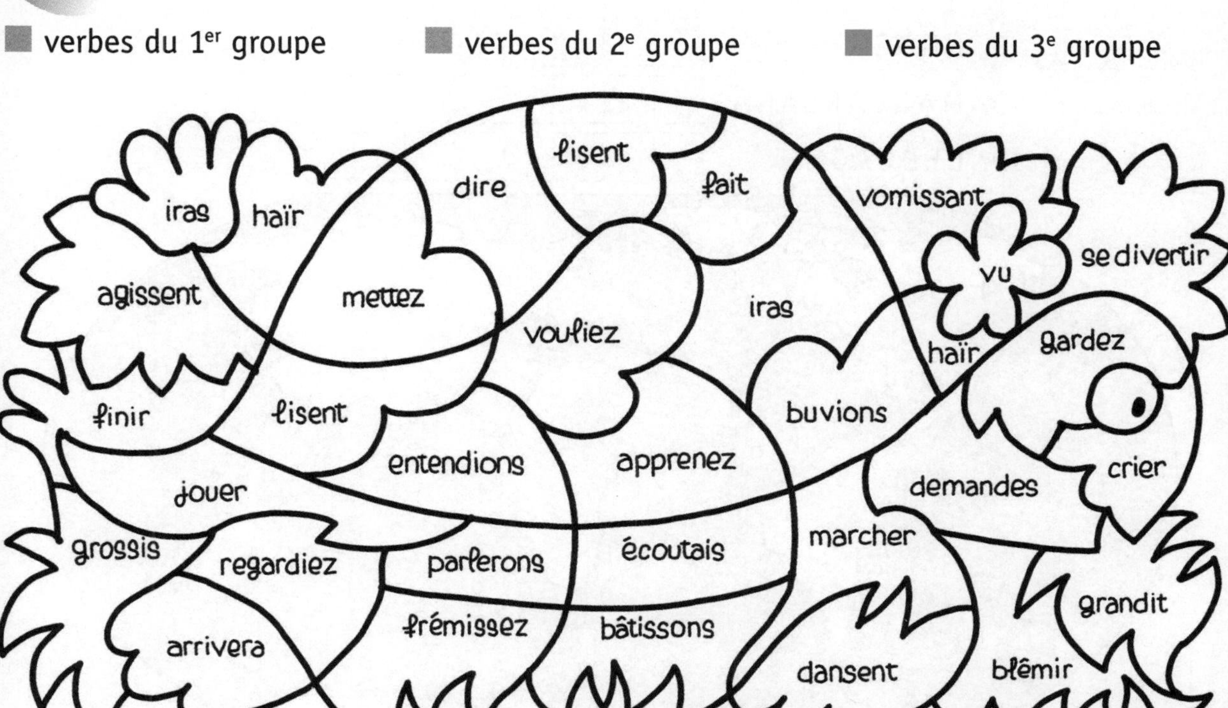

L'Empire colonial français

mémo

L'Empire colonial français désigne l'ensemble des **territoires ultramarins colonisés par la France.**

Au **milieu du XIXe siècle**, il est le **deuxième plus vaste** empire colonial du monde **derrière l'Empire colonial britannique.**

Pour les pays ouest-européens, la constitution de leurs empires découle de la période des Grandes découvertes européennes, grâce aux progrès de la **navigation** et à la généralisation des **armes à feu.**

8 Pays cachés

→ Reconstitue les noms de pays puis colorie les numéros en orange sur la carte pour compléter l'Empire colonial français du XIXe siècle.

1. EGRAILE ☐☐☐☐☐☐☐
2. RACMO ☐☐☐☐☐
3. TISNUEI ☐☐☐☐☐☐☐
4. ITMUIRAANE ☐☐☐☐☐☐☐☐☐☐
5. IAML ☐☐☐☐
6. SÉNÉLAG ☐☐☐☐☐☐☐
7. CADHT ☐☐☐☐☐
8. NOOCG ☐☐☐☐☐
9. MADCARSAGA ☐☐☐☐☐☐☐☐☐☐
10. BEDGACMO ☐☐☐☐☐☐☐☐

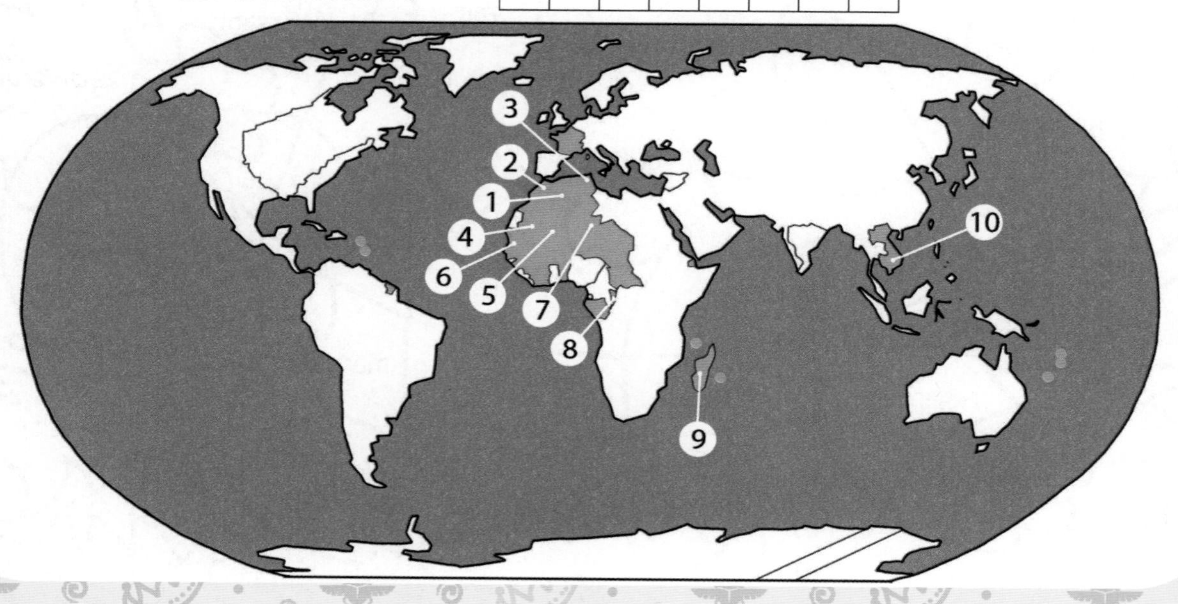

Addition des nombres entiers

Pour effectuer une addition avec des nombres entiers, il faut **aligner les chiffres** en plaçant les unités sous les unités, les dizaines sous les dizaines et ainsi de suite. On calcule **de la droite vers la gauche** et on doit penser aux **retenues** (quand il y en a).
Le résultat est la **somme**.

Pyramide en folie

→ Complète cette pyramide avec des additions. Chaque brique vaut la somme des deux briques qui se trouvent sous elle.

Signes anciens

→ Effectue cette opération en te reportant à la valeur des hiéroglyphes. Chaque hiéroglyphe remplace toujours le même chiffre.

= 5
=
= 2
= 0
= 9

+
+

= 6
=
=
=
= 7

Le présent de l'indicatif

On emploie le présent pour exprimer une **action habituelle, permanente** ou qui se déroule **à l'instant où l'on parle.**

Les terminaisons	1er G	2e G	3e G			
je	e	s	s	s	x	e
tu	es	s	s	s	x	es
elle – il – on	e	t	t	d	t	e
nous	ons	ons	ons			
vous	ez	ez	ez – (parfois es)			
ils – elles	ent	ent	ent – (parfois ont)			

11 Conjugai'zen

→ **Complète la grille.**

(1ps = première personne du singulier ; 1pp = première personne du pluriel)

Horizontal
3. donner 1pp
20. mettre 2pp
6. écrire 3pp
10. recevoir 1ps
11. être 1ps
12. faire 3ps
15. lire 1pp
16. vouloir 3pp
17. avoir 2ps
19. ranger 1ps

Vertical
1. danser 3pp
2. finir 2pp
4. offrir 1ps
5. mettre 1pp
7. aller 2ps
8. grossir 3ps
9. vieillir 2pp
13. dire 2ps
14. pouvoir 3ps
18. prendre 1pp

L'accord sujet / verbe

Dans tous les cas, **le verbe s'accorde avec son sujet.**
Pour identifier le sujet, on pose la question :
« **Qui est-ce qui ? + le verbe conjugué = le sujet** »
ex. : Le chat saute. *qui est-ce qui ? + saute = le chat*
ex. : Les chats sautent. *qui est-ce qui ? + sautent = les chats*

12 Accord encore

→ **Accorde les verbes entre parenthèses au présent de l'indicatif avec le sujet pour compléter la grille.**

Horizontal

5. Tes cousins (habiter) en Bretagne.
6. Elle (danser) depuis 5 ans.
7. C'est l'été, vous (partir) en vacances.
9. Chaque jour, nous (nager) dans le port.
10. Ce matin, tu (travailler) avec tes frères.

Vertical

1. Il (mettre) sa tenue de sport.
2. Vous (finir) ce travail.
3. Au goûter, nous (manger) un bon gâteau.
4. Ces bûcherons (couper) les arbres.
8. Nous (traverser) la forêt.

Holidays (en vacances)

mémo

la plage	the **beach**	le sable	the **sand**	la mer	the **sea**
la vague	the **wave**	le bateau	the **boat**	le phare	the **lighthouse**
le soleil	the **sun**	un poisson	a **fish**	un maillot de bain	a **swimsuit**

13 Mots fléchés de la plage

→ **Retrouve les mots de vocabulaire dans la grille.**

U	Z	A	A	X	Z	E	B	J	K	V	G	S	N	H
T	B	U	T	O	P	S	P	E	F	W	V	U	X	N
J	I	M	V	N	S	U	B	G	A	C	S	W	H	T
Y	B	A	L	L	O	O	N	U	K	C	V	B	I	M
T	A	O	B	I	G	H	L	J	Q	W	H	U	J	R
C	N	H	L	E	L	T	P	Q	P	L	S	W	F	Y
I	U	W	V	L	J	H	P	S	S	M	Z	A	W	X
P	G	S	R	P	Q	G	L	S	I	X	T	E	I	W
G	S	J	O	D	B	I	J	W	N	T	W	S	F	K
T	A	W	J	Y	R	L	S	X	G	I	I	P	G	P
I	N	H	R	C	A	G	Q	I	A	K	T	J	C	Y
A	D	E	S	C	X	R	D	T	Q	U	B	J	W	R
E	P	Z	O	I	O	Q	N	B	W	J	J	A	Q	B
F	B	F	T	E	F	I	A	O	L	N	V	T	N	E
W	I	M	R	J	D	H	P	V	L	E	T	P	B	F

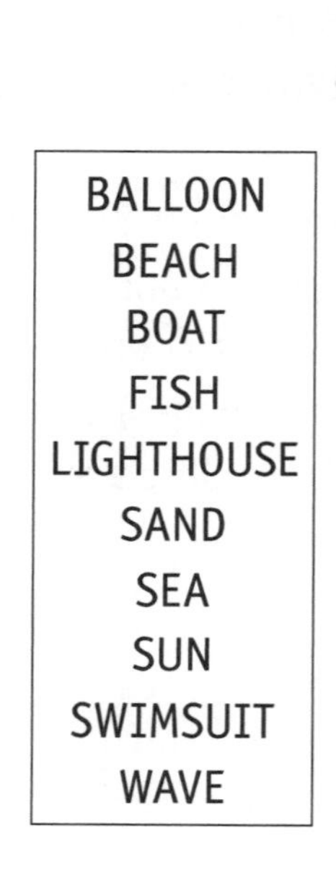

BALLOON
BEACH
BOAT
FISH
LIGHTHOUSE
SAND
SEA
SUN
SWIMSUIT
WAVE

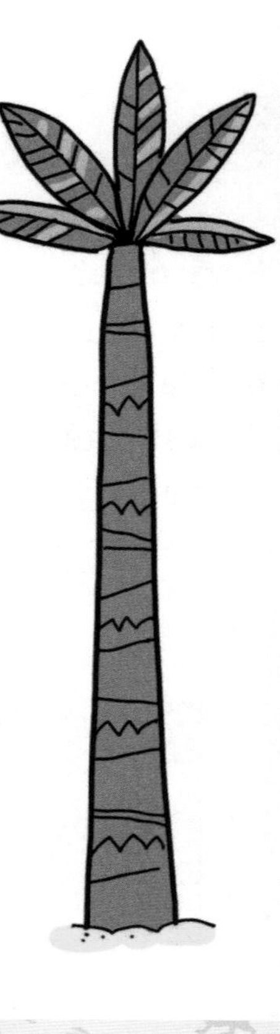

14 Anagrammes d'été

→ **Remets les lettres dans l'ordre.**

PLOO

AHEBC

AWEV

MNTNOUAI

NADS

RUSMEM

Le système solaire

Huit planètes, plus de **soixante lunes**, des millions d'astéroïdes et d'objets rocheux et un nombre incalculable de comètes **tournent autour du Soleil**. Le système solaire occupe un volume de 15 000 milliards de kilomètres de diamètre. Une planète est définie aujourd'hui comme :
- un corps de forme sphérique en orbite autour du Soleil,
- un corps qui a « nettoyé » les environs de son orbite de tout corps susceptible de s'y trouver.

15 En orbite

→ **Aide-toi des définitions et place sur la carte le nom des planètes et des astres de notre système solaire.**

1 - JUPITER C'est la plus grosse planète de notre système. Elle se situe en cinquième position par rapport au soleil.
2 - MARS On l'appelle la planète rouge. C'est la quatrième planète.
3 - MERCURE La planète la plus proche du soleil.
4 - NEPTUNE Elle met 165 ans pour faire le tour du Soleil à 4 500 millions de km duquel elle se situe.
5 - SATURNE Elle a 62 anneaux et met 29 ans pour faire le tour du Soleil.
6 - SOLEIL C'est une étoile de 7 millions de km de rayon qui s'éteindra dans 5 milliards d'années.
7 - TERRE Elle tourne sur elle-même en 24 h et fait le tour du Soleil en 365 jours un quart. On la surnomme la planète bleue.
8 - URANUS Elle est glacée et tourne autour du soleil en 84 ans.
9 - VENUS On l'appelle l'étoile du berger car elle brille très fort la nuit. Elle se situe en deuxième position près du soleil.

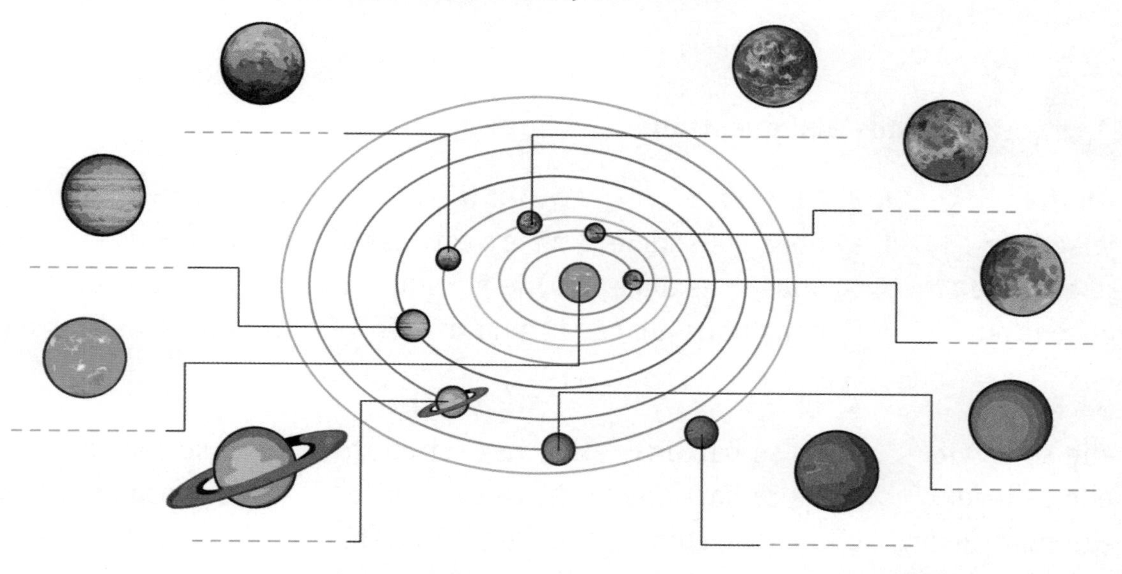

Les verbes pronominaux

mémo

Les verbes pronominaux se conjuguent avec un **pronom réfléchi** (généralement) de la même personne que le sujet. Ils s'emploient **toujours avec l'auxiliaire être.**

je me, tu te, il/elle/on se, nous nous, vous vous, ils/elles se

Verbes pronominaux **réciproques** : une **action** qui agit **sur chacun des sujets.**

Ils se battent.

Verbes pronominaux **réfléchis** : **le sujet subit l'action qu'il effectue.**

Elle se regarde dans la glace.

16 Miroir oh mon miroir !

→ Seuls les chemins des verbes pronominaux réfléchis mènent au miroir. Retrouve-les et colorie-les.

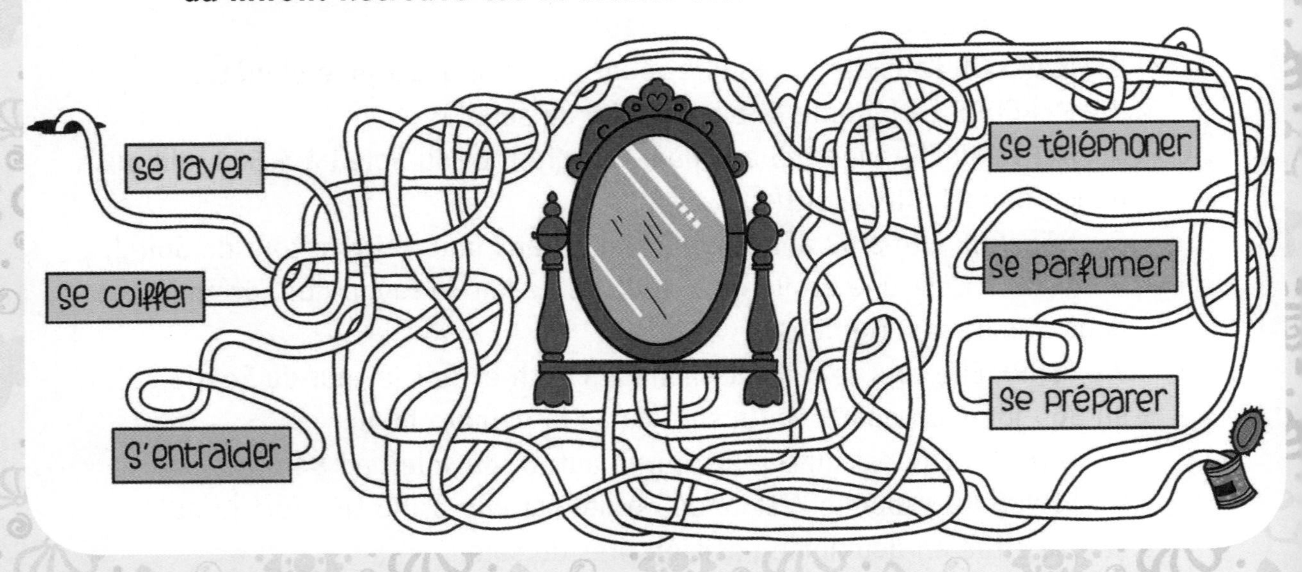

17 QCM

→ Réponds aux questions.

1. On dit :
a) je se lave
b) je me lave
c) je se laver

2. On écrit :
a) elle se levait
b) elle se levez
c) elle nous levons

3. On écrit :
a) nous vous aimez
b) vous vous aimez
c) nous nous aimez

4. On dit :
a) ils se battons
b) ils te battions
c) ils se battent

5. On dit :
a) je s'est rasé
b) je me suis rasé
c) je m'ai rasé

6. On écrit :
a) tu t'est coiffé
b) tu t'es coiffé
c) tu t'ait coiffé

7. On écrit :
a) vous vous être cognés
b) vous vous êtes cognés
c) nous vous êtes cognés

8. On dit :
a) ils se sont assis
b) ils sontaient assis
c) ils se sommes assis

Les fractions

Une fraction c'est la division d'une unité en nombre de parts égales. Une fraction s'écrit : $\frac{\textbf{Numérateur}}{\textbf{Dénominateur}}$ ex. : un demi s'écrit $\frac{1}{2}$

- si **N < D** la **fraction** $\frac{N}{D}$ est **plus petite que 1** $\frac{N}{D} < 1$ $\frac{5}{6} < 1$
- si **N = D** la **fraction** $\frac{N}{D}$ est **égale à 1** $\frac{N}{D} = 1$ $\frac{6}{6} = 1$
- si **N > D** la **fraction** $\frac{N}{D}$ est **plus grande que 1** $\frac{N}{D} > 1$ $\frac{8}{6} > 1$

18 Une fraction de seconde

→ Colorie suivant le code.

 $\frac{N}{D} < 1$

$\frac{N}{D} = 1$

 $\frac{N}{D} > 1$

19 Décode-moi

→ Retrouve le nom de chaque fraction pour connaître la réponse.

Vers 3 000 avant J.-C. apparaissent les premières représentations des fractions en ....

TOIRS DEIMS

CIQN SAUQRT

TAQRUE XIISÈSEM

DUXE TERSI

NU CIINUQÈEM

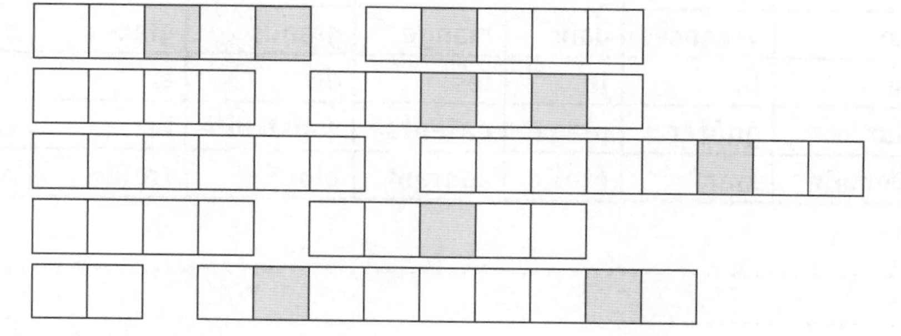

La phrase

Une phrase est un **ensemble de mots ordonnés** et **qui a un sens.** Elle **commence par une majuscule** et **se termine par un point.**
Les mots qui peuvent la composer sont de différentes natures : déterminants, noms communs ou noms propres, pronoms, verbes conjugués, prépositions, adverbes, adjectifs...

Les phrases cachées

→ Construis les phrases avec les briques de la même couleur pour compléter le mur de graffitis.

dernier | mon | de | l'école | C'est | classe | à | jour | élémentaire.

un | prochain | je | proche | élève | dans | serai | collège | moi. | de | chez | L'an

au | vacances. | profiter | de | mieux | Je | mes | vais

....

....

....

....

....

Tracer la voix...

Deux phrases se cachent dans cette grille. Retrouve-les sachant que les mots se touchent dans toutes les directions, mais que tu ne peux utiliser chaque mot qu'une seule fois.

Pendant	joueront	neige	nagèrent	hier	L'eau	de	à	vagues
Autour	les	avec	souvent	des	châteaux	sable	lui	samiftre
Le	vacances	dans	mange	grands	glaces	avec	mes	amis.
le	la	je	les	de	à	avec	des	pliathgdr
Sur	goûter	plage	enfants	construire	la	vanille	sur	coquillages.
Demain	mer	étoile	adorent	plouf	froide	pluie	tout	cailloux.

....

....

....

Proportionnalité

mémo

On dit qu'il existe une situation de proportionnalité **entre deux listes de nombres** lorsque l'on peut **passer de l'une à l'autre** en utilisant le même opérateur (**multiplication ou division**).

× 6 (vers le bas) ; ÷ 6 (vers le haut)

paquets de petits-suisses	1	2	3	5	6	10
nombre de petits-suisses	6	12	18	30	36	60

22 À vos spatules !

→ **Pour la fête d'anniversaire de son petit-fils, Mamie Mouchou veut préparer des Guimcakes pour 30 personnes. Voilà la recette dont elle dispose.**

Pour 5 Guimcakes :

100 g de 	**75 g de** 	**5 (100 g)** 	**5 guimauve** 

1/ Cassez le chocolat noir en morceaux et faites-le fondre au four à micro-ondes.
2/ Ajoutez la pâte à tartiner dans le chocolat noir et mélangez pour incorporer les 2 chocolats.
3/ Écrasez grossièrement les palets bretons afin d'avoir de la poussière de gâteaux mais aussi des petits bouts croustillants. Incorporez les biscuits dans le chocolat.
4/ Versez la préparation chocolat/biscuit dans des caissettes et plantez un ourson dans chaque caissette en l'enfonçant d'environ 1 cm dans le chocolat.
5/ Mettez les gâteaux au réfrigérateur durant 2 heures afin qu'ils durcissent.

Aide-la à la compléter avec les bonnes quantités en utilisant les informations.

Pour 30 Guimcakes :

.... de	**......... de** 	**............ (.........)** 	**... guimauve** 

Le genre des noms

mémo

Donner le **genre d'un mot**, c'est dire si celui-ci est féminin ou masculin.
Lorsqu'un mot est **masculin** : on utilise les déterminants « **le** » ou « **un** ».
Lorsqu'un mot est **féminin** : on utilise les déterminants « **la** » ou « **une** ».
Pour vérifier si un mot est **féminin**, on peut mettre un **"e" à la fin du mot**.

23 Il a bon genre

→ **Choisis la bonne orthographe des mots de la liste et retrouve-les dans la grille. Les lettres restantes forment un mot qui a les deux genres.**

LE SOMMEIL	LE SOMMEILLE
LA DICTÉE	LA DICTÉ
LE CONSEILLE	LE CONSEIL
LA MOITIÉE	LA MOITIÉ
UNE FEUILLE	UNE FEUIL
LA MATINÉ	LA MATINÉE
UN FAUTEUIL	UN FAUTEUILLE
LE TRAVAILLE	LE TRAVAIL
LA TIMIDITÉE	LA TIMIDITÉ
UNE PRIORITÉ	UNE PRIORITÉE
UN DÔME	UN DOM
UNE AIR	UNE AIRE
UNE CLÉ	UNE CLÉE
UNE TAIE	UNE TAI
UNE VIE	UNE VI
UN MUSÉ	UN MUSÉE
UNE MOU	UNE MOUE
UNE RU	UNE RUE

P	L	I	E	M	M	O	S	E
F	R	F	E	U	I	L	L	E
A	T	I	M	I	D	I	T	E
U	M	A	O	E	T	R	I	T
T	U	I	U	R	A	T	L	C
E	S	R	E	V	I	E	E	I
U	E	E	A	O	E	T	V	D
I	E	I	M	C	L	E	E	O
L	L	E	E	N	I	T	A	M
E	C	O	N	S	E	I	L	E

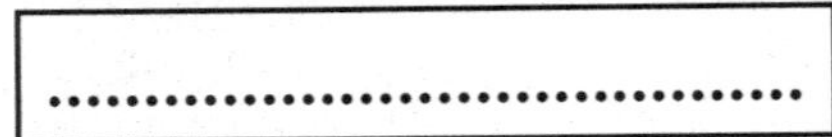

24 Marions-les

→ **Fais des paires masculin/féminin, puis complète les noms.**

LE PAYSAN •

LE MOUTON •

Droites parallèles

mémo

On dit que **deux droites** sont parallèles quand la **distance qui les sépare est toujours la même** et qu'elles **ne se couperont jamais.**
A parallèle à C.

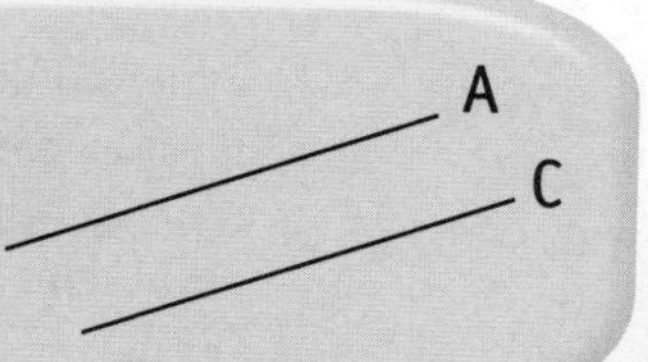

25 L'intrus

→ **Parmi toutes ces droites, entoure celles qui n'ont aucune parallèle puis note les noms des couples.**

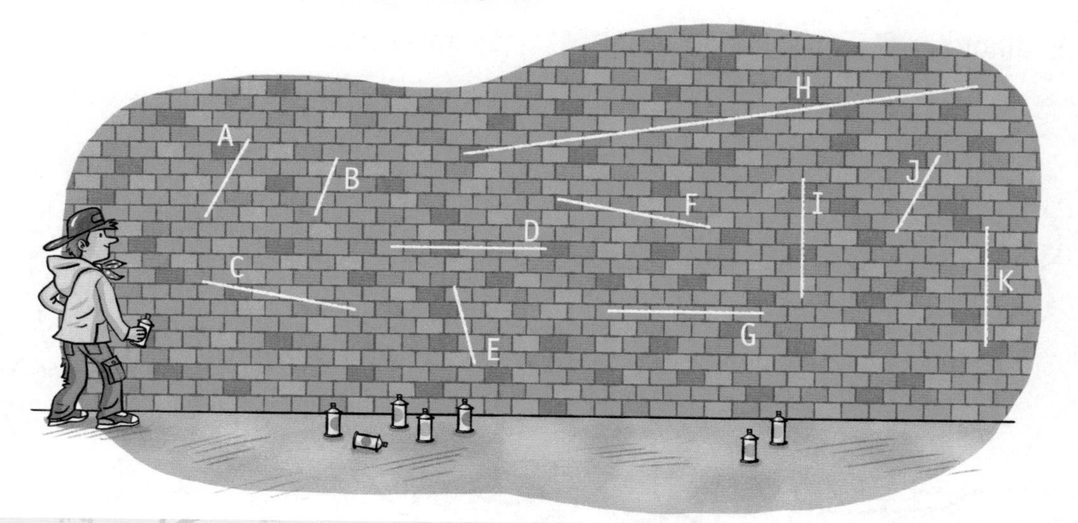

26 Qui est-elle ?

1) Elle est parallèle à la droite A.
Elle mesure 4,9 cm.
Elle coupe une droite en son milieu.
Elle se nomme ....

2) Elle est parallèle à la droite B.
Elle mesure 1,6 cm.
Elle est aussi parallèle à la droite D.
Elle se nomme ....

3) Elle n'est parallèle à aucune autre droite.
Elle coupe trois autres droites.
Elle mesure 2,9 cm.
Elle se nomme ....

Le nombre des noms

Parler du nombre d'un nom c'est dire si le mot est au singulier ou au pluriel.
Il est au **singulier** s'il désigne **une seule chose** et si on utilise les déterminants : **le, la, un, une.**
Il est au **pluriel** s'il désigne **plusieurs éléments**, s'il y a un « s » ou une autre **marque du pluriel** à la fin du mot et si on utilise les déterminants : **les, des.**
Les autres éléments de la phrase s'accordent avec le nom.

27 Un ou plusieurs

→ **Colorie suivant le code.**

masculin singulier ■ masculin pluriel ■ féminin singulier ■ féminin pluriel ■

La révolution industrielle

La révolution industrielle est le **passage d'une société** à dominante **agricole et artisanale à une société commerciale et industrielle.** Cette **transformation** a modifié profondément l'économie, la politique, la société et l'**environnement du monde contemporain.**

Les premiers pays à s'être industrialisés sont la **Grande-Bretagne** et la **Belgique** à la **fin du XVIIIe siècle**, puis la **France** au **début du XIXe siècle.**

28 Les grandes inventions

→ Suis le chemin qui te conduira de chaque invention à son inventeur, et reconstitue les dates des événements.

Colours (les couleurs)

blue green red purple yellow black pink brown grey

29 Magic colours (Coloriage magique)

→ Colorie suivant le code.

Lire un poème

mémo

Lire de la poésie, c'est apprendre à **jouer avec les mots** :
- le **sens**
- la **musicalité**
- les **rimes**.

30 Poète-pouêtte

→ **Remets les mots dans l'ordre pour compléter le poème puis imagine un titre.**

....

Depuis le mât de son bateau La fée voyait la mer de	HUTA	☐☐☐☐
Les vagues faisaient des rouleaux Et le ciel couvert était	BUAE	☐☐☐☐
Elle jeta sa poudre magique Pour accoster dans la	RIQUCE	☐☐☐☐☐☐
Mais commit une erreur .... À la conséquence comique	TIICUEQR	☐☐☐☐☐☐☐☐
Et se retrouva sur le nez D'une baleine	SOBSACÉE	☐☐☐☐☐☐☐☐
Qui ne voulait pas s'encombrer Et voulait voyager	LÉREG	☐☐☐☐☐
Elle plongea tout au fond de l'eau Laissant notre fée sur le	OSD	☐☐☐
Toussant et trempée jusqu'aux os Vite une formule pour un ....!	READUA	☐☐☐☐☐☐

GRAND JEU

mégapole

Retrouve les mots suivants dans la grille.

CHAUSSEE
CITE
COMMUNE
IMMEUBLE
PARC
PARKING
PIETON
RUE
URBAIN
VOITURE

C	B	T	L	F	T	L	N	Y	E	U	E	T	I	C
B	H	D	W	T	A	G	P	R	S	R	H	M	V	H
B	V	A	A	C	K	Q	U	L	Q	B	T	E	Q	G
Q	F	I	U	S	W	T	F	T	N	A	N	G	U	Y
R	R	W	Z	S	I	E	C	S	P	I	S	M	K	B
Z	P	B	X	O	S	E	A	R	W	N	V	J	S	F
A	A	L	V	U	O	E	N	C	A	P	N	Y	S	A
E	R	E	U	R	L	O	E	O	U	P	L	P	H	M
L	K	Z	O	Y	Z	H	J	M	L	E	C	C	F	C
B	I	P	A	G	P	O	B	M	V	I	I	B	P	X
U	N	X	I	Z	R	L	P	U	S	E	E	T	I	L
E	G	O	L	C	K	C	W	N	Z	M	V	W	E	N
M	L	J	H	L	F	T	L	E	G	J	X	F	T	M
M	E	A	O	Q	L	J	G	T	A	H	S	S	O	G
I	O	K	Q	W	S	B	M	C	A	O	Y	W	N	I

Charades

Mon premier est une voyelle,
mon deuxième est le contraire de tard,
mon troisième est comme un car,
mon tout transporte les enfants qui se rendent en colonie de vacances.

Mon premier est plein de confiture,
mon deuxième sent mauvais,
mon troisième est un article féminin,
mon quatrième est le verbe scier à la 1re personne du pluriel au présent,
mon tout se compose de plus de 7 milliards d'individus.

DE LA VILLE

Quiz

1) Je suis la ville la plus peuplée de France. Je suis :

Paris — Lyon — Marseille — Lille

2) Je suis la ville la plus touristique du monde. Je suis :

Londres — New York — Paris — Rome

3) Je suis le monument symbole de Paris. Je suis :

L’Arc de triomphe — La tour Eiffel — le Sacré-Cœur

Quand on arrive en ville !

Trouve l’intrus dans ce dessin.

Droites perpendiculaires

On dit que deux droites sont perpendiculaires si elles se coupent en formant 4 **angles droits.**
(a) est perpendiculaire à (b).

(b)

(a)

31 Droites et code

Parmi toutes ces droites, repasse :

- en violet celle qui est perpendiculaire à :

COU	QU	E.	ST	LEU	ITE	DRO	OUG
I E	DE	R R	LA				

- en bleu (sachant que A = 1, B = 2 etc.) :

12-1 4-18-15-9-20-5 17-21-9 5-19-20

__ _______ ___ ___

16-5-18-16-5-14-4-9-3-21-12-1-9-18-5 1

_______________ _

12-1 4-18-15-9-20-5 10-1-21-14-5.

__ _______ _____

Les types de phrases

La phrase déclarative exprime **un fait** ; elle dit ce qu'est ou ce que fait le sujet. Elle se termine par un **point**. *La montgolfière décolle.*

La phrase interrogative pose **une question**. Elle se termine par un **point d'interrogation.** *Combien existe-t-il de variétés d'oiseaux ?*

La phrase exclamative exprime **une émotion** ou un sentiment comme la joie, la surprise, l'étonnement, la pitié… Elle se termine par un **point d'exclamation.** *Comme c'est beau !*

La phrase impérative exprime **un ordre**, un conseil ou un souhait. Elle se termine par un point ou par un point d'exclamation. *Sois attentif !*

32 Dire en couleurs

→ **Colorie en rouge la phrase impérative, en vert la déclarative, en jaune l'interrogative et en bleu l'exclamative.**

33 Prends l'avion

→ **Accroche les banderoles qui se sont déchirées.**

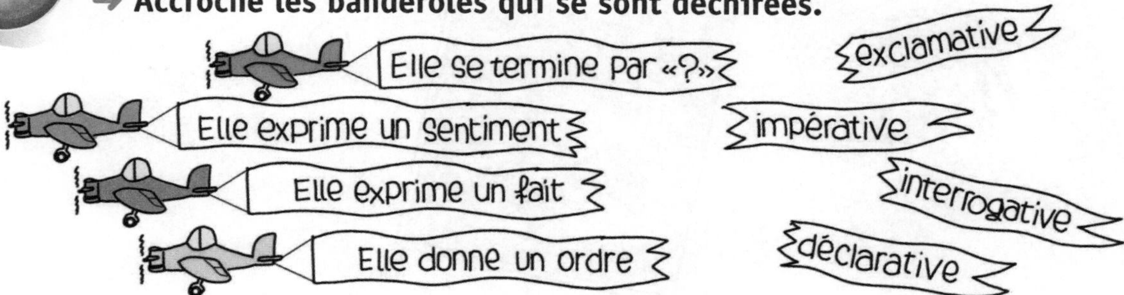

Tri de textes

mémo

Lorsque l'on trie des textes, on cherche à **identifier la nature** de ces **textes.**
Les natures de textes : les textes **narratifs** (roman, conte, récit), les textes **injonctifs** (recette, notice, règlement), les textes **poétiques** (recueil de poèmes), les textes **informatifs** (revue, journaux, dictionnaire).

34 Qui est qui ?

→ **Relie chaque texte à sa nature.**

Méridiens et fuseaux horaires

Pour se repérer, on a mis au point un **quadrillage imaginaire de la Terre**. La Terre effectuant sa rotation en **24 heures**, sa surface a été divisée en **24 parties** de même taille : les **fuseaux horaires** qui sont délimités par deux **méridiens** (des **lignes qui joignent les 2 pôles**). Tous les lieux à **l'intérieur d'un même fuseau** ont la **même heure**.

À partir du **méridien d'origine**, le méridien de **Greenwich** en Angleterre, on compte les heures. En se déplaçant **vers l'Est, on ajoute des heures** alors que **vers l'Ouest, on en retire**. Lorsqu'on passe le douzième fuseau, on doit retirer une journée au calendrier universel.

Les fuseaux horaires ont été créés afin de normaliser l'heure du jour dans le monde entier, en raison de la rotation de la Terre.

35 Agent trop secret

→ Aide-toi de la carte pour résoudre cette énigme.

À quelle heure locale l'agent secret Alain Férieur a-t-il atteint le lieu de sa mission, sachant qu'il a décollé de Roissy-Charles de Gaulle, à Paris, à 14 h 47, et qu'il a atterri à New York 6 heures plus tard ?

a) 20 h 47 b) 15 h 47 c) 14 h 47

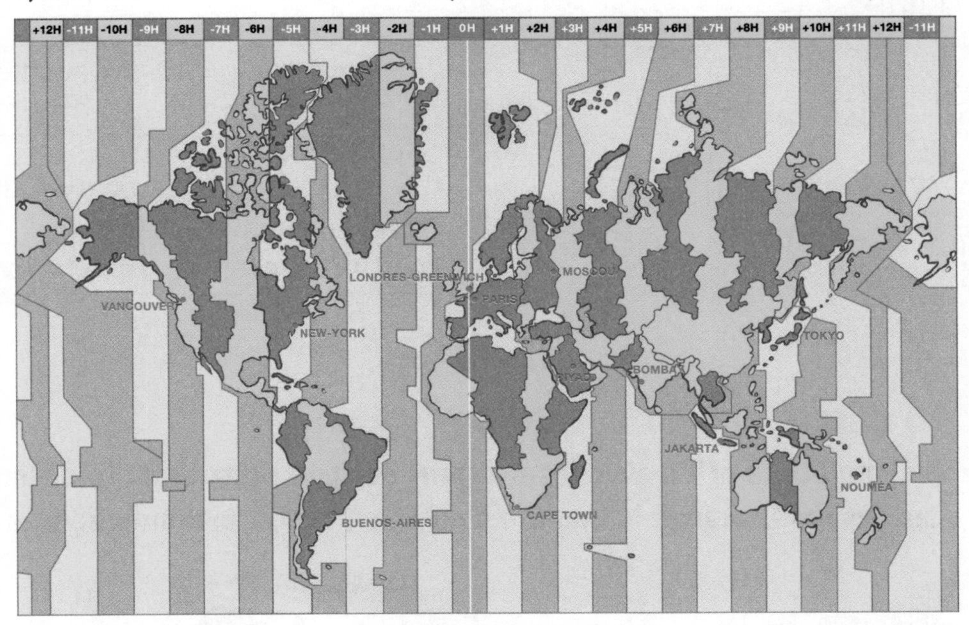

36 Décalage horaire

En France, il peut être deux heures très différentes selon que l'on est en métrople ou dans les DROM-COM ! La preuve : quelle heure est-il à Nouméa, en Nouvelle-Calédonie, lorsqu'il est 21 h à Paris ? Aide-toi de la carte et des couleurs pour répondre.

Numbers (les chiffres et les nombres)

mémo

1	one	11	eleven	30	thirty
2	two	12	twelve	40	forty
3	three	13	thirteen	50	fifty
4	four	14	fourteen	60	sixty
5	five	15	fifteen	70	seventy
6	six	16	sixteen	80	eighty
7	seven	17	seventeen	90	ninety
8	eight	18	eighteen	100	one hundred
9	nine	19	nineteen	1,000	one thousand
10	ten	20	twenty	1,000,000	one million

37 The right number

→ **Relie les nombres à la prononciation qui correspond.**

36 89 654 137 21 95 47 58 72 64

thirty-six
seventy-two
twenty-one
six hundred and fifty-four
fourty-seven
sixty-four
one hundred and thirty-seven
ninety-five

38 Au service de la couronne

→ **Complète la grille avec les nombres écrits en lettres et tu découvriras dans les cases orange le numéro d'un agent secret britannique très célèbre.**

Mesure des longueurs

On note **m** pour **mètre**, l'**unité de mesure des longueurs.**

1 km = 10 hm = 100 dam **= 1 000 m**

1 m = 10 dm **= 100 cm** = 1 000 mm

km	hm	dam	mètre	dm	cm	mm
kilomètre	hectomètre	décamètre		décimètre	centimètre	millimètre
x 1 000	x 100	x 10	1	÷ 10	÷ 100	÷ 1 000
1	0	0	0			

39 En compagnie des couleurs

→ **Colorie toutes les réponses possibles de la même couleur que le segment.**

3 cm

19 km

47 dam

1 900 dm | 30 dm | 190 hm | 4,7 hm

30 mm | 19 347 m | 0,47 km | 47 000 cm

74 m | 19 000 000 mm | 19 000 m | 0,03 m

91 km | 470 m | 19 000 dam | 4 700 dam

40 Chasse au trésor

→ **Trouve le plus court chemin pour que les pirates atteignent le trésor.**

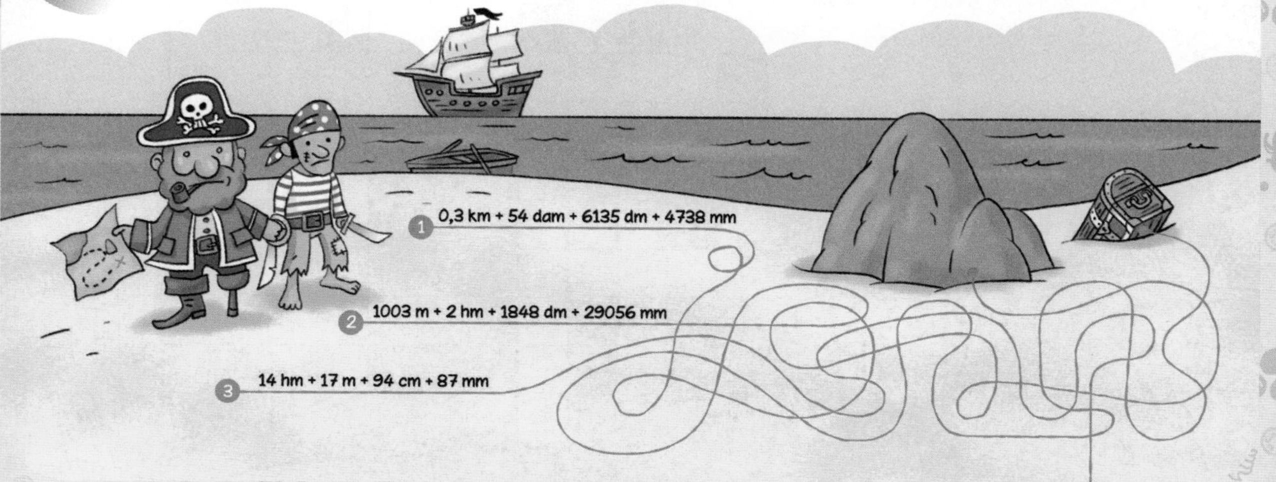

La segmentation

Segmenter un texte, c'est **séparer** les mots, les phrases, les paragraphes.
ex. : Tulisunehistoire. / Tu lis une histoire.

41 Cache-cache

→ **Pour chaque ligne, retrouve le mot demandé puis place-le dans la grille.**

Extrait des *Lettres de mon moulin* : « Le secret de maître Cornille ».

3) 6e mot de la ligne
Toutautourduvillage,lescollinesétaientcouvertesde

1) 3e mot de la ligne
moulinsàvent.Dedroiteetdegauche,onnevoyaitquedes

8) 5e mot de la ligne
ailesquiviraientaumistralpardessuslespins,

9) 2e mot de la ligne
desribambellesdepetitsâneschargésdesacs,montantet

7) 5e mot de la ligne
dévalantlelongdeschemins;ettoutelasemainec'était

5) 9e mot de la ligne
plaisird'entendresurlahauteurlebruitdesfouets,le

2) 4e mot de la ligne
craquementdelatoileetleDiahue!desaidesmeuniers...

4) 8e mot de la ligne
Ledimanchenousallionsauxmoulins,parbandes.Ces

6) 10e mot de la ligne
moulinslà,voyezvous,faisaientlajoieetlarichessedenotrepays.

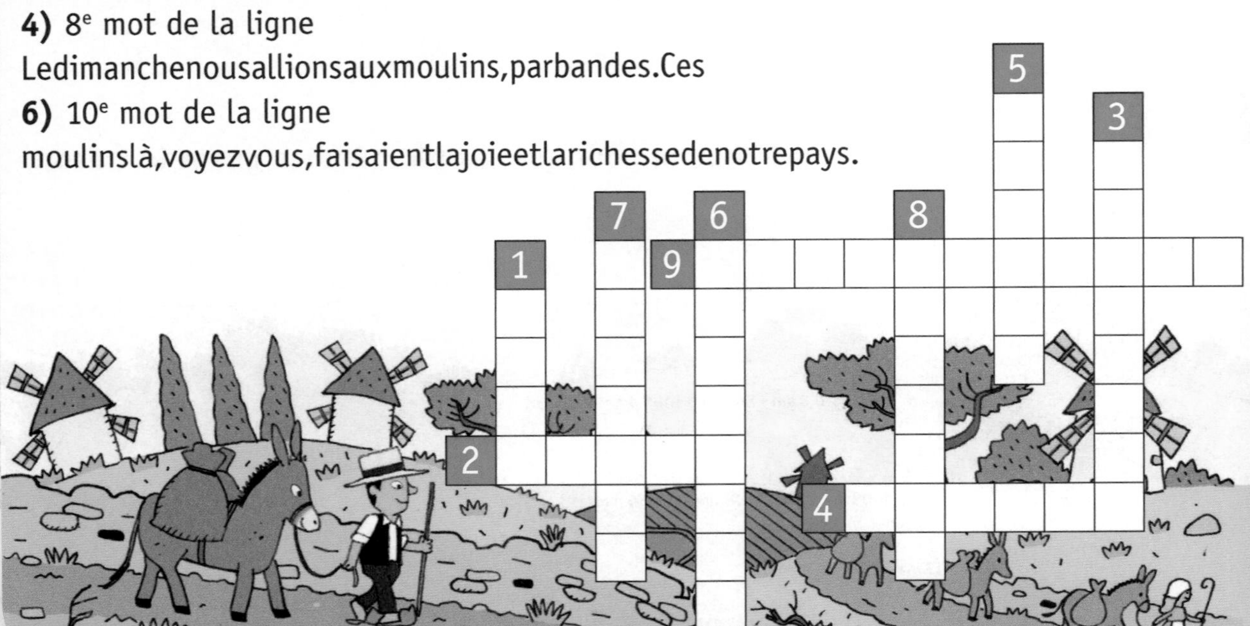

La France administrative

mémo

La France est un grand pays et c'est pour cette raison qu'elle est organisée selon un **découpage administratif** précis. Son territoire est découpé en **13 régions métropolitaines** et **5 régions d'outre-mer** depuis le 1er janvier 2016. Avant cette date, la France comptait 22 régions métropolitaines.

La France métropolitaine est aussi partagée en **96 départements** qui sont répartis sur les 13 régions de la métropole et **5 départements d'outre-mer**. Les départements furent créés au début de la Révolution française (1790).

Pour chaque région et pour chaque département, une **ville** est désignée comme étant sa **préfecture** (la ville de référence administrative).

42 À l'ombre des régions

→ **Écris le nom des régions aux bons emplacements.**

Bretagne | Île-de-France | Hauts-de-France | Bourgogne – Franche-Comté | Occitanie

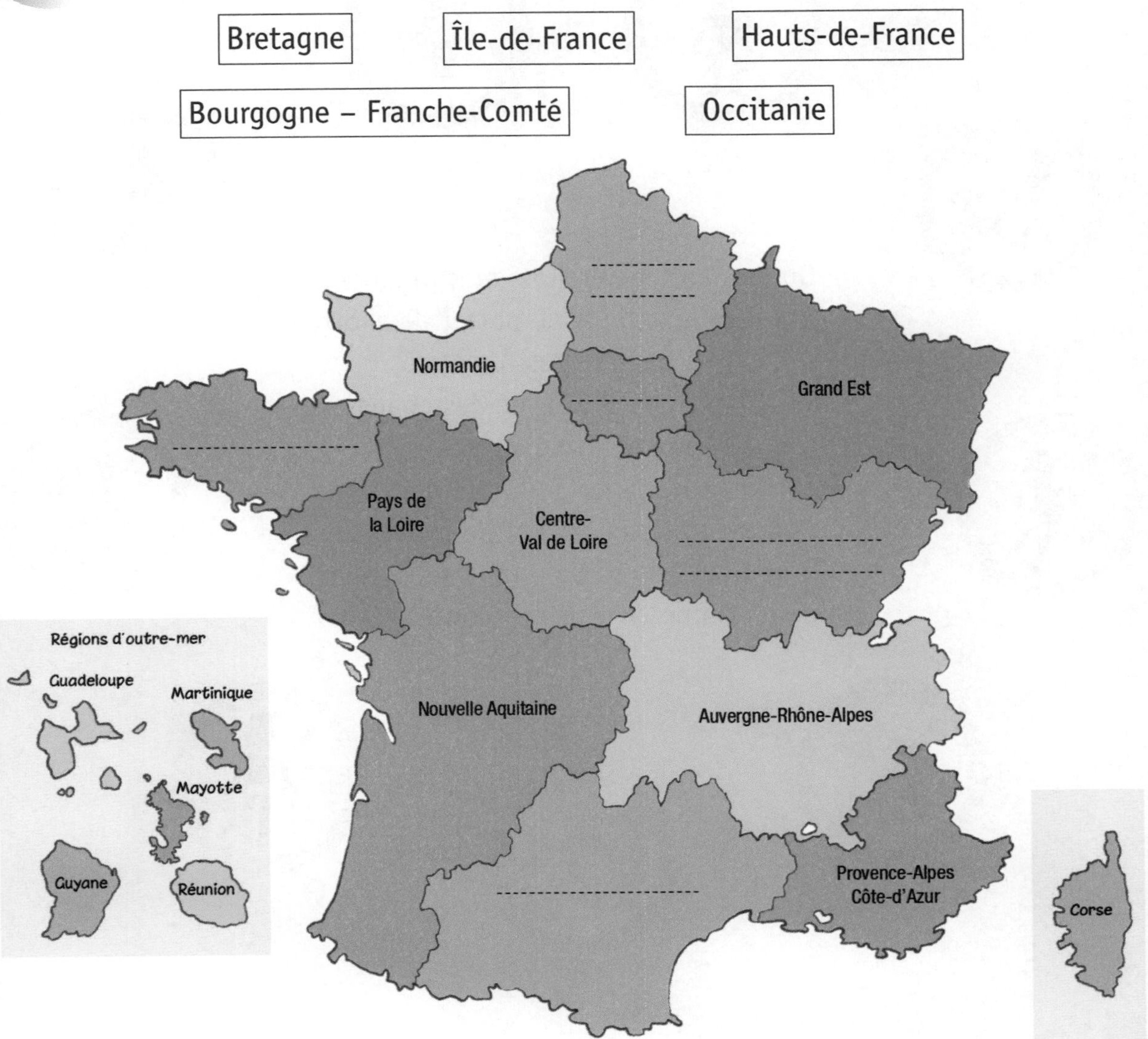

La négation

La **phrase négative** est la phrase **inverse de la phrase affirmative.** Elle **nie** quelque chose. **Pour marquer la négation**, on utilise **au moins deux mots qui encadrent le verbe : ne... pas ; ne... jamais ; ne... plus, ne... rien.**

En fonction du deuxième mot de la négation, le sens de la phrase change :
je n'aime pas - je n'aime plus - je n'aime rien

43 Code piscine

→ Relie chaque panneau à sa légende.

2 3

1 4

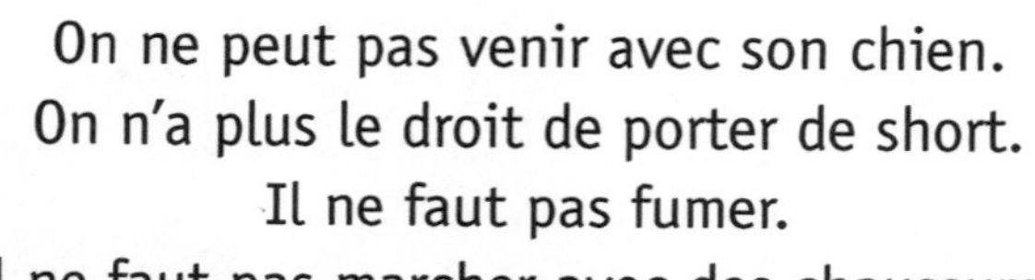

On ne peut pas venir avec son chien.
On n'a plus le droit de porter de short.
Il ne faut pas fumer.
Il ne faut pas marcher avec des chaussures.
On ne doit jamais pousser.
On ne doit rien jeter par terre.

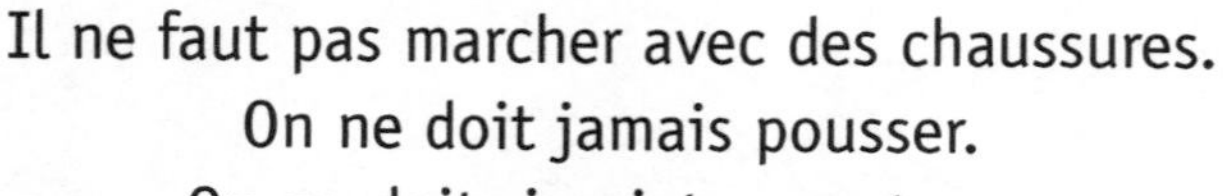

On ne doit pas utiliser de matelas.
On ne peut pas se baigner sans bonnet.
On ne doit jamais courir.

9 5

8 6 7

Les énergies

Dans la nature, il existe plusieurs sources d'énergie, mais le Soleil est à l'origine de toute l'énergie sur la Terre. Pour nous les **hommes**, l'énergie qui permet à notre corps de bouger vient des **aliments** que nous mangeons. Pour une **plante**, l'énergie qui la fait vivre vient de la **terre** et de la **lumière**. Une **voiture** a besoin d'énergie pour fonctionner ; c'est le **carburant**, produit à base de pétrole. Dans la **nature**, il y a des sources d'énergie (**bois, vent, soleil, eau...**), mais l'**électricité** est la forme d'énergie dont nous avons le plus besoin et **il faut la fabriquer.**

44 À la source

→ **Pour chaque énergie, retrouve sa source et son nom.**

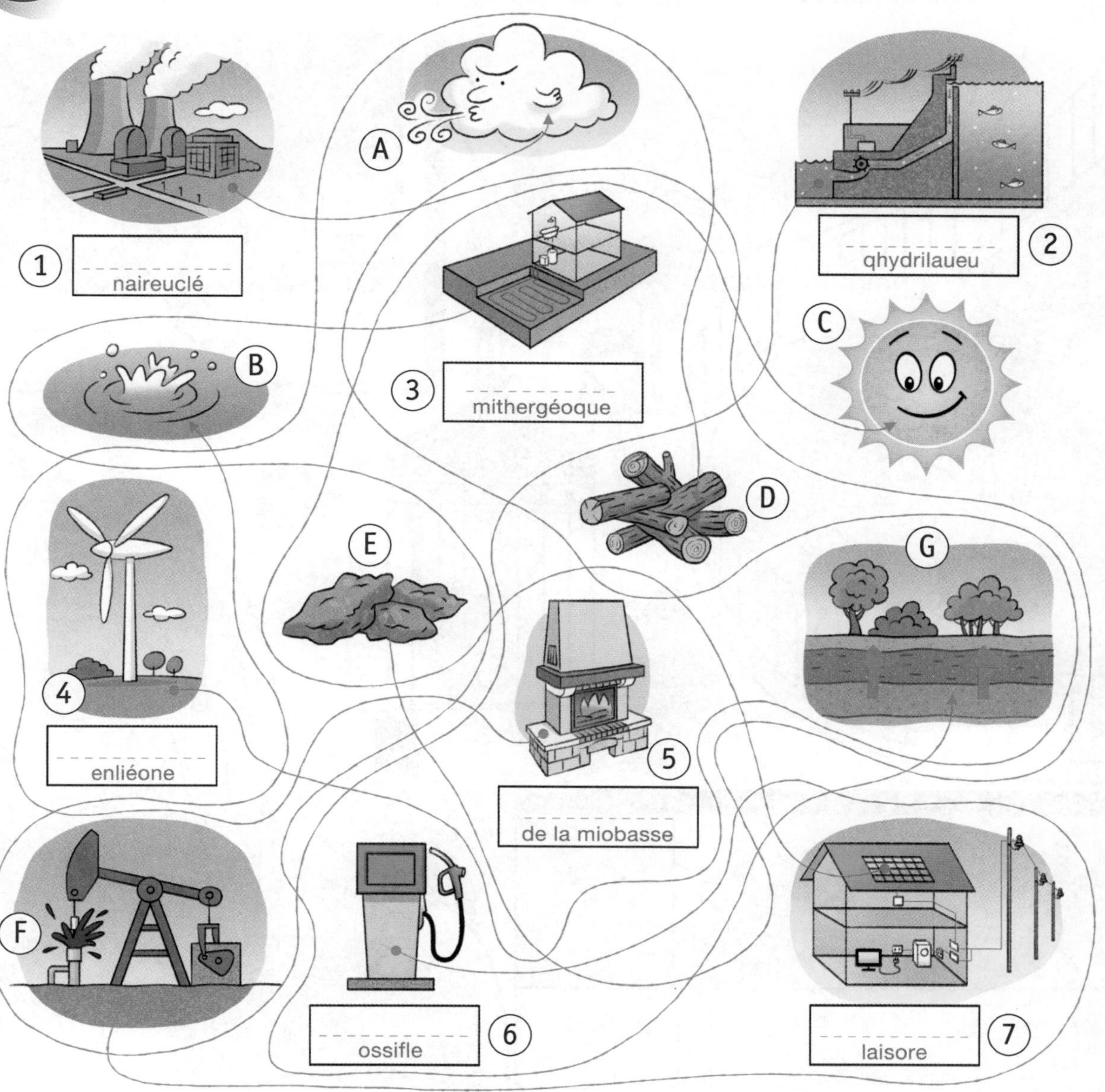

Animals (les animaux)

un éléphant	**an elephant**	un écureuil	**a squirrel**	un oiseau	**a bird**
une grenouille	**a frog**	un taureau	**a bull**	une mouche	**a fly**
une abeille	**a bee**	un papillon	**a butterfly**	un singe	**a monkey**
un moustique	**a mosquito**	un lion	**a lion**	un perroquet	**a parrot**
un poisson	**a fish**	un serpent	**a snake**	un renard	**a fox**
un escargot	**a snail**	une araignée	**a spider**	un ours	**a bear**

45 Au zoo

→ **Ajoute une lettre pour trouver la bonne et tu connaîtras le nom des animaux.**

Mesure des masses

On note **g** pour **gramme**, l'**unité de mesure des masses.**
1 kg = 10 hg = 100 dag = **1 000 g**
1 g = 10 dg = 100 cg = 1 000 mg

kg	hg	dag	gramme	dg	cg	mg
kilogramme	hectogramme	décagramme		décigramme	centigramme	milligramme
x 1 000	x 100	x 10	1	÷ 10	÷ 100	÷ 1 000
1	0	0	0			

Casse méninges

→ **Déchiffre cette énigme puis réponds à la question.**

S L	EST	LUM	MIL	RAM	LOG	MME	E P
ME	MB	S D	DE	KI	ES ?	PLO	ST
-CE	D ?	LE	I E	QU'	GRA	OUR	UN
OU	QU	PLU	LE				

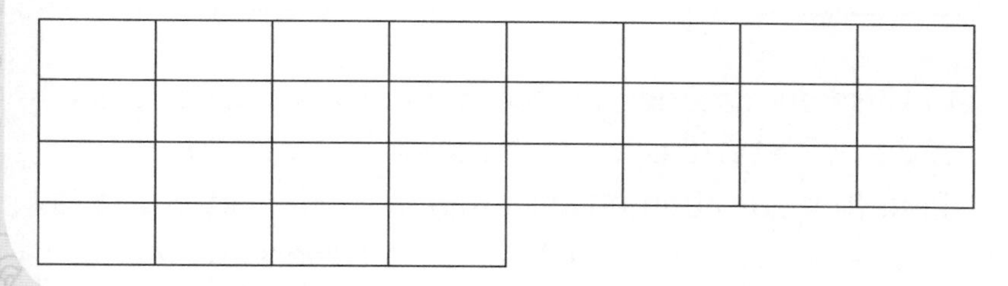

Les poids sont lourds

→ **Trouve la masse de chaque animal.**

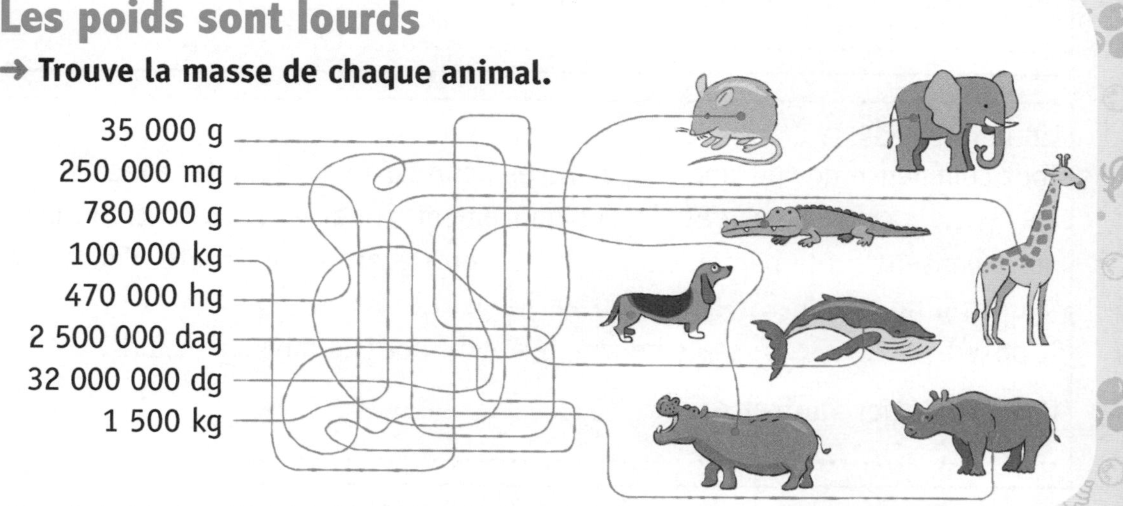

Prendre des indices

Pour répondre aux questions sur la **compréhension d'un texte**, la **résolution d'un problème**, on cherche les **indices** pertinents :
- repérer l'orthographe des mots,
- trouver les mots-clés.

48 Enquête exclusive

→ **Retrouve les mots qui manquent dans chaque texte puis donne les solutions.**

feuille – aventure – sorties – combinaison – page – Inès – ceinture lestée – mots – bouteille – détendeur – fin – profondimètre – idées – masque – plume – palmes – papier – corail

Expédition

Nous étions .... tôt ce matin-là. .... avait mis son équipement complet et moi je m'occupais du matériel photos. Cette expédition allait être risquée.

De qui parle-t-on ?

un garçon ☐ une fille ☐ deux garçons ☐ deux filles ☐ un garçon et une fille ☐

La première fois

Pour sa première sortie, Michel utilise du matériel de location qui se compose d'une .... , d'une .... et d'une .... avec .... On lui fournit aussi un .... Pour le reste, il prend ses propres affaires et part à la découverte de la magnifique barrière de .... qu'il admire à travers son vieux .... Après quelques minutes, il remonte d'un coup de ....

Quel loisir Michel a pratiqué pour la première fois ?

....

Un beau métier

Tout commence devant une .... blanche qu'il veut habiller avec des ....
La .... s'anime et c'est le commencement d'une .... extraordinaire. Les mots dansent sur le papier, les .... fourmillent dans sa tête. Pendant des heures, il noircit du .... et rien ne peut l'arrêter.
Il posera sa .... seulement après avoir écrit le mot ....

De quel métier s'agit-il ?

....

La Première Guerre mondiale

Le conflit éclate en **1914** et il oppose **deux camps** : la Triple-Entente (**France, Royaume-Uni et Russie**) et la Triple-Alliance (**Allemagne, Autriche et Hongrie**).
C'est une guerre de position qui va se dérouler dans les **tranchées.** Dès 1914, les taxis parisiens transportent les **poilus** pour la **bataille de la Marne.** Dans les tranchées, la vie est très difficile et pendant 4 années les soldats vont souffrir du manque d'hygiène.
Les États-Unis entrent en guerre en 1917 et aident les pays de la Triple-Entente à vaincre.
Le **11 novembre 1918**, les Français et les Allemands signent l'**armistice.**

49 Frise historique

→ **Classe les événements dans l'ordre sur la frise en associant chaque image à la date qui lui correspond.**

Soustraction des nombres entiers

Pour effectuer une soustraction avec des nombres entiers, il faut **aligner les chiffres** en plaçant les unités sous les unités, les dizaines sous les dizaines et ainsi de suite. On calcule **de la droite vers la gauche** et on doit penser aux **retenues** (quand il y en a). Le résultat est la différence.

Décollage magique

→ Colorie suivant le code.

- inférieur à 1 000
- entre 1 000 et 2 000
- entre 2 000 et 3 000
- supérieur à 3 000

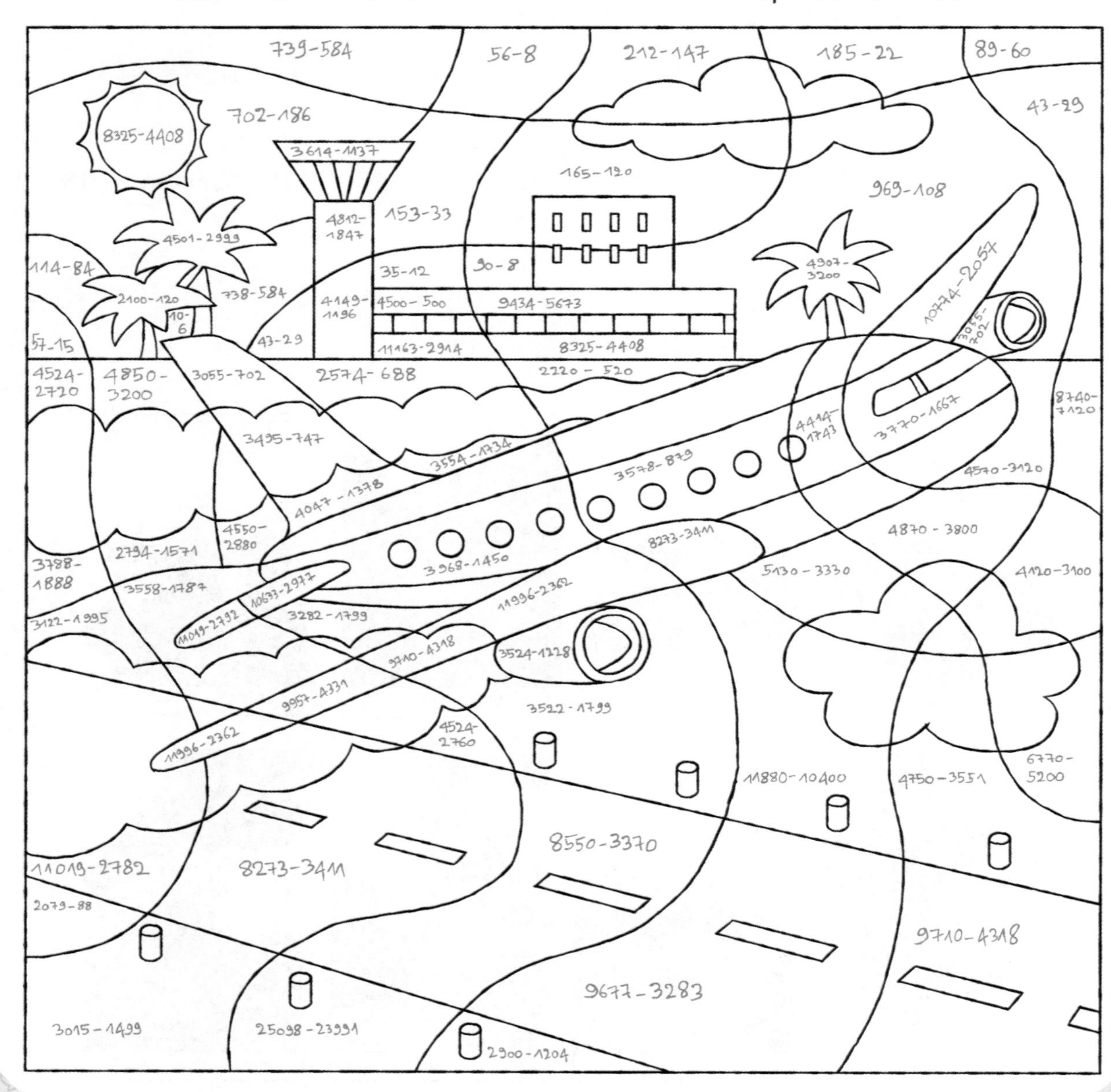

La ponctuation

mémo

Le point .	Il indique la fin d'une phrase déclarative ou impérative.
La virgule ,	Elle marque une pause courte dans une phrase, permet une juxtaposition.
Le point virgule ;	Il marque une pause longue dans une phrase, permet une juxtaposition.
Les deux-points :	Ils annoncent une énumération ou le début d'un dialogue.
Les points de suspension...	Ils laissent imaginer une suite ou ils indiquent une hésitation.
Le point d'interrogation ?	Il indique la fin d'une phrase interrogative.
Le point d'exclamation !	Il indique la fin d'une phrase exclamative.
Les guillemets « »	Pour ouvrir et fermer un dialogue. Ils servent aussi à mettre en relief.

À chacun sa place

→ **Place le signe de ponctuation qui convient dans les coquillages.**

Chaque année ___ les animateurs de la colonie de vacances organisent un concours ___
Cette fois ___ ils ont choisi comme thème ___ ___ les châteaux de sable ___ ___
Les enfants ont donc besoin pour réaliser leur construction ___ de pelles ___ de râteaux ___ de seaux ___ et de sable bien sûr ___
Qui sera le vainqueur ___ Celui qui aura fait le plus gros château ou celui qui aura le plus de détails tracés dans le sable ___
Mais prenez garde ___ La mer monte ___

Devinette

Nous appartenons au monde scientifique.
Nous faisons aussi partie de la langue française.
Grâce à nous, on peut isoler des groupes de mots.
Nous sommes symétriques.
Nous sommes : ....

La nature des mots

mémo

Les mots sont de différentes natures :
- les **verbes** : on peut les conjuguer,
- les **noms propres** : ils commencent par une majuscule,
- les **déterminants** : on les trouve devant les noms communs,
- les **articles** : un, une, des, le, la, les,
- les **noms communs** : pour nommer en général, on peut écrire un ou une devant,
- les **pronoms personnels** : ils se placent devant un verbe conjugué,
- les **adjectifs qualificatifs** : ils accompagnent les noms communs pour donner des précisions.

53 En pleine nature

→ **Colorie les mots selon leur nature en respectant le code.**

verbe | **nom commun** | **nom propre** | **déterminant-article** | **adjectif** | **adverbe** | **pronom** | **préposition**

Reproduction de figure

Reproduire une figure, c'est la **copier à l'identique en conservant les mêmes mesures.** Il faut l'observer, et se construire son propre programme de construction (l'ordre dans lequel on va effectuer les tracés). Pour réussir il faut les bons outils : une règle graduée, une équerre, une gomme, un crayon et un compas.

54 Même motif

→ **Reproduis ce motif sur le quadrillage.**

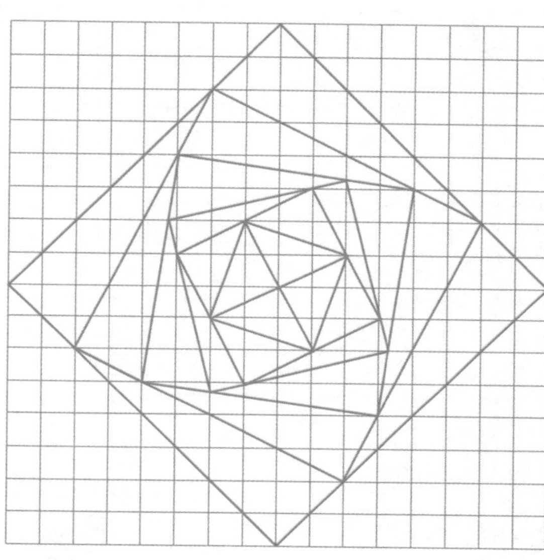

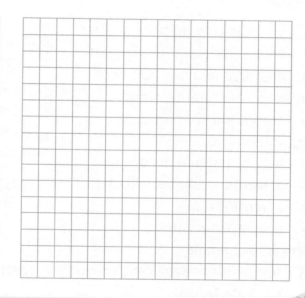

55 Même reproduction

→ **Quelle est la bonne reproduction ?**

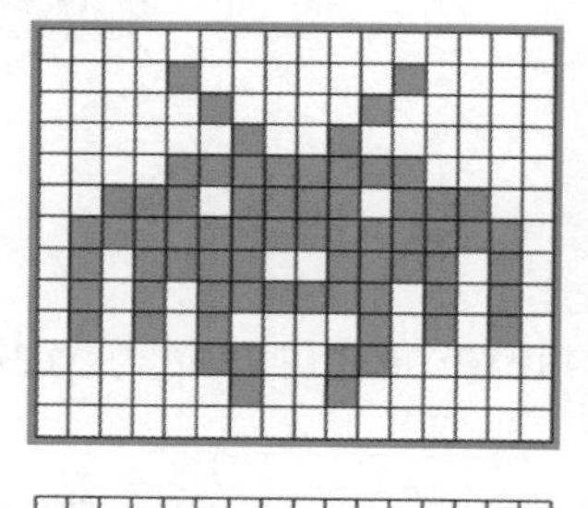

1

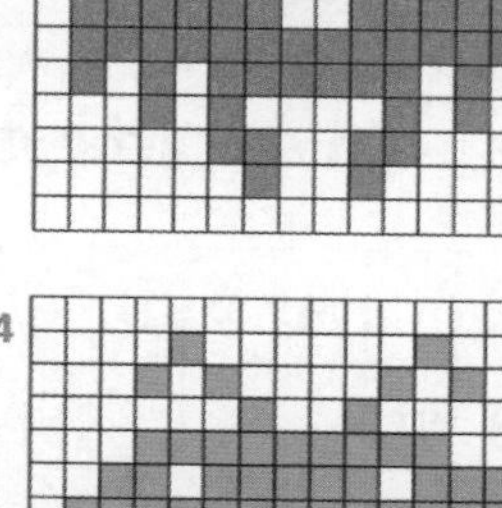

2

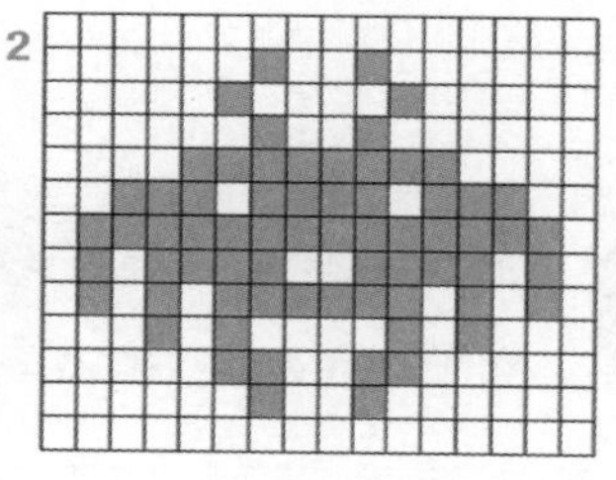

3

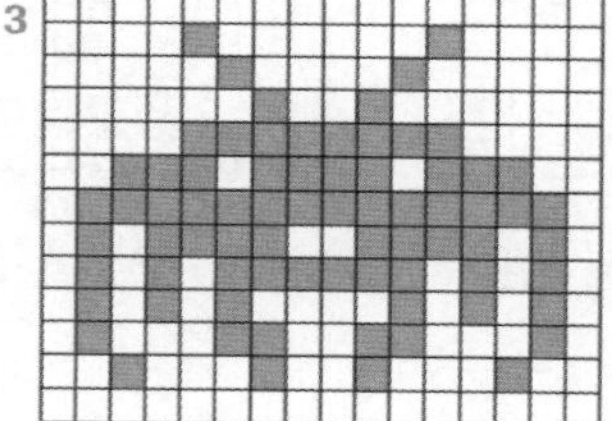

4

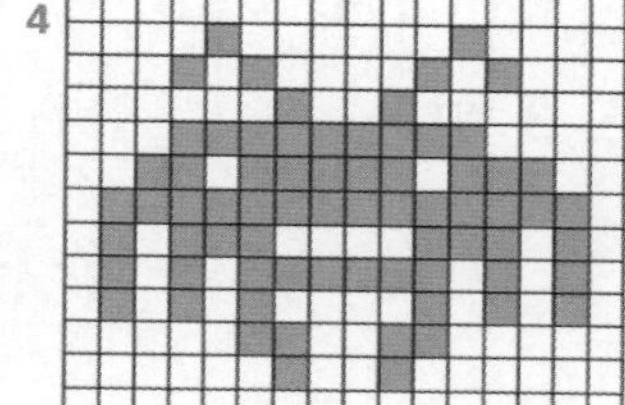

5

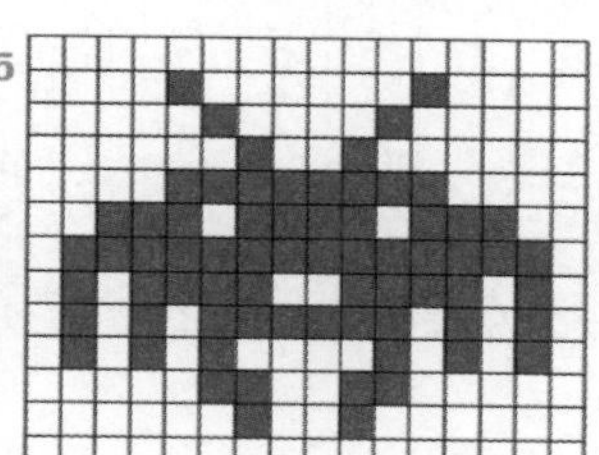

Lire et écrire des grands nombres

Il ne faut pas confondre **chiffre** et **nombre.**
Il existe **seulement 10 chiffres** : 0 – 1 – 2 – 3 – 4 – 5 – 6 – 7 – 8 – 9.
Ces **chiffres permettent d'écrire tous les nombres.**
La valeur d'un chiffre dans un nombre dépend de sa position.

56 Nombres casés

→ **Place les nombres en chiffres dans la grille.**

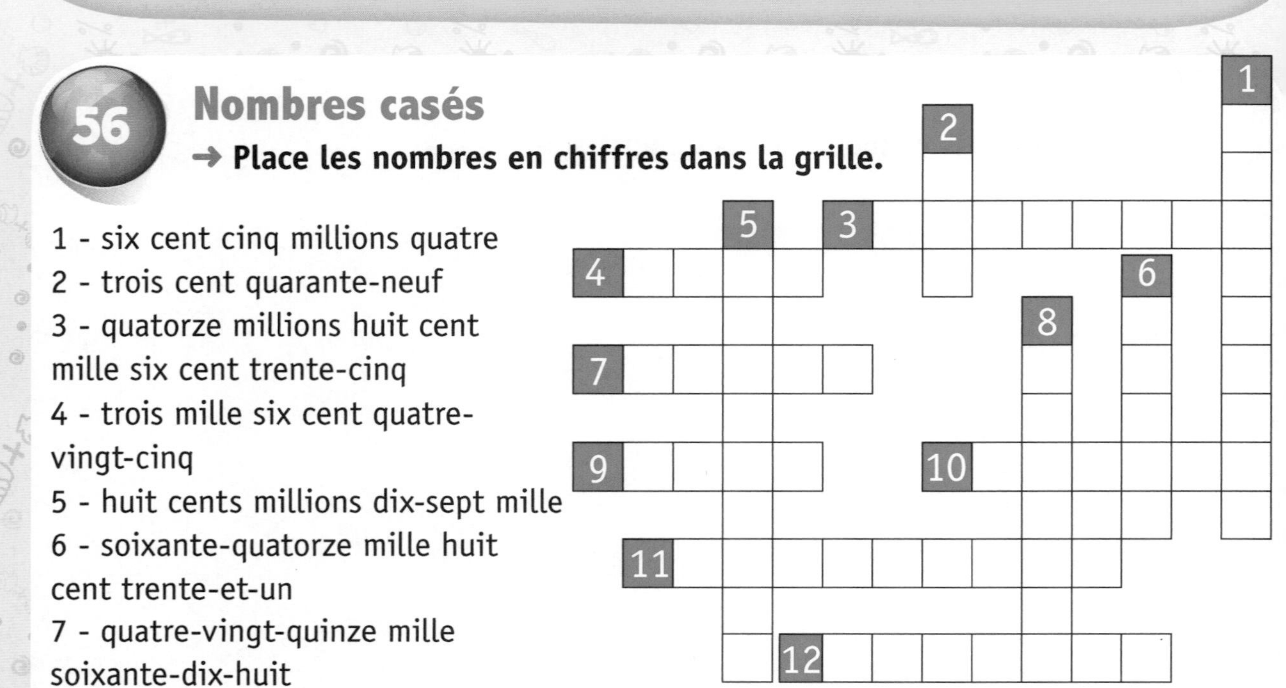

1 - six cent cinq millions quatre
2 - trois cent quarante-neuf
3 - quatorze millions huit cent mille six cent trente-cinq
4 - trois mille six cent quatre-vingt-cinq
5 - huit cents millions dix-sept mille
6 - soixante-quatorze mille huit cent trente-et-un
7 - quatre-vingt-quinze mille soixante-dix-huit
8 - sept millions sept cent vingt mille quatre-vingt-seize
9 - six mille treize
10 - huit cent vingt-sept mille trois cent quatre-vingt-dix
11 - neuf cents millions deux cent quarante mille cent
12 - deux millions cent quarante-cinq mille six cent trente-et-un

57 Nombres codés

→ **Trouve le grand nombre qui se cache derrière ce message codé.**

A	B	C	D	E	F	G	H	I	J	K	L	M	N	O	P	Q	R	S	T	U	V	W	X	Y	Z
26	10	18		17		16	8	4	15	3	25		1		11	24		13	14	7	20	2	9	19	21

7-1 5-4-25-25-4-26-12-6 6-17-7-9 18-17-1-14-13 5-4-25-25-4-22-1-13

_ _   _ _ _ _ _ _ _ _   _ _ _ _   _ _ _ _ _   _ _ _ _ _ _ _ _

Le tableau de numération

milliards			millions			mille			unités simples		
c centaines	d dizaines	u unités	c centaines	d dizaines	u unités	c centaines	d dizaines	u unités	c centaines	d dizaines	u unités

58 Chacun sa position

→ De quel nombre s'agit-il ? Complète les cases à l'aide des indices.

4 est le chiffre des unités
93 centaines de millions
8 est le chiffre des unités de mille
2 est le chiffre des dizaines de millions
5 est le chiffre des dizaines
6 est le chiffre des centaines de mille
7 est le chiffre des unités de millions
1 est le chiffre des centaines
0 est le chiffre des dizaines de mille

59 En construction

→ Complète le tableau à l'aide des bonnes pièces du puzzle.
Puis, écris en lettres les nombres du tableau.

						mille			unités simples		
		u unités	c centaines	d	u unités	c centaines	d dizaines			d dizaines	
					4	0	0			7	9
			9		0		1	1	0	0	1
							8	9	9	9	8
				3	2		4	5	6		8

Pièces du puzzle :

dizaines
0

0
8
1

u unités

7

u unités	c centaines
2	5

c centaines	d dizaines

milliards

millions

....
....
....
....
....

GRAND JEU

Bon bain

Retrouve les 7 différences entre ces deux dessins.

Bonne glisse

Relie les points dans l'ordre alphabétique pour découvrir ce sport aquatique.

Sécurité

Déchiffre le message ci-dessous et tu sauras comment te baigner en toute sécurité.

A	B	C	D	E	F	G	H	I	J	K	L	M	N	O	P	Q	R	S	T	U	V	W	X	Y	Z

Le genre et le nombre des adjectifs

L'adjectif qualificatif (attribut ou épithète) s'accorde en genre et en nombre avec le nom qu'il qualifie.

*ex. : le **petit** chien - les **petits** chiens - la **petite** chienne - les **petites** chiennes*

60 En couleurs

→ **Place les lettres manquantes dans les cases en t'aidant du code couleur. Tu découvriras alors une règle amusante.**

		L											F				E		
	O									'						D			T
		R	S		U	'	I												
								C								N			

61 La vie en rose

→ **Grâce à la règle que tu as découverte, colorie en rose les adjectifs de couleur qui ne s'accordent pas.**

turquoise | olive | pistache | pêche | marron | bleu | orange

jaune | prune | violet | saumon | vert | émeraude

Simplifier des fractions

Pour simplifier une fraction, **on divise (ou multiplie)** le **numérateur** et le **dénominateur par un même nombre.** Simplifier une fraction c'est aussi la mettre sous la forme de la somme d'une partie entière et d'une fraction plus petite que 1.

ex. :

$$\frac{6}{9} = \frac{3\times 2}{3\times 3} = \frac{2}{3}$$

$$\frac{15}{4} = \frac{12}{4} + \frac{3}{4} = \frac{3\times 4}{1\times 4} + \frac{3}{4} = 3 + \frac{3}{4}$$

62 C'est pareil

→ **Colorie les fractions égales de la même couleur.**

$\frac{60}{50}$ $\frac{20}{12}$ $\frac{4}{28}$ $\frac{32}{40}$ $\frac{18}{36}$

$\frac{1}{7}$ $\frac{1}{2}$ $\frac{6}{5}$ $\frac{5}{3}$ $\frac{4}{5}$

63 Partie entière

→ **Repasse sur le chemin qui relie chaque fraction à son écriture simplifiée.**

$\frac{8}{3} = \frac{6}{3} + \frac{2}{3} =$ •   • $5 + \frac{2}{8}$

$\frac{9}{5} = \frac{5}{5} + \frac{4}{5} =$ •   • $6 + \frac{1}{9}$

$\frac{42}{8} = \frac{40}{8} + \frac{2}{8} =$ •   • $1 + \frac{4}{5}$

$\frac{55}{9} = \frac{54}{9} + \frac{1}{9} =$ •   • $2 + \frac{2}{3}$

La guerre des tranchées

À partir de 1915, les **armées ennemies** s'enterrent dans des **tranchées creusées face à face** tout au long de la **ligne de front**. En attendant les combats, les poilus survivent dans ces trous dans des **conditions de vie très difficiles.** Ils sont soumis **aux tirs ennemis**, mais aussi au **froid**, à la **pluie** et subissent le **manque d'hygiène.** Cet univers de **boue** et de guerre est semblable à un enfer.

64 Au poil

→ Place les mots qui légendent ce soldat pour découvrir le nom qui se cache dans les cases orange.

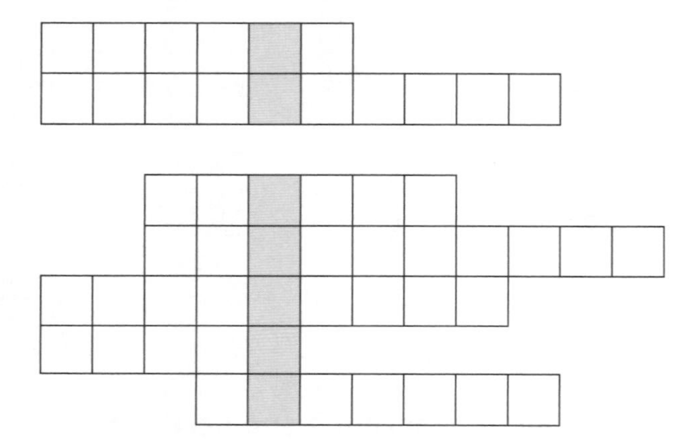

65 Dans les tranchées

→ Aide le poilu à rejoindre le quartier général.

Les gueules cassées

C'est le **28 juin 1919** que le **traité de paix de Versailles** clôt la Première Guerre mondiale. Clémenceau prit l'initiative d'associer les **mutilés** à cette cérémonie. C'est ainsi que "les gueules cassées" sont devenues le **symbole** de la reconnaissance de la patrie à l'égard **de ceux qui se sont sacrifiés pour la victoire française.**

66 Journaliste en herbe

→ Complète cet article avec les mots des étiquettes.

L'expression « **gueules cassées** », inventée par le Colonel Picot, premier président de l'*Union des Blessés de la Face et de la Tête,* désigne les ....
de la Première Guerre .... ayant subi une ou plusieurs ....
au .... notamment au niveau du ....
À la fin de la .... Guerre, le nombre total de ....
s'élevait à 9 millions dont plus de 2 millions d'Allemands, presque 1,5 million de Français, 1,8 million de Russes, 750 000 Britanniques et 650 000 Italiens.
Proportionnellement à sa .... , la .... est le pays où les .... ont été les plus ....

survivants | mondiale | France | Grande | blessures | pertes

visage | importantes | combat | morts | population

Comparer des fractions

mémo

Quand **deux fractions ont le même dénominateur**, la plus grande est celle qui a le **plus grand numérateur.**

$$\frac{6}{9} < \frac{8}{9} \text{ car } 6 < 8$$

Pour comparer **deux fractions qui n'ont pas le même dénominateur**, on cherche le **dénominateur commun.**

$\frac{4}{9}$ et $\frac{3}{5}$. On fait $\frac{4 \times 5}{9 \times 5}$ et $\frac{3 \times 9}{5 \times 9}$. Cela revient à $\frac{20}{45}$ et $\frac{27}{45}$ donc $\frac{20}{45} < \frac{27}{45}$ $\frac{4}{9} < \frac{3}{5}$.

Le plein de miel

→ Colorie ce que chaque concurrent a rempli dans son tonneau et donne le nom du vainqueur.

Le « Fracnoë »

→ Relie les fractions dans l'ordre croissant.

Puzzle de lecture

Pour réaliser un puzzle de lecture, on procède comme pour un **puzzle** avec une illustration mais cette fois c'est le **sens des phrases** et le **sens global du texte** qui permettent de valider la réussite.

69 La bonne place

→ **Note le numéro à la bonne place pour retrouver le sens du texte.**

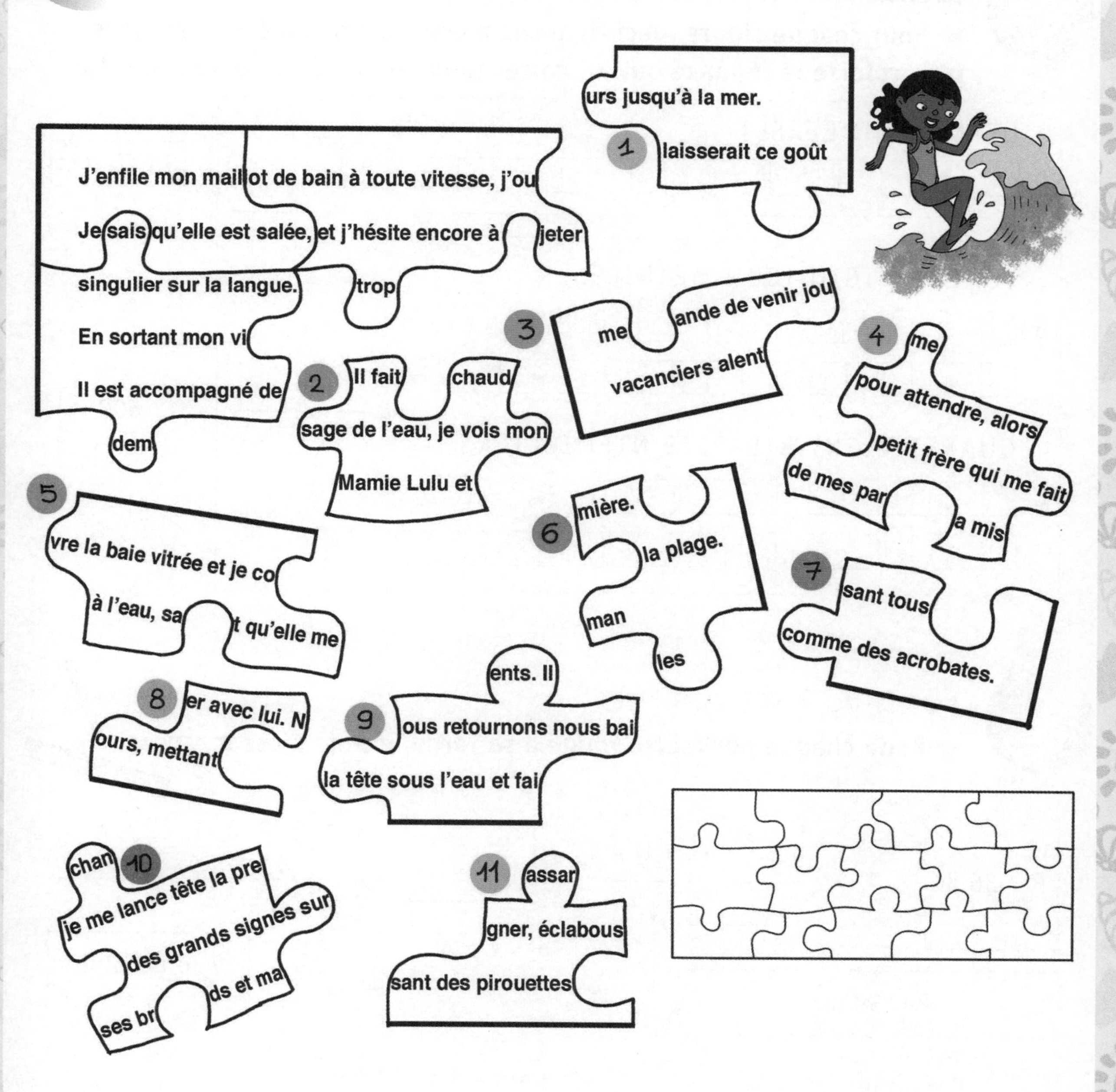

Mesure des périmètres

On note **P** le **périmètre d'un polygone** et on calcule ce périmètre en additionnant les mesures de tous les côtés du polygone.

Pc est le **périmètre du carré** et on calcule ce périmètre grâce à la formule : Pc = côté x 4 soit **Pc = c x 4.**

Pr est le **périmètre du rectangle** : Pr = (Longueur + largeur) x 2 soit **Pr = (L + l) x 2.**

70 Mesures encodées

→ **Pour chaque figure, déchiffre ses mesures, calcule son périmètre puis colorie la réponse qui lui correspond de la même couleur qu'elle.**

UEFN COTHMEÈREST

A ☐☐☐☐ ☐☐☐☐☐☐☐☐☐☐☐

A ☐

3 640 mm

TUAQER-VTGIN-CIQN METNICÈSERT

B ☐☐☐☐☐☐ ☐☐☐☐☐

☐☐☐☐ ☐☐☐☐☐☐☐☐☐☐☐

QUARET-VIGNT-XID-PETS NTEMICÈTERS

C ☐☐☐☐☐☐ ☐☐☐☐☐

☐☐☐ ☐☐☐☐ ☐☐☐☐☐☐☐☐☐☐☐

B ▭ C

3 600 m

71 Formule tout compris

→ **Relie chaque périmètre rouge à sa formule puis à ses mesures.**

P = 36 m

P = 38 m

P = 38 m

P = (L + l) x 2

P = c x 4

P = a + b + c + d + e + f + g + h + i + j + k + l + m + n

3, 1, 5, 2, 3, 1, 2, 3, 4, 1, 4, 2, 4, 3

7 m et 12 m

9 m

Le futur de l'indicatif

Le futur sert à exprimer une **action** qui se déroulera **dans l'avenir.**
Les **terminaisons sont les mêmes pour tous les verbes.**
ai - as - a - ons - ez - ont, **on les ajoute à l'infinitif.**
*ex. : je **chanterai** - tu **chanteras** - il **chantera** - nous **chanterons** - vous **chanterez** - elles **chanteront***
Attention au radical des verbes du troisième groupe qui peut changer.
ex. : faire = fera

72 Lire l'avenir...

→ Retrouve les verbes de la liste conjugués au futur dans la grille.
1PS = 1re personne du singulier ; 2PP = 2e personne du pluriel.

P	S	I	D	A	N	S	E	R	A	S	Z	N	A	I
R	A	A	S	O	N	S	S	A	R	E	G	A	N	L
E	R	R	R	A	S	M	E	N	R	M	E	S	P	B
N	E	D	O	E	R	R	T	D	O	E	O	U	A	Z
D	G	N	S	L	S	I	N	S	V	R	L	T	E	E
R	N	E	F	I	N	I	R	O	N	T	I	R	R	B
O	A	R	D	N	E	R	P	P	A	R	D	O	A	E
N	R	P	S	P	V	Z	S	Q	O	U	S	D	B	P
T	M	M	A	A	E	L	K	N	O	J	F	H	G	F
W	X	O	U	R	R	C	T	V	V	E	B	N	Z	R
Z	K	C	R	K	R	E	I	A	R	T	T	E	M	D
Q	D	U	O	F	O	Z	U	A	L	D	I	R	A	T
X	O	F	N	W	N	D	S	O	J	L	I	R	A	I
P	P	B	S	H	T	G	Z	M	J	R	B	R	H	U
N	M	T	N	G	S	A	L	U	E	R	E	Z	A	R

APPRENDRE 3PS
AVOIR 1PP
BOIRE 1PP
BÂTIR 3PP
COMPRENDRE 1PS
DANSER 2PS
DIRE 3PS
ÊTRE 2PS
FAIRE 2PS
FINIR 3PP
ALLER 3PS
JOUER 2PS
LIRE 1PS
METTRE 1PS
NAGER 2PS
PARLER 3PS
PEINDRE 2PP
POUVOIR 2PP
PRENDRE 3PP
RANGER 3PS
RIRE 2PS
SALUER 2PP
VOIR 3PP
VOULOIR 2PP

Fractions décimales

mémo

Une fraction décimale est une fraction dont **le dénominateur est 10, 100, 1 000, etc.**

ex. : $\frac{4}{10}$; $\frac{3}{100}$; $\frac{1}{1\,000}$

On décompose les fractions décimales sous la forme de la **somme de la partie entière et de la partie décimale** comme sur l'exemple suivant (astuce : on supprime autant de zéros au numérateur qu'au dénominateur).

$$\frac{45\,987}{1\,000} = \frac{45\,000}{1\,000} + \frac{900}{1\,000} + \frac{80}{1\,000} + \frac{7}{1\,000} = 45 + \frac{9}{10} + \frac{8}{100} + \frac{7}{1\,000}$$

73 Relations directes

→ **Colorie le chemin qui relie chaque fraction décimale à sa partie entière.**

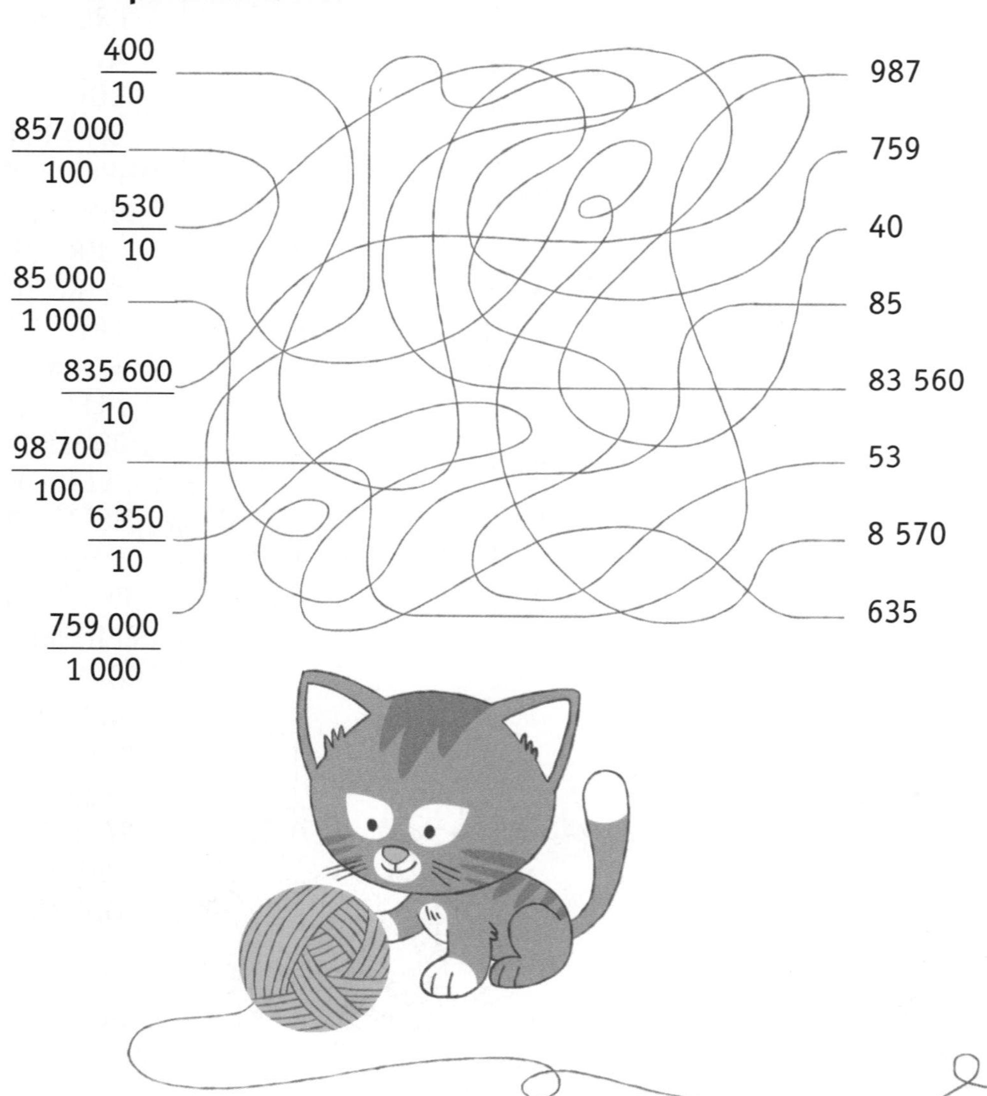

Les aires

mémo

L'aire d'une figure géométrique est la **mesure de sa surface**, c'est-à-dire sa **superficie.** L'unité de mesure d'aire est un carré d'un mètre de côté. Pour mesurer une surface, il faut compter le nombre d'unités d'aire qu'elle contient.

soit ☐ l'unité de mesure ; la mesure de l'aire de cette figure  est de 10.

En manque d'aires

→ **Retrouve les pièces de puzzle qui complètent ces figures.**

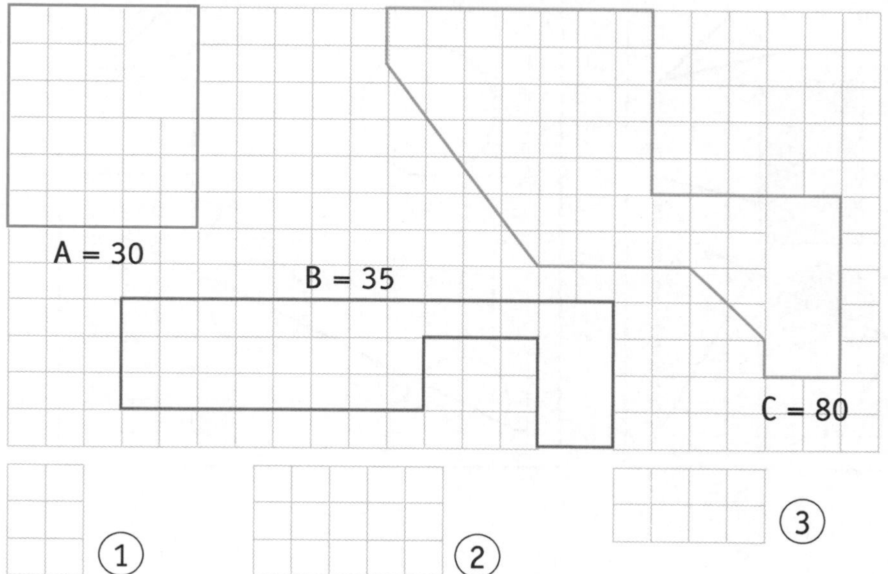

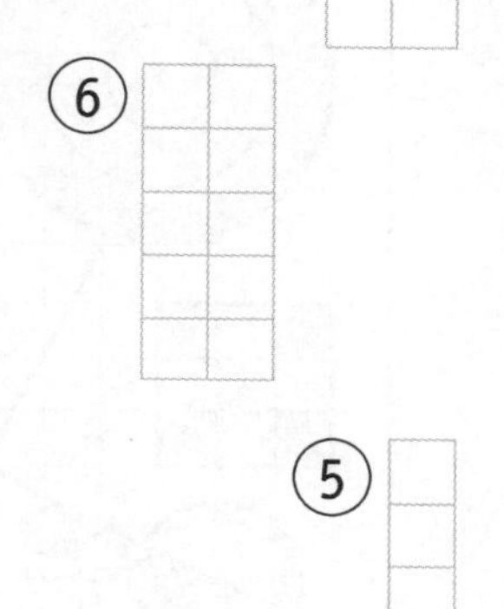

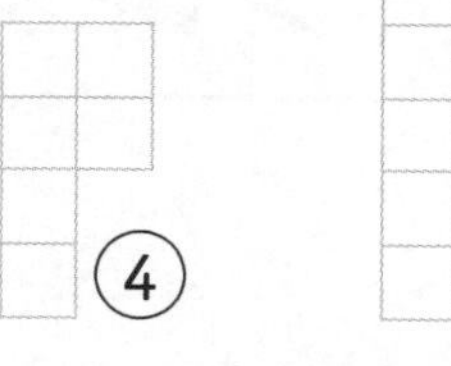

L'aire de rien

→ **Trace la figure dont l'aire est contenue dans cette phrase.**

		L	'	A			E		D			C						
F	I		U					S	T			G						
P	R										Q				O		Z	
								X										
													.					

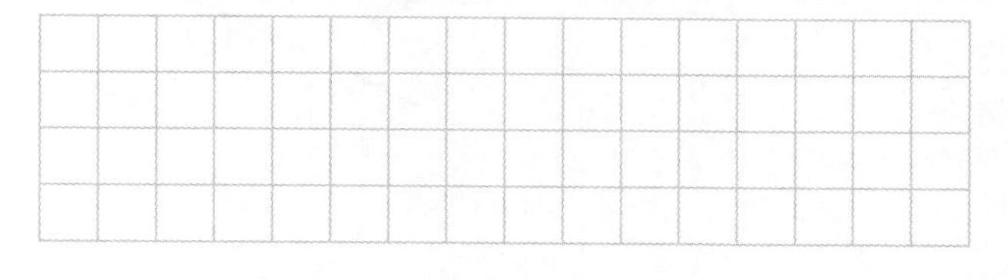

Agrandir ou réduire des figures

Pour agrandir ou réduire une figure, on doit la **reproduire en gardant les mêmes formes, mais en modifiant la taille.** On se place donc sur un quadrillage plus petit ou plus grand, mais on doit **conserver les mêmes proportions.**

76 Travail d'artiste

→ **Complète les différentes reproductions.**

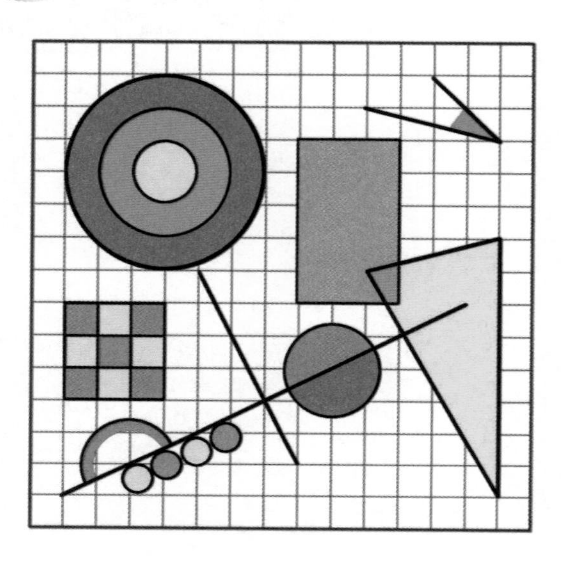

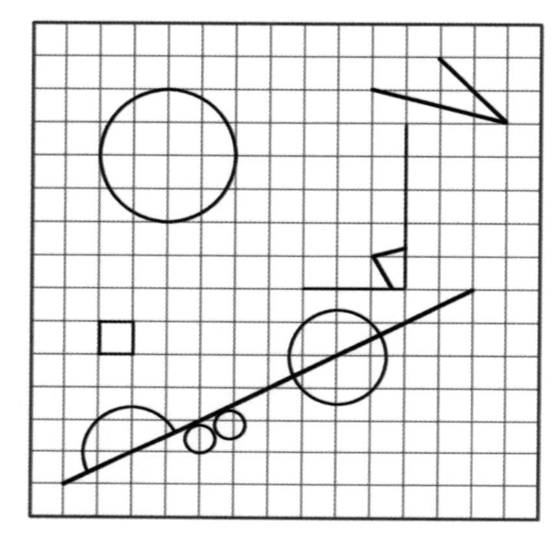

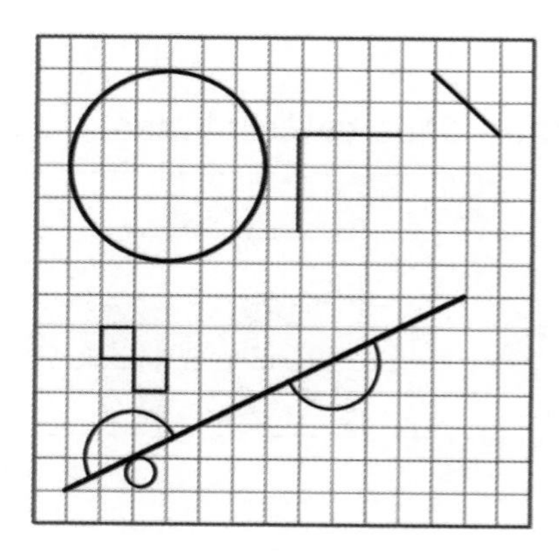

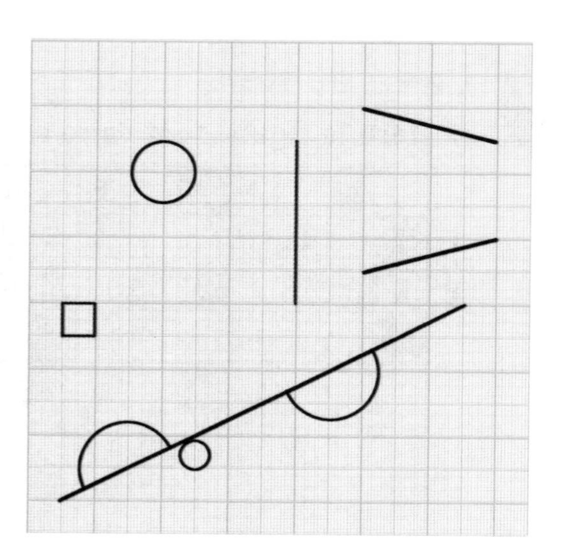

Le passé composé de l'indicatif

Pour construire le passé composé il faut :
un auxiliaire conjugué au présent + le participe passé du verbe conjugué.
participe passé : 1er groupe en é - 2e groupe en i - 3e groupe en u / i / t / s / é
ex. : j'ai chanté - elle est tombée - j'ai grandi - j'ai vu /cueilli / ouvert / pris / je suis allé

77 Bicolore

→ Colorie en jaune quand tu as besoin de l'auxiliaire être et en bleu quand tu as besoin de l'auxiliaire avoir pour conjuguer les verbes au passé composé.

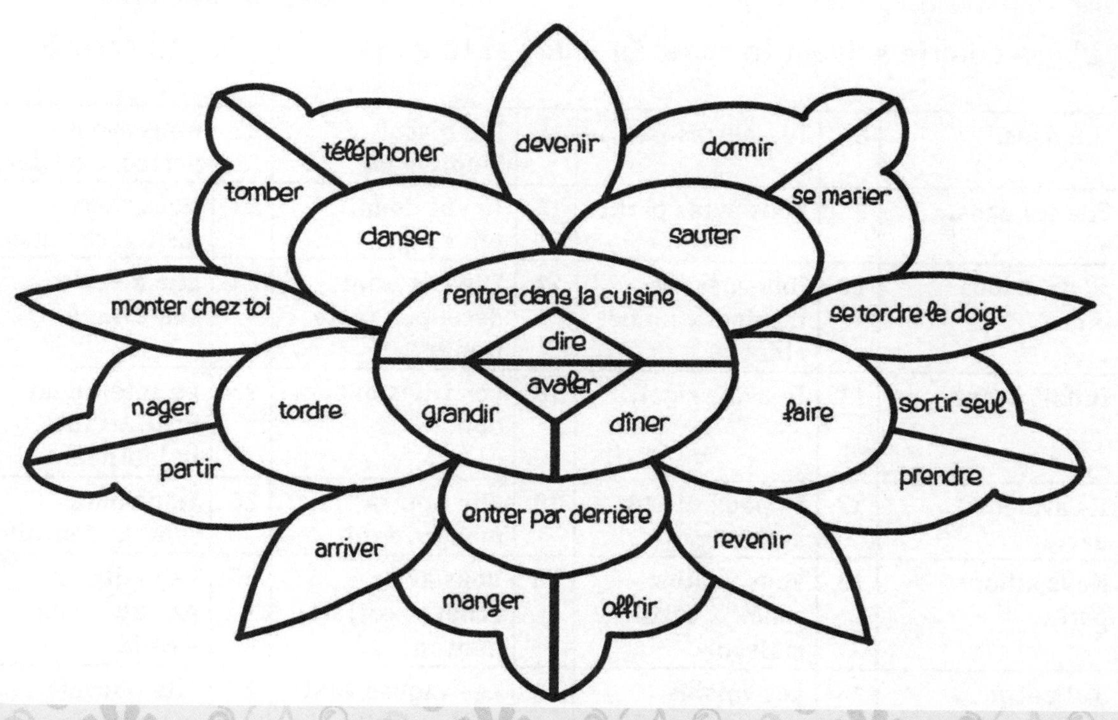

78 En pleine forme

→ Colorie les formes conjuguées selon les groupes de verbes auxquels leurs infinitifs appartiennent.

■ 1er groupe ■ 2e groupe ■ 3e groupe

Il est parti	Tu as perdu	J'ai pris	Ils sont allés
Nous avons assuré	J'ai gagné	Elles sont revenues	Nous avons bu
Elle a fait	Vous êtes tombés	Tu as dormi	Tu as grandi

Infinitif ou participe passé

Pour vérifier qu'un **verbe du premier groupe est à l'infinitif**, on fait l'**essai** suivant : si **on peut le remplacer par un verbe du troisième groupe à l'infinitif**, alors on écrit -er.

ex. : tu dois travailler ⟷ *tu dois prendre*

Pour vérifier qu'un **verbe du premier groupe est au participe passé**, on fait l'**essai** suivant : si **on peut le remplacer par le participe passé d'un verbe du troisième groupe**, alors on écrit -é.

ex. : tu as travaillé ⟷ *tu as pris*

79 Colorier, colorié

→ Colorie suivant le code. En jaune si tu écris é ; en bleu tu écris er

1	Il a dans…	8	Tu pourras parl…	15	Il a discut… longtemps.	22	Nous avons partag… en deux.
2	Elle ira dans…	9	Vous aviez parl…	16	Tu vas donn… ton sang.	23	Nous irons visit… ce village.
3	Nous avions dîn…	10	Nous devons fabriqu… un bel objet.	17	Elles devront découp… cette feuille.	24	Elle a écout… son disque.
4	Il doit écout…	11	Tu avais rigol…	18	Les filles ont donn…	25	Le soleil peut brill… toute la journée.
5	Ils avaient décid…	12	Tu peux discut… avec elle.	19	Elio pourra mang… seul.	26	Tiago aura répar… son vélo.
6	Nous allions parl…	13	Vous vouliez achet… cette maison.	20	Vous aviez achet… cette maison.	27	Le maître a partag… son savoir.
7	J'ai déchir… la fiche.	14	Les voisins auront travaill…	21	Les vagues vont roul… sur le sable.	28	Elle pouvait model… le corps de la statue.

Le relief de la France

mémo

En France, on trouve une variété importante de reliefs : des **chaînes de montagnes jeunes**, des chaînes de **montagnes anciennes**, de très **vastes plaines**. Ces reliefs ont une incidence sur le climat.

De plus notre pays est bordé par la **mer** sur la façade ouest et une partie au sud.
De cette proximité avec les **océans** découle le fait que la France appartient à la **zone tempérée** car la plus grande partie du territoire est soumise au **climat océanique**.

80 Là-haut sur la montagne !

→ **Remets de l'ordre dans les lettres afin de compléter cette carte.**

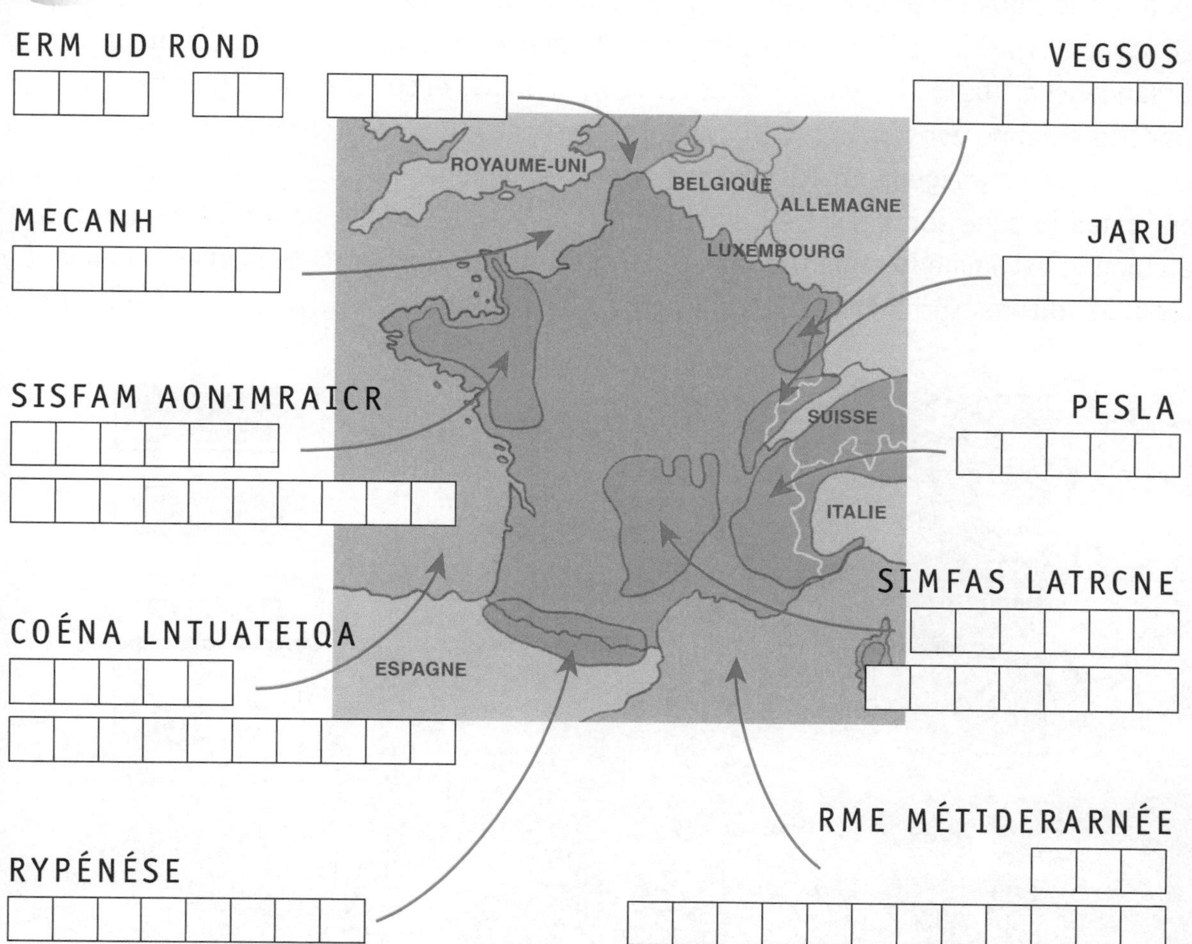

L'accord du participe passé avec être

Le **participe passé employé avec l'auxiliaire être** ou n'importe quel verbe d'état **s'accorde en genre et en nombre avec le sujet.**

ex. : La lumière est allumée. - Les lumières restent allumées.

féminin singulier — *féminin pluriel*

81 Sur la route

→ Complète le texte à l'aide des verbes cachés dans l'image. Fais bien attention aux accords.

Dix ans que nous ne sommes pas .... dans notre village du Nord. Le papa est .... de ranger les bagages, la mère est .... à préparer les sandwichs. Toutes les valises sont .... ensemble sur la galerie. Zita la petite chienne est .... à l'arrière entre les deux enfants qui sont .... sagement. Nikita était confortablement .... pour dévorer son roman lorsque son petit frère s'est .... sur elle pour lui faire un câlin. La chienne est immédiatement allée se réfugier sur les genoux de la maman. Comme il y a peu de voitures sur la route, le père pense qu'ils seront .... rapidement.

L'accord du participe passé avec avoir

mémo

Le participe passé employé avec l'auxiliaire avoir ne s'accorde jamais avec le sujet du verbe.
ex. : Les poules ont pondu des œufs.
féminin pluriel

Le **participe passé employé avec l'auxiliaire avoir s'accorde avec le COD uniquement quand le COD est placé devant le verbe.**
ex. : Les lettres que j'ai écrites.
COD féminin pluriel → *féminin pluriel*

82 Avoir… à voir !

→ Remets les mots à l'endroit puis utilise-les pour compléter les phrases en respectant les accords.

Les acteurs ont .... cette scène.	GANGÉ
Il aime les jeux que nous avons	DEUNUSPS
Ces filles avaient .... une histoire.	URISG
Voici les fleurs que j'ai	SIULEICLE
Ces livres, je les ai	SLU
Les voitures que nous avions	ÉTICR
Le garçon a .... la course.	TAFI
Tu as .... cette lettre.	MÉSIMROÉ
Le mobile que nous avions	SEBU
Vous aviez .... des courses.	NEATUETSD
Regarde les flammes qui ont	VEINNTÉS
Jette les bouteilles que tu as	ÉTUOCÉ
Ces personnes, vous les aviez	OUJÉ
Tous les jours, elles ont .... au calme.	EAHTCÉES

Les intrus

À la lecture d'un texte, on peut se rendre compte que certains **mots** ou expressions ne sont **pas à leur place** : soit c'est **involontaire**, c'est une **coquille** (une erreur d'imprimerie) ou une **faute d'inattention** de l'auteur ; soit c'est **volontaire** pour obliger le lecteur à plus d'**attention** ou pour apporter une touche de **poésie** fantaisiste.

83 La chasse est ouverte

→ Retrouve les intrus cachés dans ce texte puis utilise-les pour compléter la grille. Les lettres des cases bleues forment le nom d'un petit port célèbre.

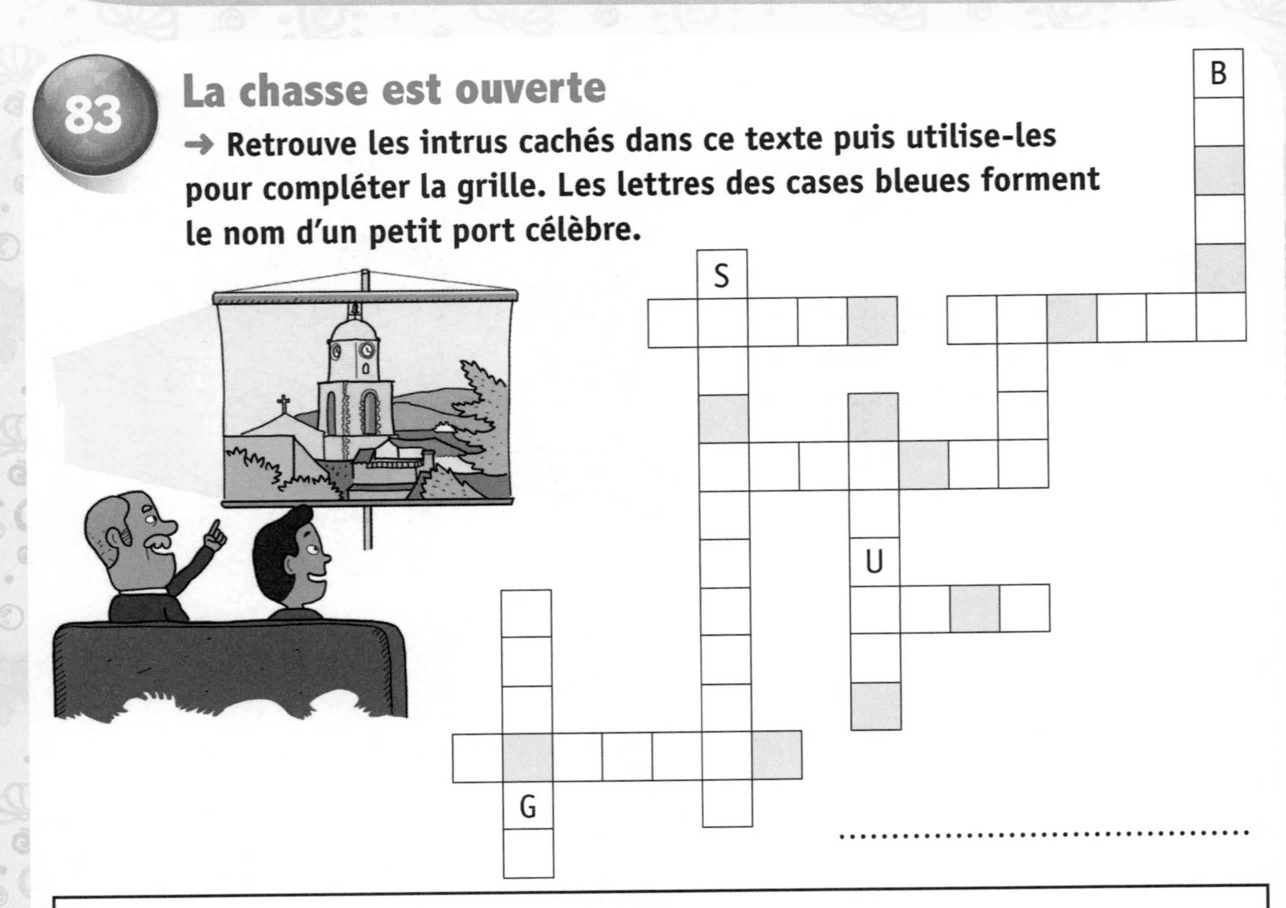

....

Souvenirs de vacances

Assis sur le canapé bronzé du salon, un grand-père et son petit-fils regardent des photos sur l'écran blanc tendu au mur arrosé. Les images passent dans le projecteur de diapositives que le vieil homme essence fait avancer. Il était parti avec grand-mère en voyage organisé, effectuant lors de leur youpi périple en bus des arrêts dans les stations balnéaires de la Côte côte d'Azur. Il se souvient du nom du bateau qu'ils avaient vu dans ce petit port typique du Sud. Ce géant de la mer se nommait « l'Invincible » et tous admiraient ses flancs blancs et bombés, son pont immaculé, son personnel rose de bord en bleu narines et ses occupants qui sortaient habillés en peluche de soirée.
Puis ils étaient allés se promener dans des villages de Provence, perchés sur le flanc des montagnes souterraines. Ici on voit un village avec des volets bleus, de petites ruelles pavées, là un autre visage aux rues tellement serrées que l'on pourrait se toucher de la fenêtre d'en face. Que de merveilleux souvenirs à partager !

Multiplication des nombres entiers

mémo

Pour effectuer une multiplication avec des nombres entiers, il faut bien connaître les tables de multiplication jusqu'à 10.

Quand on multiplie un nombre **par un nombre à 2 chiffres, on doit effectuer deux multiplications dont on fera la somme.**

Le résultat est le **produit**.

```
        1  4  8  7
   x          9  6
   ---------------
     1  8¹ 9  2  2
  1  3  3  8  3  0
  ----------------
  1  4  2  7  5  2
```

84 Chacun sa route

→ **Aide Eli Lakarte à trouver le chemin le plus court (celui qui a le plus petit produit) pour atteindre le point de rendez-vous avec les autres scouts. Note les résultats.**

....	....	....

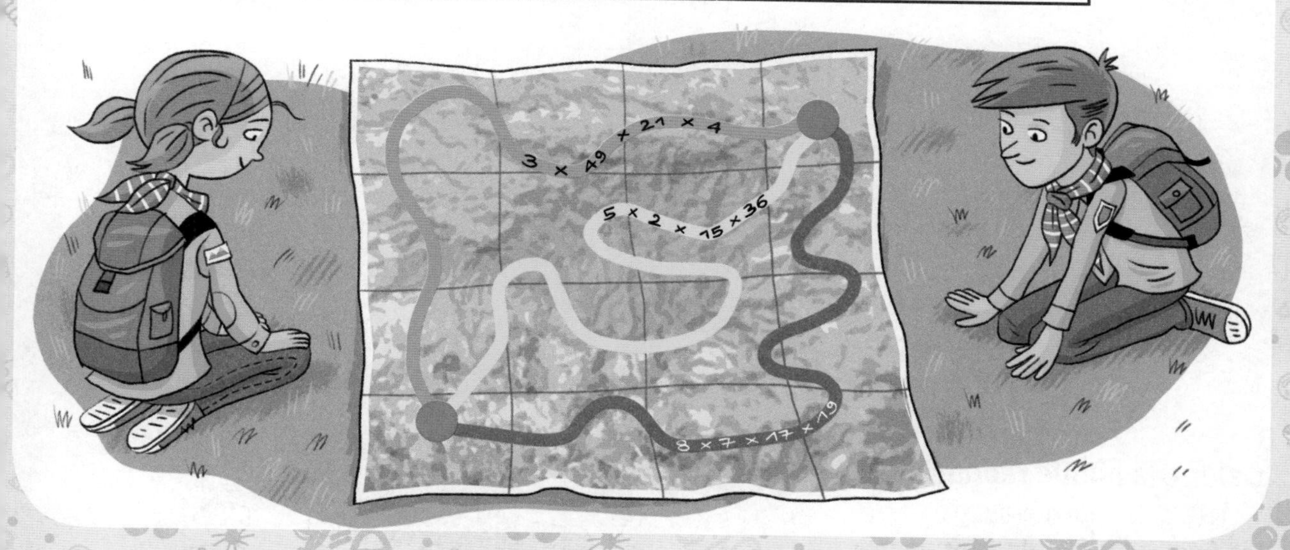

85 Pièces manquantes

→ **Complète les 3 multiplications à l'aide des propositions.**

23	48	51	04	24	88	29	08	41	75

```
      2  5  6            4  9  4            9  7  5
  x      2  9        x      3  2        x      3  5
  -----------        -----------        -----------
                              9         4  8
            2  0     1          2  0          2  5  0
  -----------        -----------        -----------
  7  4               1  5  8            3        2  5
```

Le bon air

Retrouve les noms des dessins dans la grille.

Expressions

Colorie la bonne réponse. On dit :

- Mettre la charrue avant :
les ânes - les bœufs - les vaches
- Prendre le taureau par :
les oreilles - les pattes - les cornes
- Passer du coq à :
l'âne - la poule - l'oie

Chargé comme une mule !

Colorie chaque couverture de la couleur du paquet que chaque âne doit porter.

Mot caché

Place les mots qui correspondent aux illustrations puis trouve le mot vertical dans les cases colorées.

Lire et écrire des nombres décimaux

À partir des fractions décimales, on écrit des nombres décimaux. Un nombre décimal se compose d'une partie entière et d'une **partie décimale (notée après la virgule)** avec des **dixièmes**, des **centièmes** et des **millièmes**.

$$\frac{12\,379}{1\,000} = 12 + \frac{3}{10} + \frac{7}{100} + \frac{9}{1\,000} = 12{,}379$$

12 parties entières ; 3 dixièmes ; 7 centièmes ; 9 millièmes

86 C'est toujours la même chose

→ Associe chaque fraction décimale au nombre décimal qui lui correspond.

$\frac{791\,020}{1\,000} =$

$\frac{3\,580}{1\,000} =$

$\frac{64\,500}{1\,000} =$

$\frac{582}{1\,000} =$

$\frac{3\,786\,159}{1\,000} =$

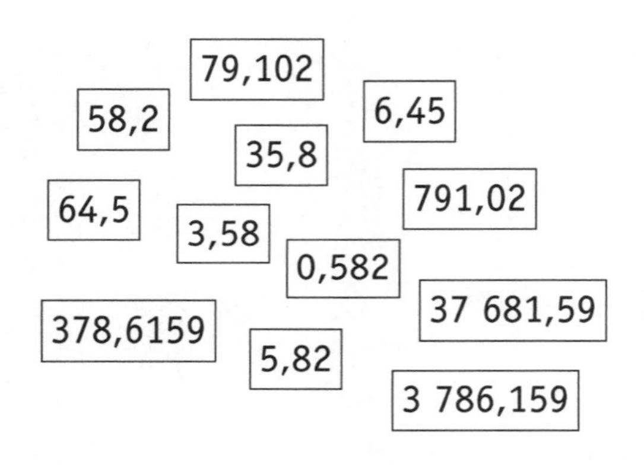

87 Les familles

→ Retrouve le nombre décimal composé par les cartes de chaque famille colorée.

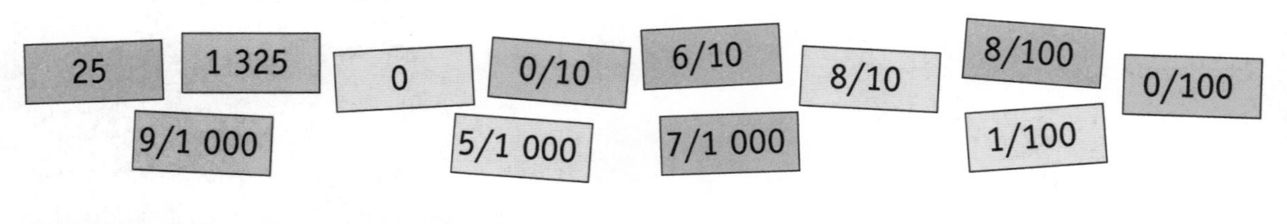

Les Années folles et l'entre-deux-guerres

Les **Années folles** commencent en **1920** et se terminent en **1929** avec le début de la Grande Dépression. Après la fin de la guerre de 14-18, une génération nouvelle **rêve d'un monde nouveau** et proclame « Plus jamais ça ! ». Venu d'Amérique avec les Alliés, le **jazz** fait son apparition mais également la **danse**, la **radio** et les **sports** sur fond de **très forte croissance économique**. Les années **1930** sont marquées par une très **grosse crise économique mondiale** qui sera en partie à l'origine de la Seconde Guerre mondiale.

88 Dansez maintenant...

→ Quelle danse a vu le jour pendant les Années folles ? Retrouve les mots de la liste dans la grille et les lettres restantes te donneront la réponse.

E	L	E	C	T	R	I	C	I	T	E
I	E	S	I	M	N	C	H	E	S	M
R	U	I	N	O	A	O	R	T	T	O
E	R	R	E	D	C	I	R	E	A	N
S	O	C	M	E	A	H	R	F	C	D
L	P	E	A	L	Z	Z	A	J	I	I
S	E	R	U	T	A	T	C	I	D	A
S	A	P	O	I	D	A	R	S	N	L
F	O	L	L	E	S	T	O	N	Y	E
P	E	L	E	C	T	I	O	N	S	N

CHAINE
CINEMA
CRISE
DICTATURES
ELECTIONS
ELECTRICITE
EUROPE
FETE
FOLLES
FRONT
JAZZ
MODE
MONDIALE
PAS
POPULAIRE
RADIO
SERIE
SYNDICATS

....

89 Oublier la guerre

→ Entoure la bonne réponse.

1. Quel pays a gagné la Coupe du monde de football en 1938 en France ?
France — Brésil — Italie
2. De quand datent les congés payés pour les salariés ?
1936 — 1950 — 1920
3. En quelle année la crise économique atteint-elle la France ?
1929 — 1931 — 1939
4. Comment s'appelle le chef du gouvernement du Front populaire ?
A. Hitler — L. Blum — A. Lebrun

Le passé simple de l'indicatif

On emploie le passé simple pour exprimer une **action de courte durée qui est passée.**
Pour le construire, on ajoute les terminaisons du tableau au radical du verbe.

Les terminaisons	1er G	2e G	3e G		
je	ai	is	us	is	ins
tu	as	is	us	is	ins
elle-il-on	a	it	ut	it	int
nous	âmes	îmes	ûmes	îmes	înmes
vous	âtes	îtes	ûtes	îtes	întes
ils-elles	èrent	irent	urent	irent	inrent

La bonne personne

→ Relie les étiquettes entre elles pour former des phrases au passé simple.

Nous	longeai	un cheval.
Les voisines	partis	la frontière.
Ils	voulut	un conseil.
Elle	prit	le fleuve.
Benjamin	traversâmes	cette ville.
Tu	eûtes	son temps.
Vous	écoutèrent	de la chance.
Je	atteignirent	très vite.

Pas si simple !

→ Remets les verbes au passé simple en ordre puis utilise les lettres dans les cases colorées pour découvrir la réponse qui correspond à l'indice.

C'est dans ce pays que se trouve la célèbre tour penchée.

☐☐☐☐☐☐

LNAÈRNCTE ☐☐☐C☐☐☐☐☐

RAITSP ☐☐☐☐☐☐

FNIÎSET ☐☐☐☐☐☐☐

TCNOENURN ☐☐☐☐☐☐☐☐T

SINT ☐☐☐☐

RPÎSEM ☐☐☐☐☐☐

PAERÇTU ☐☐☐☐☐☐☐

Lire une notice

La notice est un **écrit injonctif**. Les **verbes** sont souvent **à l'impératif** et la **chronologie des actions doit être respectée** à la lettre.

92 Un cerf-volant

→ **Lis cette notice puis réalise ton propre cerf-volant personnalisé.**

Matériel :

- 2 baguettes de bois (balsa)
- 1 bout de nappe en plastique ou un sac-poubelle
- du ruban adhésif
- de la ficelle
- des ciseaux
- du ruban
- un rouleau vide de papier toilette

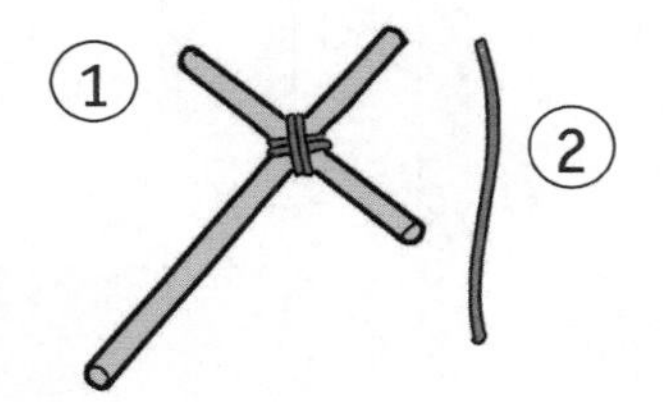

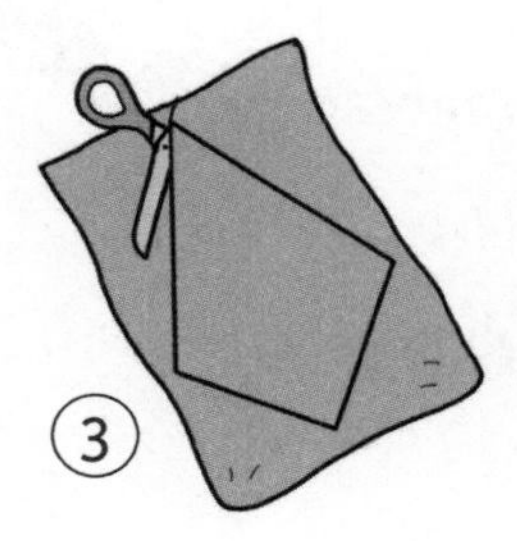

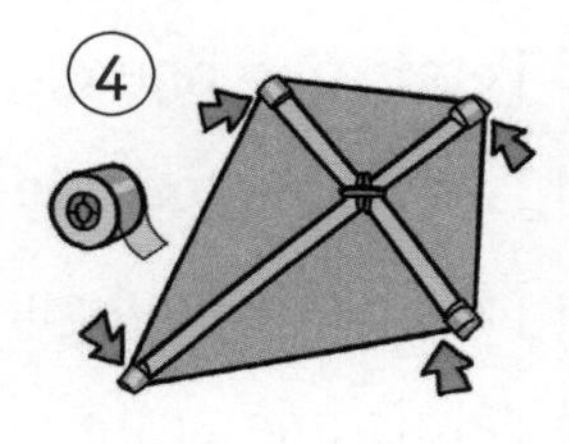

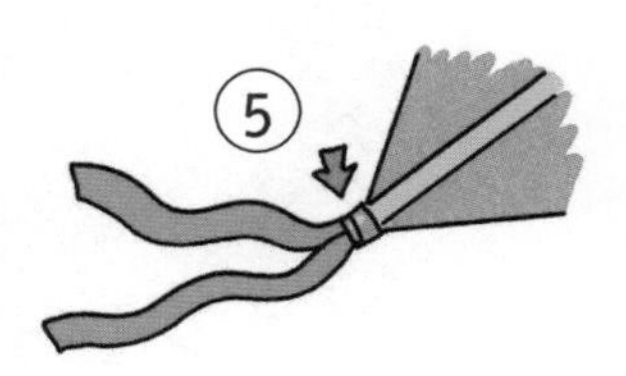

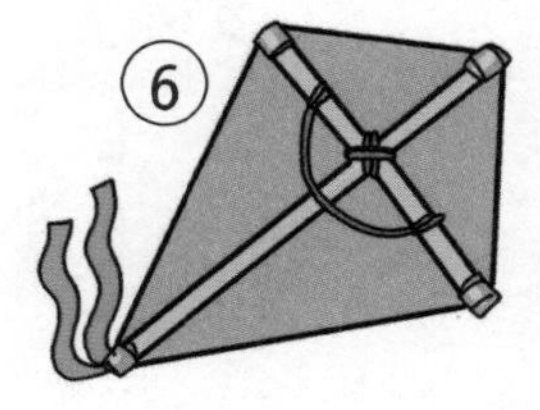

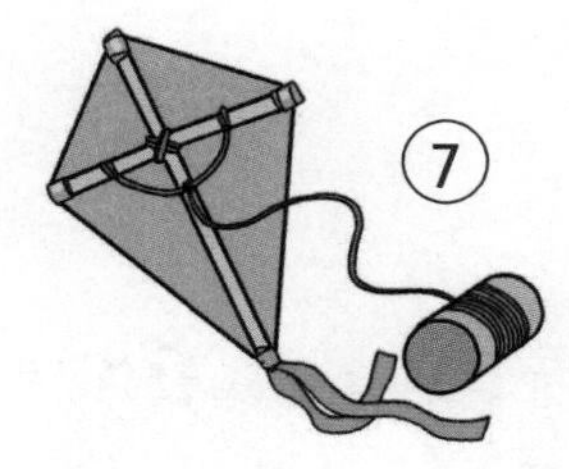

1) Place les baguettes en croix.
2) Coupe un fil de 30 cm en deux.
Lie les baguettes avec la moitié du fil.

3) Trace et découpe la voilure dans un morceau de nappe en plastique ou dans un sac poubelle mis à plat.
4) Fixe la voilure sur l'armature en liant les extrémités à l'aide de ruban adhésif.
5) Attache un ruban en bas de ton cerf-volant pour faire joli.

6) Utilise l'autre moitié du fil découpé précédemment pour tendre un lien sur la barre horizontale de l'armature.
7) Accroche ta ficelle sur ce lien puis enroule le reste sur ton rouleau en carton.
Ton cerf-volant est terminé ! Tu n'as plus qu'à l'étrenner !

Mesure d'aires

L'unité de mesure d'aire est un **carré d'un mètre de côté.** C'est le **mètre carré** que l'on note : **m²**
Pour convertir les unités d'aire on utilise le tableau suivant :

km²		hm²		dam²		mètre²		dm²		cm²		mm²	
							1	0	0				
	1	0	0	0	0	0	0						

$1\ m^2 = 100\ dm^2$ et $1\ km^2 = 1\ 000\ 000\ m^2$
Pour **calculer l'aire d'un carré** on applique la formule **Aire du carré = côté x côté** soit $\mathcal{A}_c = c \times c$
Pour celle d'un rectangle : **Aire du rectangle = Longueur x largeur** soit $\mathcal{A}_r = L \times l$

93 Portrait chinois

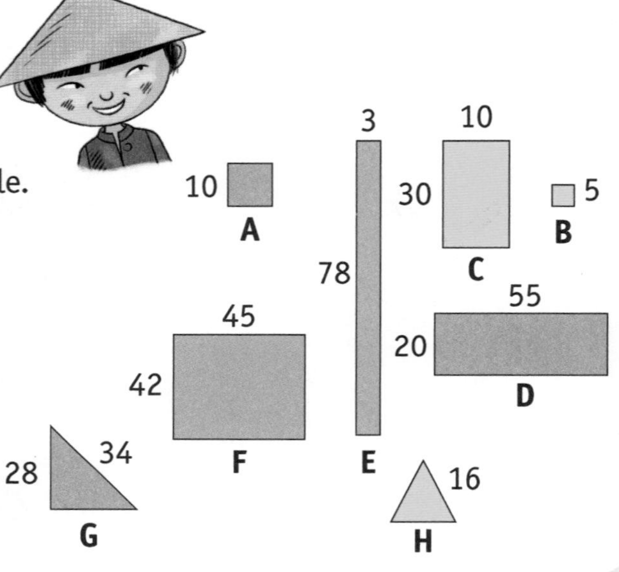

Si j'étais une figure, je serais un rectangle.

Si j'étais une formule, je serais $\mathcal{A}_r$.

Si j'étais une couleur, je serais bleue.

Si j'étais une unité de mesure,
je serais des mm².

Qui suis-je et quelle est ma mesure ?

94 Des figures qui ne manquent pas d'aire !

→ **Relie les figures à leur formule et complète les calculs.**

c1 — c = 18 dm

L = 14 dam
r1 — l = 6 dam

c2 — c = 6,4 cm

$\mathcal{A}_c = c \times c$

$\mathcal{A}_r = L \times l$

$\mathcal{A}_{c1}$ = ... x ... = ...

$\mathcal{A}_{c2}$ = ... x ... = ...

$\mathcal{A}_{r1}$ = ... x ... = ...

Mesure de capacités

mémo

L'unité de mesure des capacités est le **litre** noté « L ». On l'utilise pour mesurer des liquides.
1 L = 10 dL et 1 hL = 100 L

hL	daL	Litre	dL	cL	mL
		1	0		
1	0	0			

95 Remue méninge

→ **Résous l'énigme.**

Un puits magique se remplit d'eau. Chaque jour, il double sa capacité.
Au bout de 99 jours, il contient 100 000 litres d'eau.
Combien de litres d'eau contient-il au bout de 100 jours ?

150 000 litres 999 000 litres 990 000 litres
200 000 litres 199 000 litres

96 Laquelle choisir !

→ **Pour chaque récipient, retrouve l'unité de mesure de capacité qui convient pour mesurer sa contenance.**

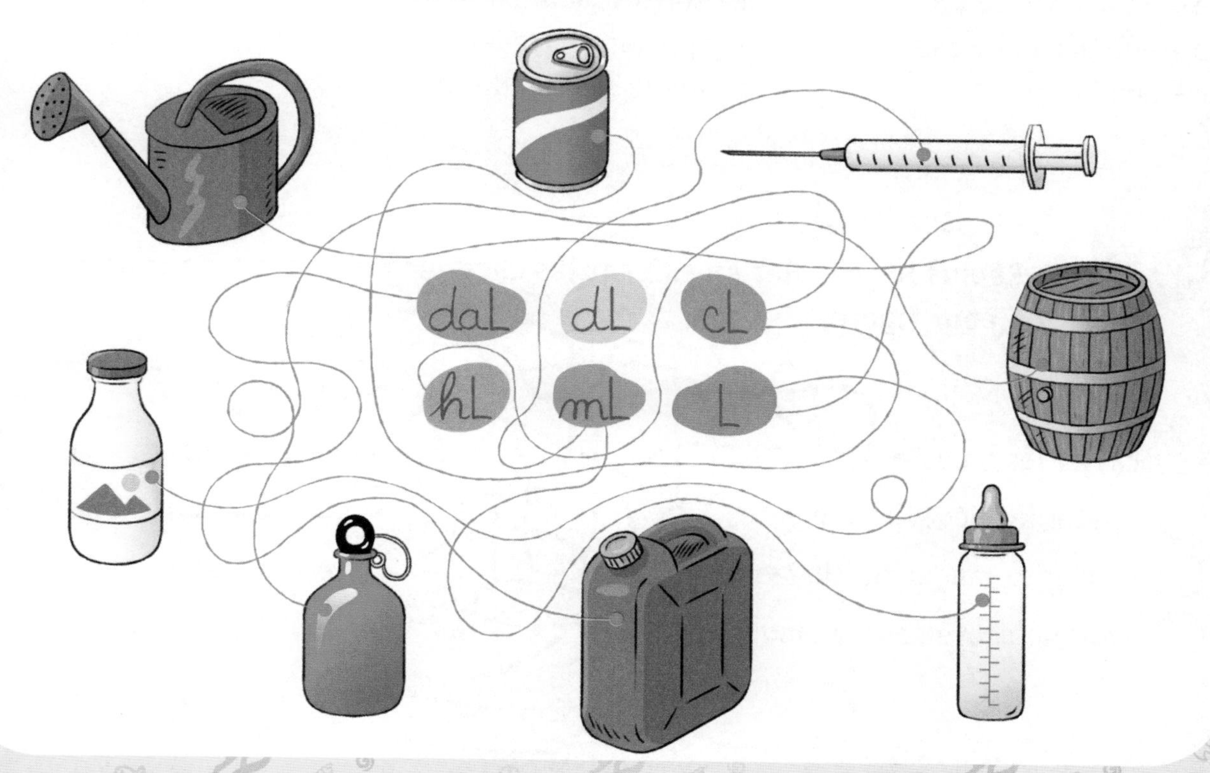

Sens propre, sens figuré

Le **sens propre** est le **sens premier** d'un mot ou d'une expression, son sens concret.
Le **sens figuré** est le **sens imagé** du même mot ou de la même expression.
Un âne est un animal à 4 pattes (sens propre).
Ce garçon est un âne (sens figuré).

97 Le quiz au propre

→ Fais le ménage parmi les propositions et entoure leur sens figuré.

1) Un bouchon c'est :
a - un stylo
b - un embouteillage
c - une capsule

2) Jouer avec le feu c'est :
a - prendre des risques
b - se brûler
c - allumer une allumette

3) Un cochon désigne :
a - un animal rose
b - une personne sale
c - une image

4) Décrocher la lune c'est :
a - faire un voyage en fusée
b - décrocher un mobile lunaire
c - faire tout pour une personne

5) S'évanouir c'est :
a - disparaître
b - tomber dans les pommes
c - faire de la magie

6) Lire des nouvelles fraîches c'est :
a - sortir le journal du frigo
b - que les nouvelles ont été cueillies du matin
c - lire le journal du jour

98 Vive les mariés

→ Réunis les couples en suivant les chemins puis note P pour propre et F pour figuré.

◯	casser les pieds	geler les pourparlers	◯
◯	arrêter les négociations	zozoter	◯
◯	donner sa langue au chat	ennuyer quelqu'un	◯
◯	avoir un cheveu sur la langue	vouloir connaître la réponse	◯

The family (la famille)

father mother
parents

son daughter
children

grandfather grandmother
grandparents

99 Let me introduce (je vous présente)...

→ **Relie chaque mot à sa traduction ou à sa définition.**

père •	• brother
mère •	• grandfather
papa •	• mother
maman •	• my mother brother's: uncle
frère •	• father
sœur •	• mum
oncle •	• grandpa
tante •	• grandma
grand-père •	• daughter
grand-mère •	• sister
papy •	• son
mamie •	• grandmother
fils •	• daddy
fille •	• my father sister's: aunt

100 Enigma

→ **Retrouve la composition de ces deux familles grâce aux indices.**

Here is a group of 7 children.
Paul has only two sisters. Marguerite has two brothers.
Pierre and his brother Jean have two sisters.
Elise has a sister and two brothers.
Anne and her sister Charlotte have each a brother and a sister.

....

....

Les homophones à/a et on/ont

A : c'est le **verbe avoir** au présent de l'indicatif à la **3e personne du singulier** ; on peut le remplacer par avait. *Ex. : Il a faim. Il avait faim.*

À : c'est une **préposition** située en tête du groupe complément. *Ex. : des patins à roulettes.*

ONT : c'est le verbe avoir au présent de l'indicatif à la **3e personne du pluriel** ; on peut le remplacer par avaient. *Ex. : Ils ont faim. Ils avaient faim.*

ON : c'est le **pronom personnel** à la **3e personne du singulier** ; on peut le remplacer par un prénom. *Ex. : On joue au ballon. Léon joue au ballon.*

101 À l'abordage !

→ Complète avec le bon homophone puis colorie suivant le code.

À A ON ONT

1	...... mange.	7	Ils partent ...... sa recherche.
2	Vous étiez ...... la plage.	8	Ils ...... mangé.
3	La lionne ...... deux lionceaux.	9	Qu'est qu'...... fait.
4	Les filles ...... crié.	10	Tu habites ...... Paris.
5	...... s'amuse en vacances.	11	Les chiens ...... aboyé.
6	Chacun ...... un lit.	12	Pat se mit ...... danser.

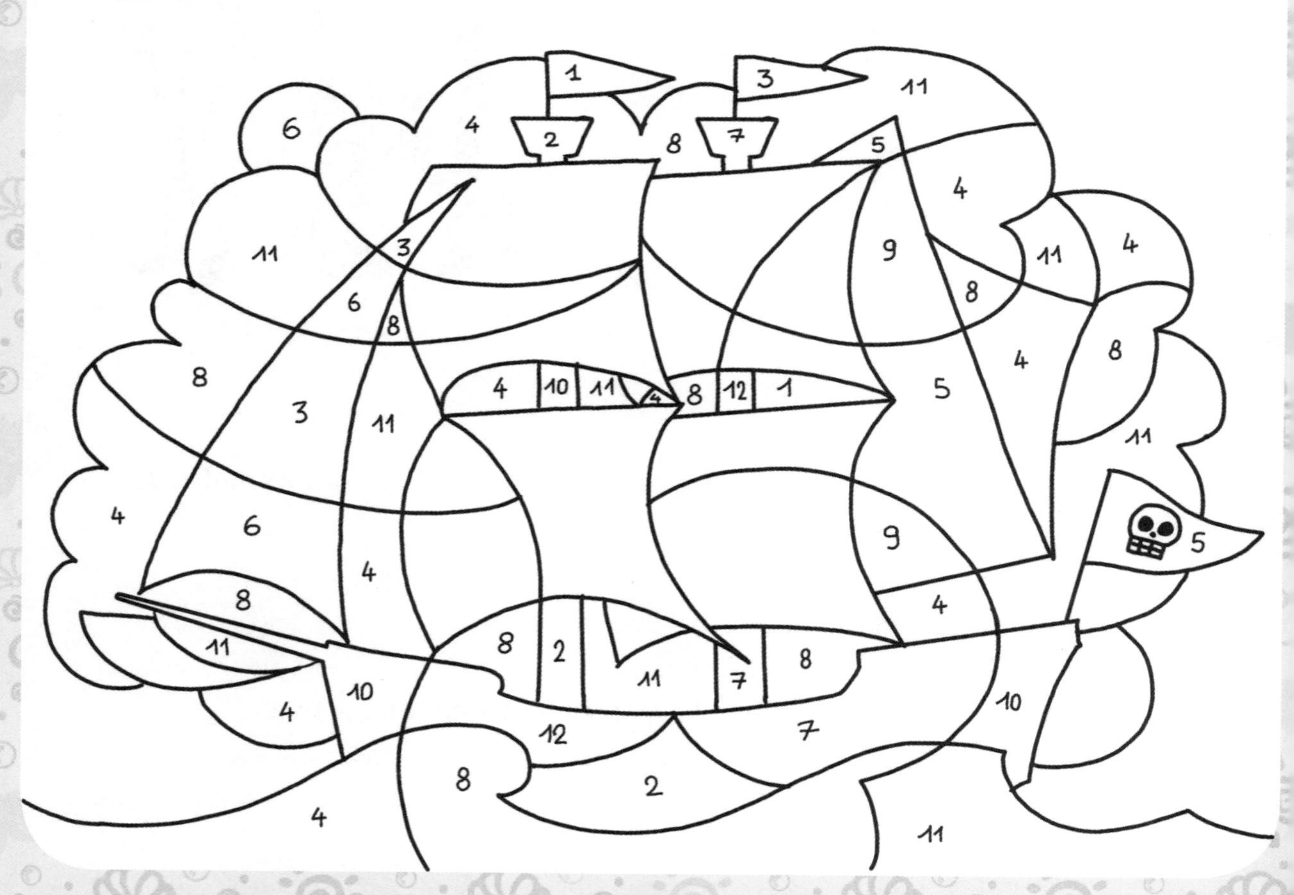

Les volumes

L'**unité de mesure des volumes** est le **mètre cube** noté **m³**.
Avec 1 000 litres, on peut remplir un cube de 1 m d'arête.

1 m³ = 1 000 litres   1 dm³ = 1 litre

m^3			dm^3			cm^3		
			hL	daL	L	dL	cL	mL
					1			
		1	0	0	0			

Quiz

1) La mesure du volume d'une bouteille d'eau est de :
1,5 m³   1,5 L³   1,5 dm³

2) Un lave-vaisselle consomme en moyenne :
12 m³   12 cm³   12 dm³

3) La mesure du volume d'un pistolet à eau est de :
250 cm³   25 dm³   2 cm³

4) Si on convertit 100 000 litres, on obtient :
10 m³   100 m³   1 000 m³

5) Quel est le nombre décimal qui est égal à 8 100 dm³ :
8,1 m³   0,81 m³   0,081 m³

6) Quelle est la valeur de 0,92 m³ en cm³ :
920 000   92 000   9 200 000

Faire le plein

→ **Remets les mots dans l'ordre puis, relie les couples constitués du récipient et de la mesure de son volume.**

CEIINPS EILMOPQUY   ABEGIINOR   EEILOPRRT   CEEINRT

200 dm³   240 000 dm³   600 000 m³   3 750 000 dm³

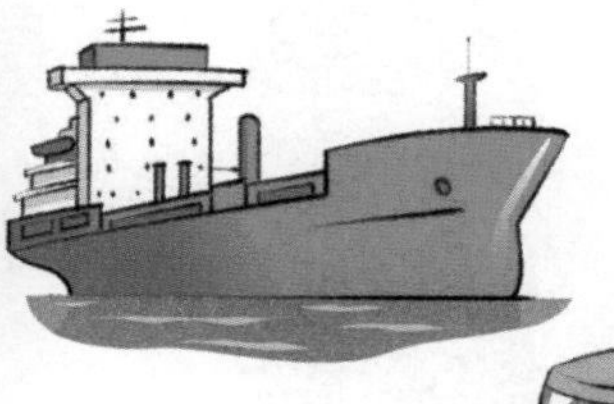

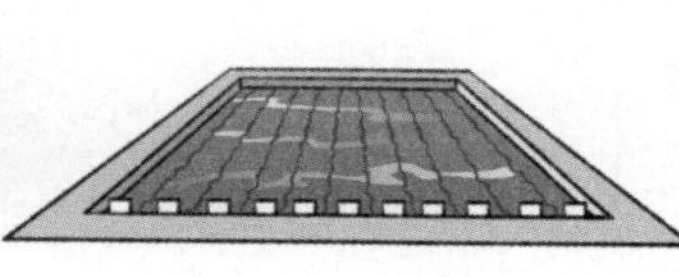

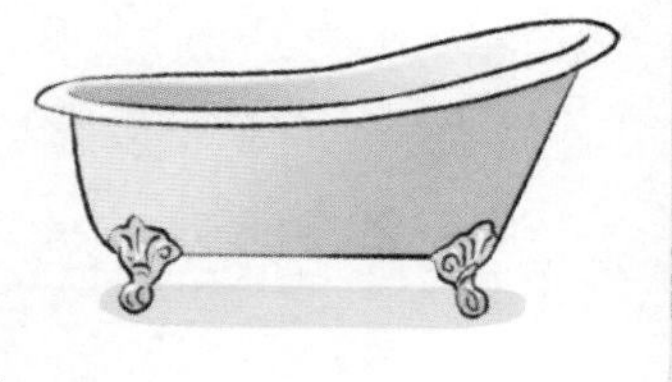

Addition des nombres décimaux

mémo

Pour effectuer une addition avec des nombres décimaux, on procède comme pour la technique opératoire avec les nombres entiers. Il faut **aligner les virgules sous les virgules** et s'assurer que les **chiffres** de la partie décimale sont aussi bien **alignés. On calcule de la droite vers la gauche** et on doit **penser aux retenues** (quand il y en a).

104 Additions au carré

→ Ce carré se compose d'additions horizontales et verticales : complète-le.

351,9	+	134,74	=	
+	■	+	■	+
798,946	+	97,576	=	
=	■	=	■	=
	+		=	

105 Un petit somme

→ Suis le chemin puis colorie chaque somme de la même couleur que l'addition à laquelle elle correspond.

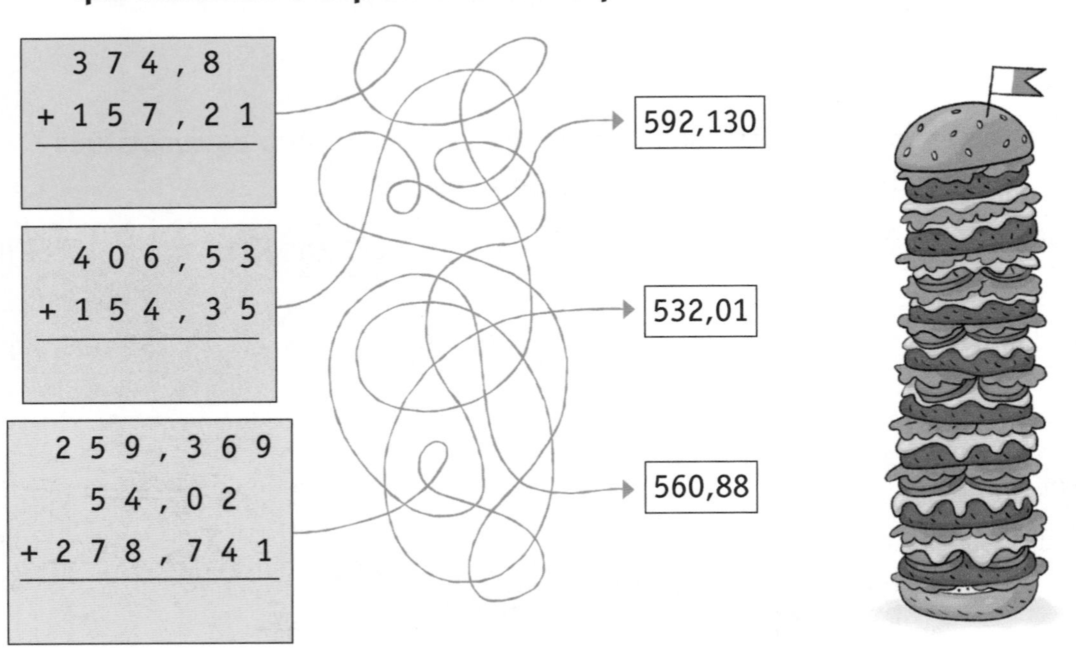

La classification des vivants

mémo

Il existe des millions d'**êtres vivants de toutes sortes** : des **animaux**, des **plantes.** Les êtres vivants qui font des petits ensemble et dont les petits, une fois adultes, peuvent faire des petits à leur tour, forment une espèce. Actuellement, il existe près de **deux millions d'espèces** reconnues par les scientifiques. Les scientifiques classent les êtres vivants en fonction de ce qu'ils possèdent en commun. On distingue ainsi deux grands groupes d'animaux : les **vertébrés** et les **invertébrés.** Chacun des deux groupes comprend plusieurs sous-groupes.

106 Avec...

→ **Complète la grille avec les noms des animaux.**

107 ... ou sans vertèbres ?

→ **Complète la grille avec les noms des animaux.**

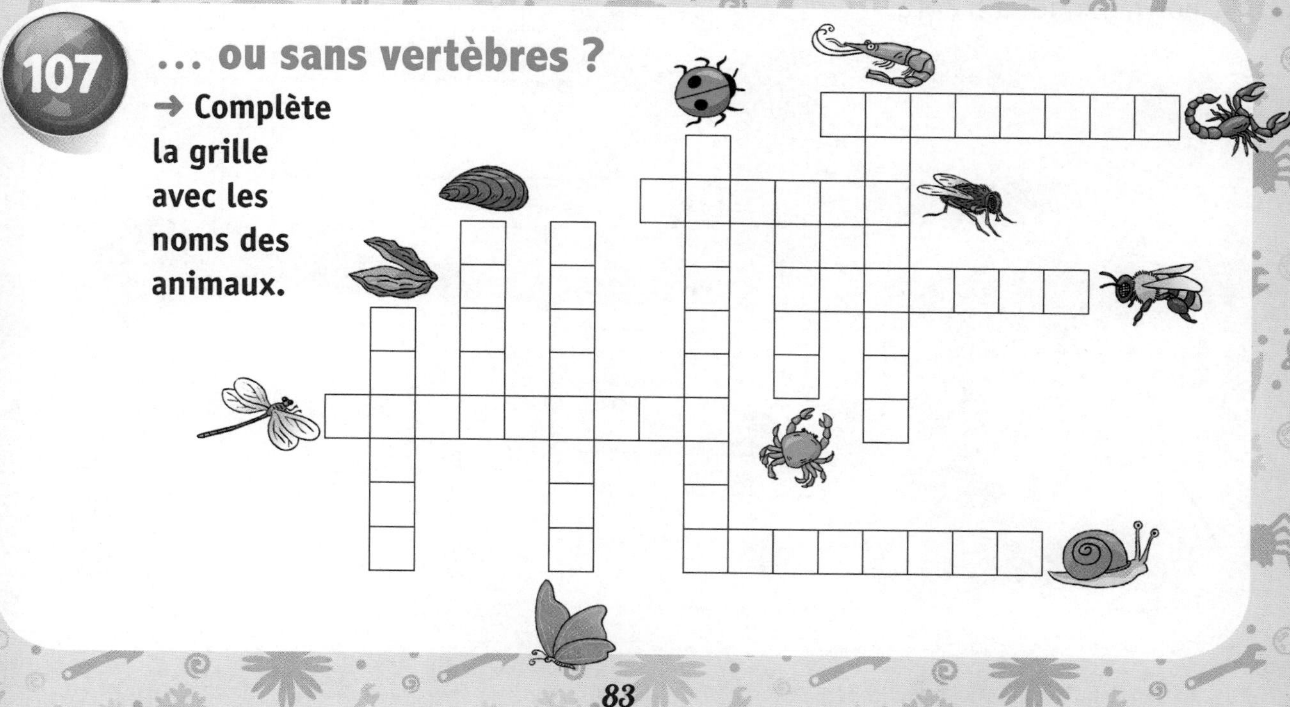

Les polygones

mémo

On appelle polygone une **figure plane fermée**, limitée par des lignes droites et ayant **plusieurs côtés**.

- Les **segments** qui constituent un polygone sont appelés **côtés**.
- L'**intersection** entre deux côtés est appelée **sommet**.
- Deux **côtés consécutifs** forment un **angle**.

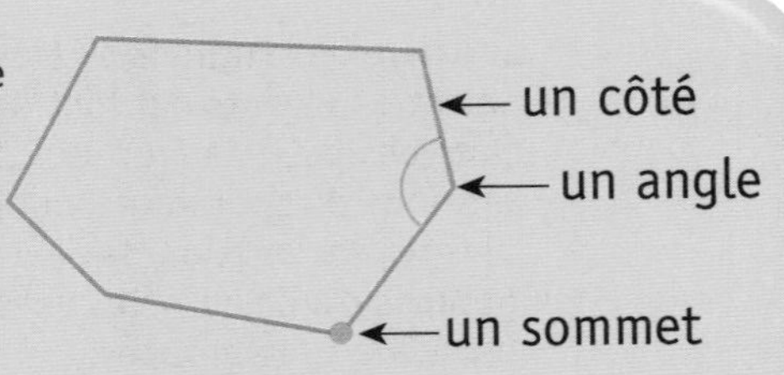

Pour tous les polygones : le nombre de sommets = le nombre de côtés = le nombre d'angles.

108 Sur la grille

→ **Complète la grille en t'aidant des dessins et des définitions. Redonne à chaque figure le numéro de définition qui lui correspond.**

Horizontal

4. polygone qui a 4 côtés égaux
5. polygone « américain » qui a 5 côtés
6. polygone qui a presque la même forme que la France
7. polygone qui a 4 côtés parallèles 2 à 2 avec 4 angles droits

Vertical

1. polygone qui a 4 côtés parallèles 2 à 2
2. le polygone qui a le moins de côtés
3. polygone qui a 8 côtés

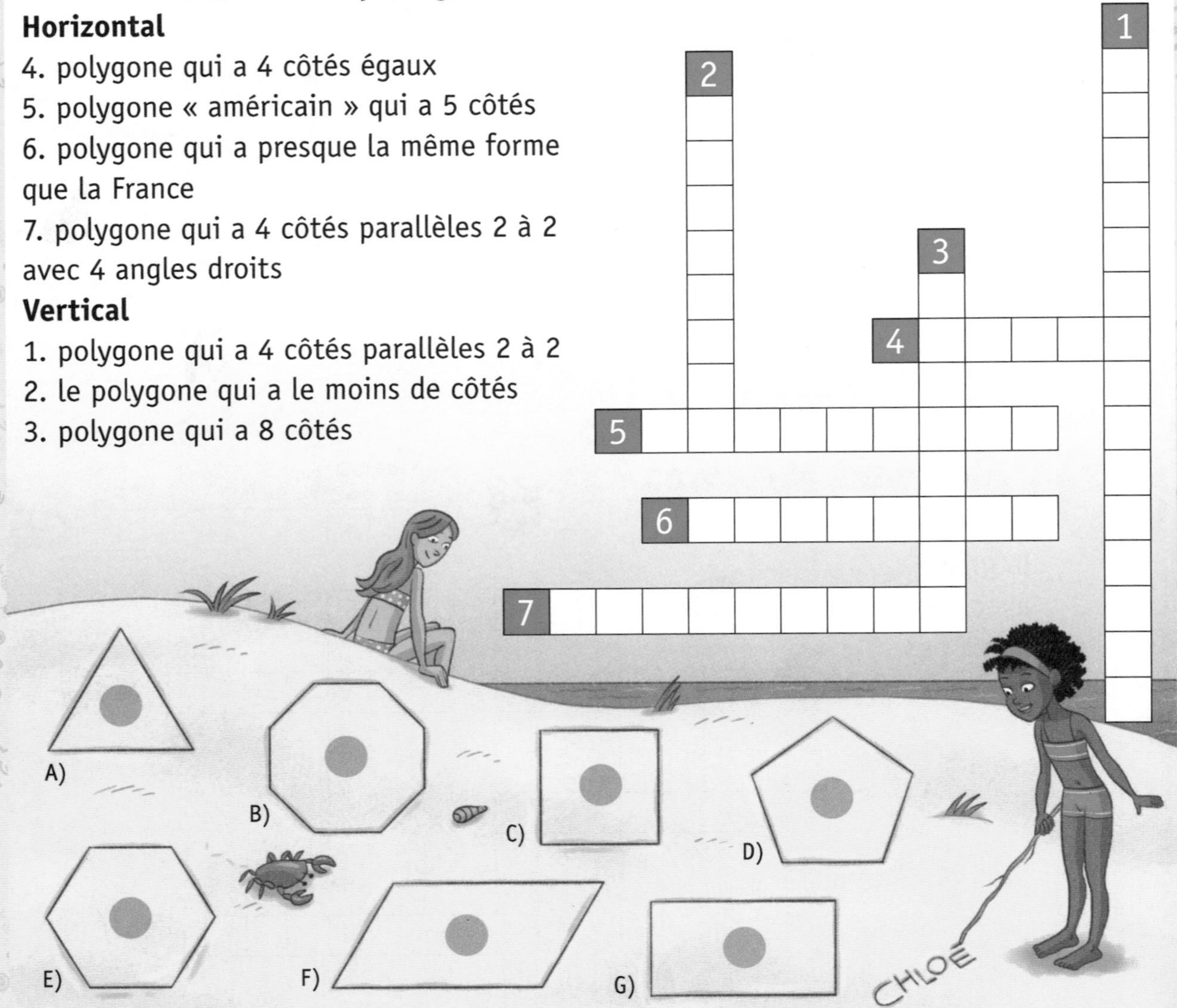

Rectangles et carrés

Les rectangles et les carrés sont des **figures planes** qui appartiennent à la famille des **quadrilatères.**

Le **rectangle** a **4 angles droits**, 2 diagonales qui relient les sommets opposés et se coupent en leur milieu, **2 côtés opposés parallèles et de même longueur.**

Le **carré** a **4 côtés égaux, 4 angles droits**, 2 diagonales qui relient les sommets opposés et se coupent en leur milieu.

109 Trace de code

→ **Déchiffre cette phrase pour identifier les deux figures à colorier. Aide-toi du code couleur.**

			C	'			T			N						E						M									
Q													U															S			
					P					L																					
	O		G														I						R		A		X				
									R						D																.

1 2 3 4 5 6 7 8 9 10 11 12 13

Les niveaux de langue

On utilise **trois niveaux de langue** en fonction des situations de la vie :
- le langage **familier** : à la maison, en famille, entre amis. *J'en ai marre.*
- le langage **courant** : dans la vie de tous les jours, avec des adultes. *J'en ai assez.*
- le langage **soutenu** : pour s'adresser à des personnes importantes ou pour rédiger des documents de travail. *Je suis excédé(e).*

110 Langues en stock

→ **Entoure chaque dessin d'une couleur différente et colorie les 3 mots qui lui correspondent de la même couleur.**

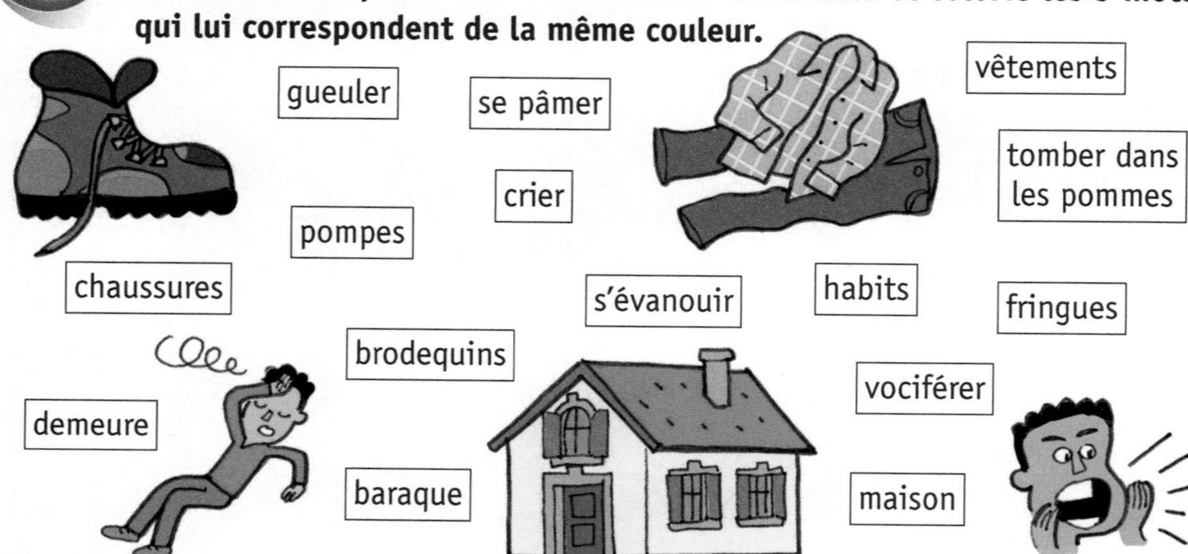

111 Message codé

→ **Déchiffre ce message puis traduis-le en langage courant.**

A	B	C	D	E	F	G	H	I	J	K	L	M	N	O	P	Q	R	S	T	U	V	W	X	Y	Z
	7	23	25		8	2	17		16	1	11	3	4		24	13	26	20	21		19	14	15	9	10

23' 22-20-21 8-6-20-21-18-23-17-22 25-22 20' 22-23-11-6-21-22-26

22-4 19-6-23-6-4-23-22-20, 18-4 18-12-7-11-5-22 11-22

7-18-12-11-18-21 22-21 18-4 20-22 19-5-25-22 11-6 21-22-21-22.

Traduction : ....

Les mouvements

Un mécanisme est un **ensemble de pièces organisées pour obtenir un mouvement.** Un mouvement peut être une **translation** (horizontale ou verticale), une **rotation** à partir d'un **axe fixe** ou **hélicoïdal** si ce mouvement combine les 2 précédents.

Un **engrenage** est un mécanisme constitué de deux roues dentées en contact permettant de transmettre le mouvement de rotation d'une roue à l'autre. Celle qui entraîne l'autre est appelée **roue motrice.**

112 Engrenages

→ **Les cinq roues dentées qui tournent dans le même sens te donneront le pays d'origine de cette invention.**

113 Le méli-mélo du mécano

→ **Retrouve les noms des systèmes de transmission de mouvements.**

CH / ET / GN / PI / ONS / NE / AÎ

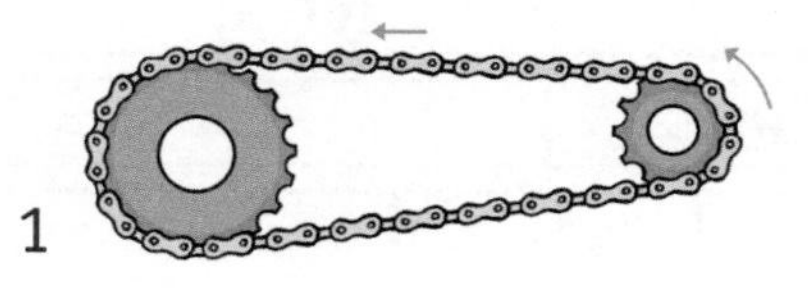

1

ET / MAI / E / DEN / ROU / TÉE / CRÉ / LL / ÈRE

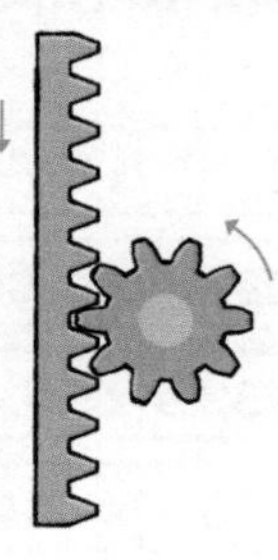

2

ES / C / OUR / ROI / POU / S / ET / LIE

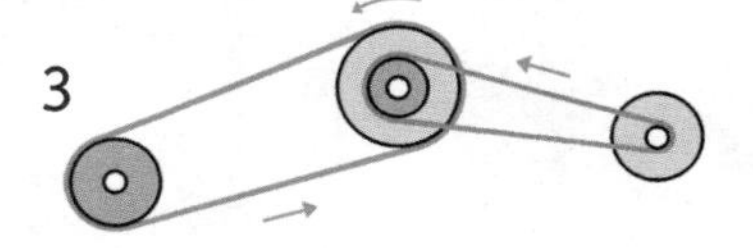

3

BI / V / MA / NI / ELLE / ET / ELLE

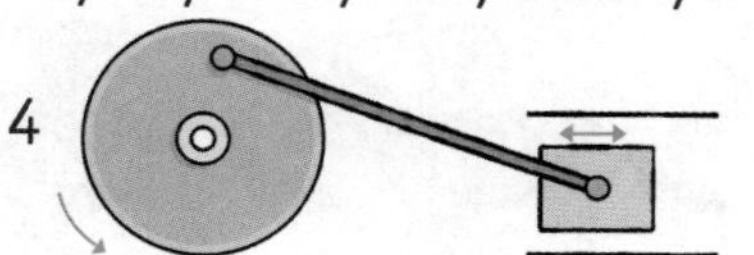

4

Multiplier par 10, 100, 1 000

mémo

Pour **multiplier un nombre entier par 10, 100, 1 000** il faut **ajouter un, deux, trois zéros à la droite du nombre.**

Pour **multiplier un nombre décimal par 10, 100, 1 000** il faut **décaler la virgule de un, deux, trois rangs vers la droite.**

Marions-les

→ Trouve le chemin qui mène au résultat, puis colorie les couples obtenus de la même manière.

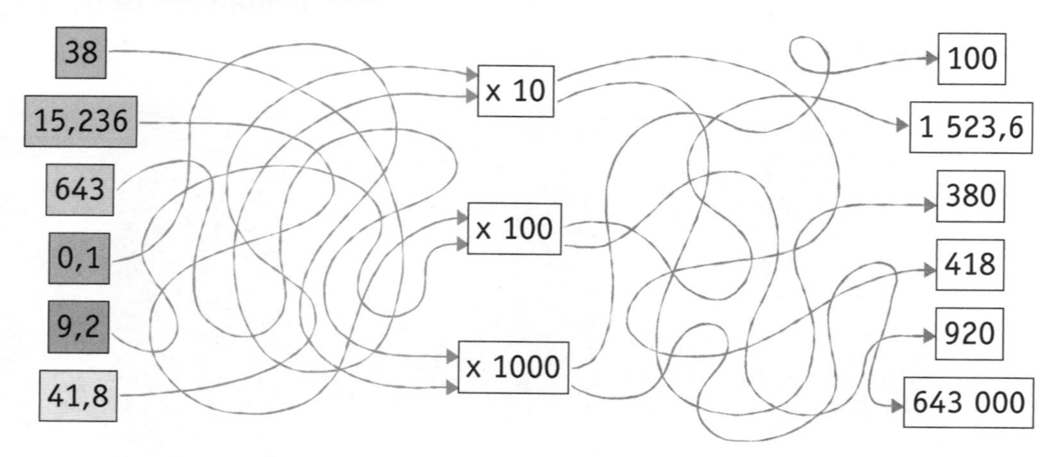

Quinté dans l'ordre

→ Complète les cases vides, classe les chevaux dans l'ordre croissant de leurs points puis, colorie les chevaux de la bonne manière sur la ligne d'arrivée.

2,8	x 10 =		x 10 =		x 1 000 =		x 100 =	
0,093	x 1 000 =		x 1 000 =		x 100 =			
6 432,9	x 10 =		x 10 =		x 100 =			
3 515	x 1 000 =		x 100 =					
84	x 1 000 =		x 1 000 =					

Les déterminants

Le **déterminant** fait partie du groupe nominal.
Il s'accorde en genre (masculin ou féminin) et en nombre (singulier ou pluriel) avec le nom qu'il détermine.

Possessifs *(indique à qui cela appartient)* : ma, ta, sa, mon, ton, son, mes, tes, ses...	
Interrogatifs *(pour questionner)* : quel, quels, quelle, quelles	**Numéraux** *(pour compter)* : un, deux, cent...
Indéfinis *(pas de précision de qualité ou de quantité)* : aucun, plusieurs, quelques...	
Articles définis *(précise le nom « celui-ci »)* : le, la, l', les	**Démonstratifs** *(pour montrer)* : ce, cet, cette, ces
Articles partitifs *(devant un nom que l'on ne peut pas compter)* : du, de la	
Articles indéfinis *(pas de précision, n'importe lequel parmi tous)* : un, une, des	

116 Dessin indéterminé

→ Colorie suivant le code.

article défini ■
article indéfini ■
article défini contracté ■
déterminant possessif ■
déterminant démonstratif ■
déterminant numéral ■
déterminant indéfini ■

grand jeu des

Code de la route

Entoure les 10 infractions commises sur ce dessin.

véhicules

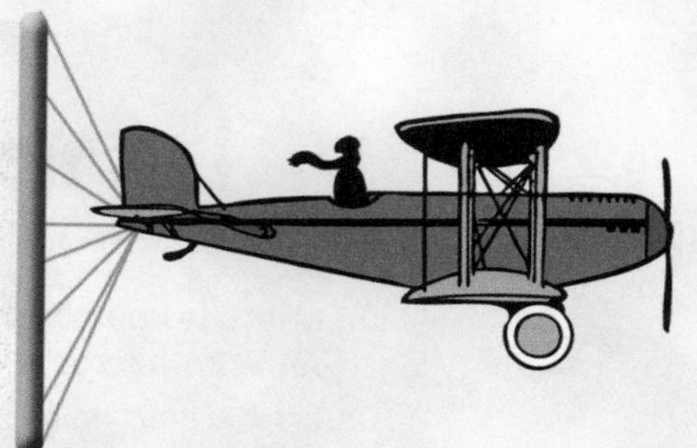

Pilote de course

Quel pilote a gagné le plus de points ? Note sa couleur ici après avoir additionné les nombres d'une même couleur. ....

Tomber dans le panneau

Redonne sa signification à chaque panneau.

route prioritaire

vitesse minimale obligatoire

sens interdit

limitation de vitesse

stationnement interdit

Les nombres sexagésimaux

mémo

On utilise les **nombres sexagésimaux** pour **mesurer le temps :**
1 jour = 24 heures et **1 heure = 60 minutes** et **1 minute = 60 secondes**
On écrit h pour heure, min pour minutes et s pour seconde.

117 Mémory

→ **Colorie les paires de la même couleur.**

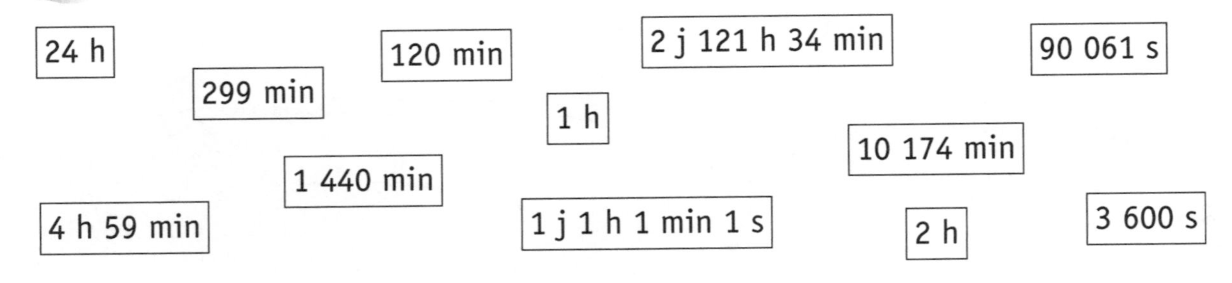

118 Le plus rapide

→ **Colorie le trajet qui permet d'arriver le plus rapidement possible.**

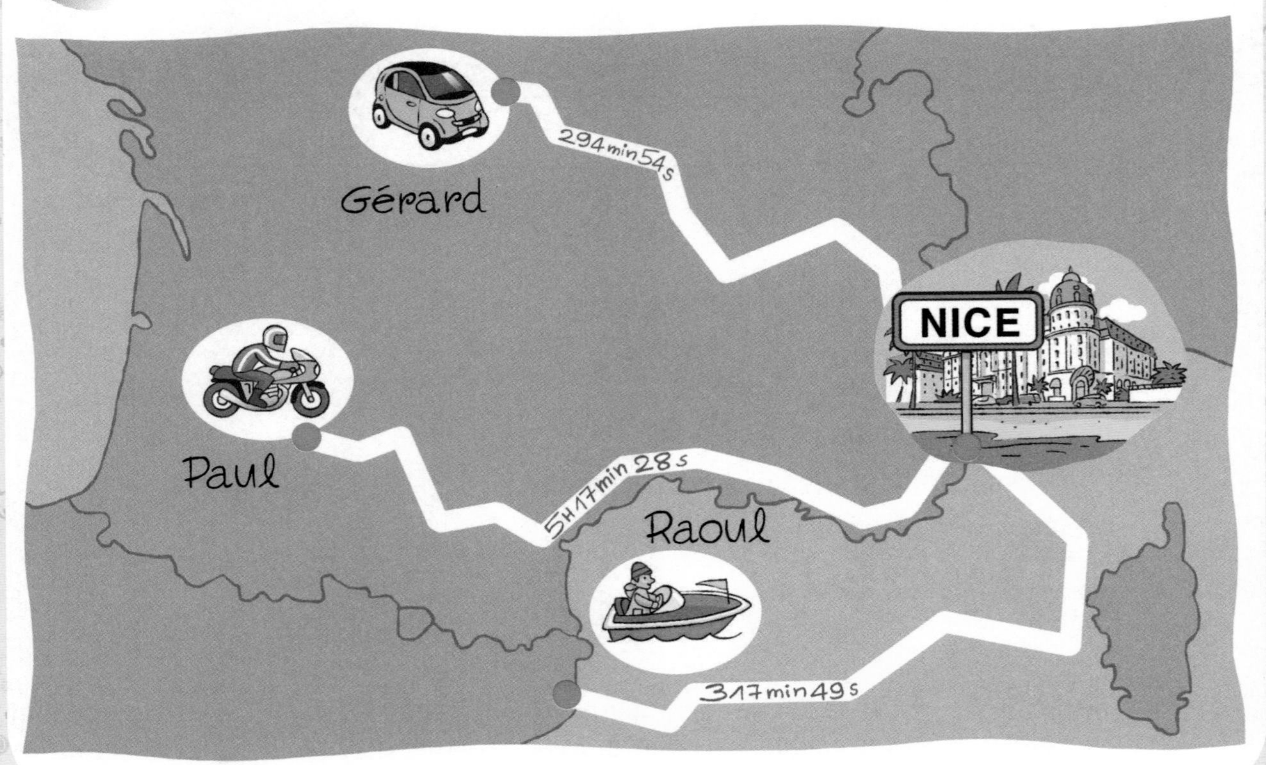

Le calendrier

On utilise un calendrier annuel **pour organiser un emploi du temps**, ou **pour mesurer les longues durées.** Un calendrier est partagé en **12 mois** et **chaque mois est découpé en semaines.**

1 an = 365 jours = 12 mois = 52 semaines

1 mois = 28 ou 29 jours en février, et 30 ou 31 jours pour les autres mois.

1 semaine = 7 jours

119 Un semestre bien différent

→ Entoure les douze erreurs que comporte ce calendrier.

JANVIER			
1	M	Armistice 1918	
2	J	Basile	01
3	V	Geneviève	
4	S	Odilon	
5	D	Edouard	
6	L	Epiphanie	
7	M	Raymond	
8	M	Lucien	02
9	J	Alix	
10	V	Guillaume	
11	S	Paulin	
12	D	Tatiana	
13	L	Yvette	
14	M	Nina	
15	M	Rémi	03
16	J	Marcel	
17	V	Roseline	
18	S	Prisca	
19	D	Marius	
20	L	Sébastien	
21	M	Agnès	
22	M	Vincent	04
23	J	Barnard	
24	V	Fr. de Sales	
25	S	Conv. S. Paul	
26	D	Paule	
27	L	Angèle	
28	M	Th. d'Aquin	
29	M	Gildas	05
30	J	Martine	
31	V	Marcelle	

FÉVRIER			
1	S	Ella	
2	D	Chandeleur	
3	L	Blaise	
4	M	Véronique	
5	M	Agathe	06
6	J	Gaston	
7	V	Eugénie	
8	S	Jacqueline	
9	D	Appoline	
10	L	Arnaud	
11	M	N.-D. Lourdes	
12	M	Félix	07
13	J	Béatrice	
14	V	Valentin	
15	S	Claude	
16	D	Julienne	
17	L	Alexis	
18	M	Bernadette	
19	M	Gabin	08
20	J	Aimée	
21	V	Pierre-Damien	
22	S	Isabelle	
23	D	Lazare	
24	L	Modeste	
25	M	Roméo	
26	M	Nestor	09
27	J	Honorine	
28	V	Romain	
29	L	Michel	
30	M	Jérôme	

MARS			
1	S	Aubin	
2	D	Charles	
3	L	Guénolé	
4	M	Casimir	
5	M	Olive	10
6	J	Colette	
7	V	Félicité	
8	S	Jean de Dieu	
9	D	Françoise	
10	L	Vivien	
11	L	Rosine	
12	M	Justine	11
13	J	Rodrigue	
14	V	Mathilde	
15	S	Louise	
16	D	Bénédicte	
17	L	Patrice	
18	M	Cyrille	
19	M	Joseph	12
20	J	PRINTEMPS	
21	V	Clémence	
22	S	Léa	
23	D	Victorien	
24	L	Catherine	
25	M	Humbert	
26	M	Lara	13
	J	Habib	
28	V	Gontran	
29	S	Gladys	
30	D	Amédée	
31	L	Benjamin	

AVRIL			
1	M	Printemps	
2	M	Sandrine	
3	J	Richard	17
4	V	Isidore	
5	S	Irène	
6	D	Marcellin	
7	L	Jean-Baptiste	
8	M	Julie	
9	M	Gauthier	15
10	J	Fulbert	
11	V	Stanislas	
12	S	Jules	
13	D	Ida	
14	L	Maxime	
15	M	Paterne	
16	M	Benoît	16
17	J	Anicet	
18	V	Parfait	
19	S	Emma	
20	D	Pâques	
21	L	Anselme	
22	M	Alexandre	
23	M	Georges	14
24	J	Fidèle	
25	V	Marc	
26	S	Alida	
27	D	Zita	
28	L	Valérie	
29	M	Catherine	
30	M	Robert	18

MAIS			
1	J	Fête du travail	
2	V	Boris	
3	S	Philippe, Jacques	
4	D	Sylvain	
5	L	Judith	
6	M	Prudence	
7	M	Gisèle	19
8	J	Armistice 1945	
9	V	Pacôme	
10	S	Solange	
11	D	Estelle	
12	L	Achille	
13	M	Rolande	
14	M	Matthias	20
15	J	Denise	
16	V	Honoré	
17	S	Pascal	
18	D	Eric	
19	L	Yves	
20	M	Bernardin	
21	M	Constantin	21
22	J	Emile	
23	V	Didier	
24	S	Donatien	
25	D	Fête des Mères	
26	L	Bérenger	
27	M	Augustin	
28	M	Germain	22
29	J	Ascension	
30	V	Ferdinand	

JUIN			
1	D	Justin	
2	L	Blandine	
3	M	Kévin	
4	M	Clotilde	23
5	J	Igor	
6	V	Norbert	
7	S	Gilbert	
8	D	Pentecôte	
9	D	Diane	
10	D	Landry	
11	D	Barnabé	24
12	D	Guy	
13	D	Antoine	
14	D	Elisée	
15	D	Fête des Pères	
16	L	Jean-François Régis	
17	M	Hervé	
18	M	Léonce	25
19	J	Romuald	
20	V	Silvère	
21	S	Fête du bruit	
22	D	Alban	
23	L	Audrey	
24	M	Jean-Baptiste	
25	M	Prosper	26
26	J	Anthelme	
27	V	Fernand	
28	S	Irénée	
29	D	Pierre, Paul	
30	L	Martial	

JUILLET			
1	M	Thierry	
2	M	Martinien	27
3	J	Thomas	
4	V	Florent	
5	S	Antoine	
6	D	Mariette	
7	L	Raoul	
8	M	Thibault	
9	M	Amandine	28
10	J	Ulrich	
11	V	Benoît	
12	S	Olivier	
13	D	Henri, Joël	
14	L	Donald	
15	M	Fête Nationale	
16	M	Carmen	
17	J	Charlotte	29
18	V	Frédéric	
19	S	Arsène	
20	D	Marina	
21	L	Victor	
22	M	Marie-Madeleine ne	
23	M	Brigitte	30
24	J	Christine	
25	V	Jacques	
26	S	Anne, Joachim	
27	D	Nathalie	
28	L	Samson	
29	M	Marthe	
30	M	Juliette	31
31	J	Ignace	

L'imparfait de l'indicatif

mémo

Les **terminaisons de l'imparfait** sont **les mêmes pour tous les verbes :**
ais - ais - ait - ions - iez - aient

On forme l'imparfait avec le **radical de la première personne du pluriel au présent + la terminaison.**

ex. : dire - nous disons - je disais

On utilise l'imparfait **pour décrire, dire des faits habituels,** raconter des faits qui n'ont ni début ni fin qui se sont déroulés dans le passé.

120 C'est parfait

→ Retrouve les verbes de la liste conjugués à l'imparfait dans la grille sachant que PS = personne du singulier et PP = personne du pluriel. Entoure les lettres restantes puis complète le cadre.

T	N	E	I	A	E	G	N	A	M	C
U	F	A	I	S	A	I	T	V	Z	O
S	Z	E	I	N	E	R	P	A	E	U
A	E	T	I	O	N	S	I	I	I	R
L	A	V	A	I	S	E	N	T	I	A
S	I	A	S	S	I	N	U	E	R	I
T	T	N	E	I	A	U	O	J	C	S
T	N	E	I	A	D	R	A	G	E	R
R	O	U	G	I	S	S	I	O	N	S

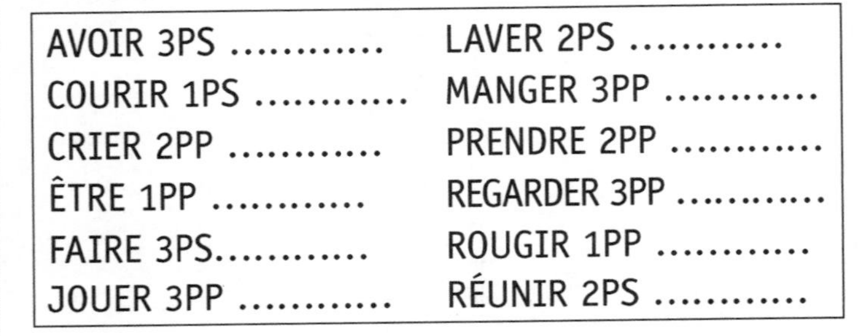

AVOIR 3PS	LAVER 2PS ....
COURIR 1PS	MANGER 3PP ....
CRIER 2PP	PRENDRE 2PP ....
ÊTRE 1PP	REGARDER 3PP ....
FAIRE 3PS...........	ROUGIR 1PP ....
JOUER 3PP	RÉUNIR 2PS ....

Il reste 7 lettres d'un verbe du 1er groupe à la 3e pp

121 D'un mot à l'autre

→ Trouve les verbes à l'imparfait qui se cachent dans ces anagrammes.

	Anagramme	Verbe
tu	D É R A P I O N S	
il	P A R T I A L	
vous	V O I L E Z	
elles	C H A T A I G N E	

Timetable (le calendrier)

a week: Monday - Tuesday - Wednesday - Thursday - Friday - Saturday - Sunday
a year: January - February - March - April - May - June - July - August - September - October - November - December
seasons: spring - summer - autumn - winter

122 What's the day today?

→ Utilise les mots du mémo pour compléter ce calendrier perpétuel.

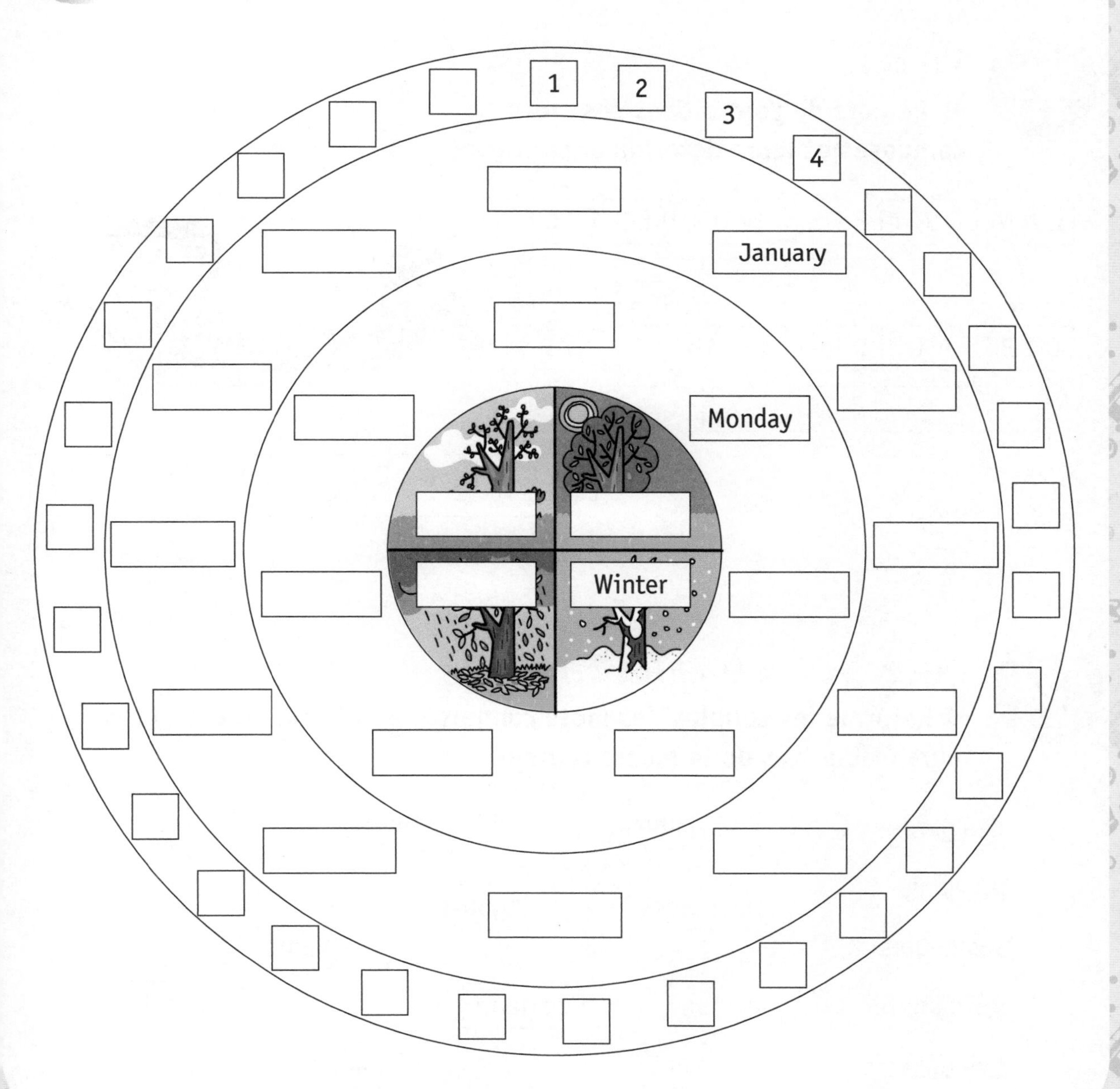

Le pluriel des mots composés

mémo

Les mots composés sont **reliés par une préposition ou un trait d'union.** Un mot composé peut avoir un verbe, un adverbe, une préposition, un nom, un adjectif. **Le verbe, l'adverbe et la préposition restent toujours invariables. L'adjectif s'accorde** toujours **s'il accompagne un nom** (sauf *demi* toujours invariable). **Le nom s'accorde ou pas** en fonction du sens.

verbe + nom : *un chausse-pied ; des chausse-pieds*

adverbe + nom : *une arrière-saison ; des arrière-saisons*

préposition + nom : *un à-côté ; des à-côtés*

nom + nom : *une morte-saison ; des mortes-saisons*

nom + adjectif : *un amour-propre ; des amours-propres*

En vrac

→ Remets de l'ordre dans ces mots composés et leurs déterminants pluriel.

LAN	TS	RFS	VO	DES	CE

OIR	AI	DE-	MÉM	E	DES

AR	L	EN-	CES	CS-	CIE

Quels beaux couples !

→ Reforme les couples des mots composés au pluriel en coloriant leurs étiquettes de la même couleur.

des garde-

les abat-

ses coupe-

les compte-

des haut-

jour — parleur — jours — meubles — gouttes — vents — parleurs — goutte — vent — meuble

L'électricité

Un circuit électrique est un moyen de transporter de l'**énergi**e pour **alimenter les objets de notre quotidien.**

Une pile fournit du courant électrique qui permet d'allumer une lampe. Pour cela on utilise des fils électriques qui relient la **borne +** de la pile au plot de l'ampoule tandis que la **borne –** est reliée au culot.

125 Eurêka !

→ **Remets les lettres dans l'ordre puis complète le schéma. Les cases colorées donneront le nom de l'inventeur de l'ampoule électrique.**

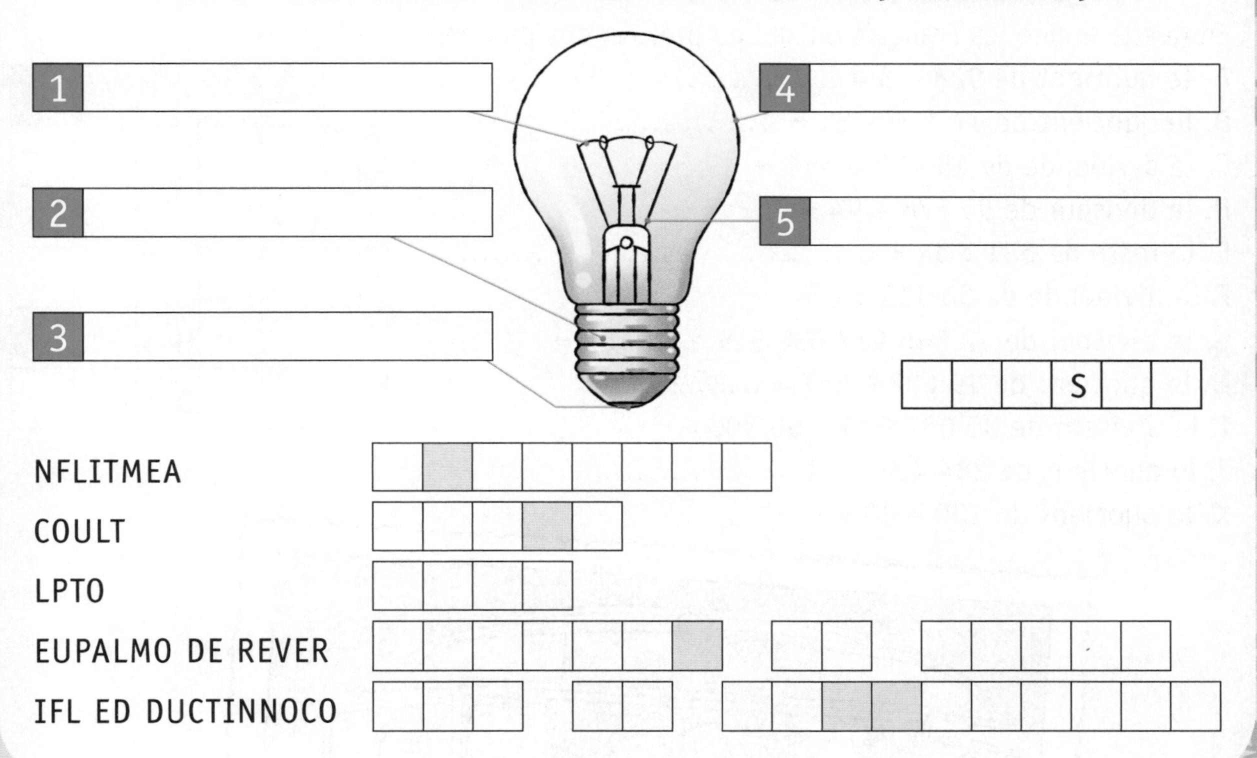

126 Circuit fermé

→ **Retrouve les fils qui vont allumer les ampoules.**

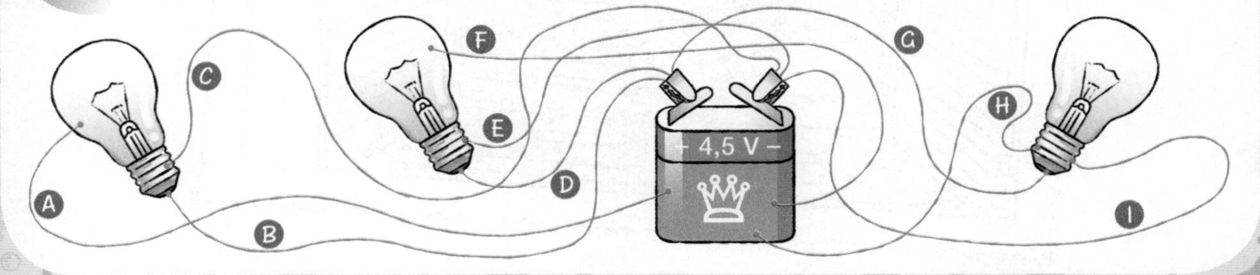

Division des nombres entiers

La division est un **partage en parts égales**. C'est l'opération inverse de la multiplication. Elle se compose de 4 parties : le **dividende** (le nombre que l'on divise), le **diviseur** (le nombre qui divise), le **quotient** (le résultat) et le **reste** qui est toujours inférieur au diviseur.

Pour effectuer une division, on estime le nombre de chiffres au quotient, on calcule le quotient et on s'arrête quand le reste est plus petit que le diviseur.

127 Divisions blindées

→ **Complète la grille à l'aide des définitions. Les chiffres en couleur sont la réponse à la question.**

En quelle année les Français ont-ils pu profiter des premiers congés payés ? ....

A. le quotient de 928 ÷ 5 = ...

B. le quotient de 17 125 ÷ 25 = ...

C. le dividende de 15 439 ÷ 654 =

D. le diviseur de 90 276 ÷ 94 =

E. le reste de 681 ÷ 14 = ... reste ....

F. le dividende de 96 113 ÷ 6 =

G. le diviseur de 12 546 987 632 515 ÷ 38 464 =

H. le quotient de 19 692 ÷ 547 = ...

I. le diviseur de 30 002 000 ÷ 66 300 =

J. le quotient de 284 424 ÷ 21 = ...

K. le quotient de 100 ÷ 10 = ...

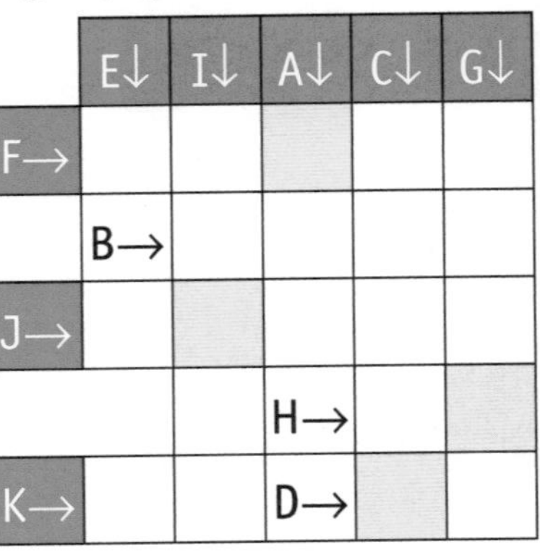

	E↓	I↓	A↓	C↓	G↓
F→					
	B→				
J→					
			H→		
K→			D→		

La Seconde Guerre mondiale

mémo

La Seconde Guerre mondiale a été plus longue et beaucoup plus meurtrière que la première (**60 millions de morts** environ). Elle a débuté en **1939** et se terminera en **1945.** Elle a opposé d'un côté les **pays de « l'Axe » : Allemagne, Italie et Japon** ; et de l'autre les **Alliés : France, Royaume-Uni, États-Unis d'Amérique et l'U.R.S.S.** Très vite, les **Allemands envahissent la France** qui sera **divisée** en deux : **zone occupée** et **zone libre dirigée** par le **maréchal Pétain.** Le **général de Gaulle** appelle à la **résistance** alors que **les nazis exterminent les juifs dans les camps de concentration.** En 1944, la Résistance prépare le **débarquement** des **troupes alliées** en France. En **mai 1945, l'Allemagne capitule** ; elle a perdu la guerre.

128 Qui est qui ?

→ Relie chaque personnage à son nom.

Général de Gaulle

Adolf Hitler

Maréchal Pétain

Benito Mussolini

Jean Moulin

129 La bonne carte

→ Complète la carte avec les mots de la liste.

Normandie – zone libre – zone occupée – ligne de démarcation – l'Europe en guerre en 1942

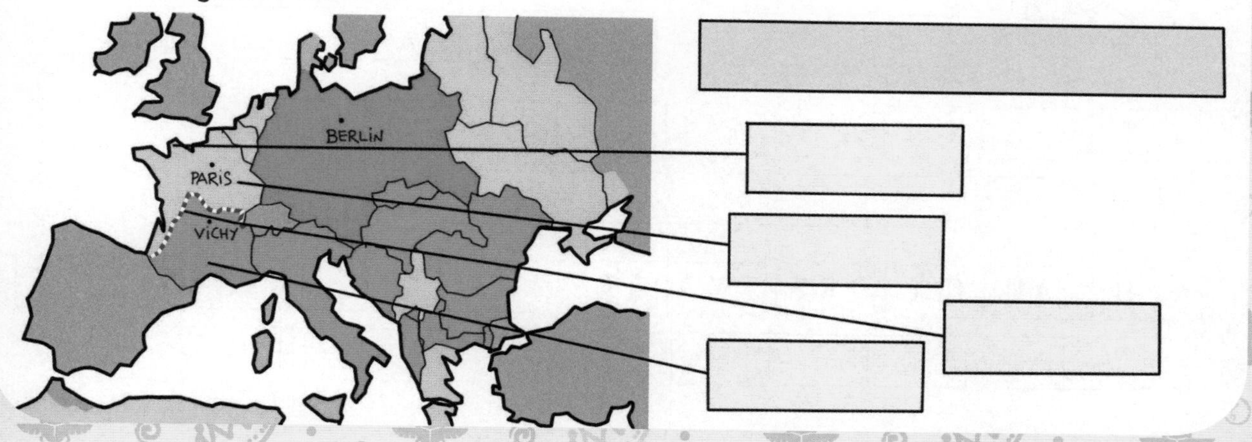

Les homophones c'est / s'est

C'est a le même sens que « **cela est** », il est suivi d'un groupe nominal, d'un pronom ou d'un adjectif.
ex. : C'est le printemps. Comme c'est bien !
S'est est **toujours suivi d'un participe passé.** Il fait partie de la conjugaison des verbes pronominaux.
ex. : Il s'est assis. Elle s'est levée.

130 Personne ne sait !

→ Suis les fils pour compléter les phrases.

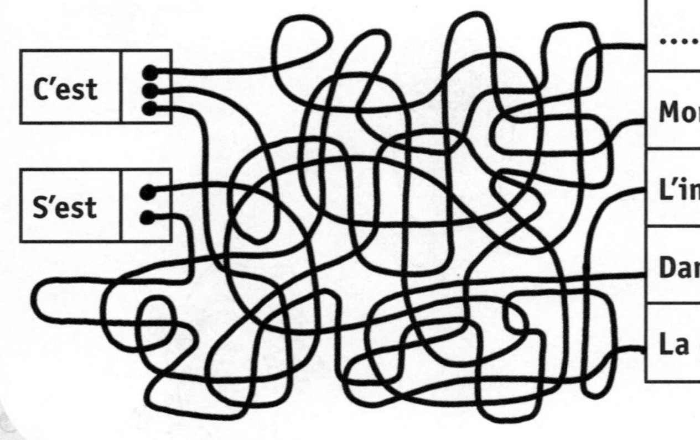

.... pour mardi gras qu'elle se déguise.
Mon voisin .... souvenu de mon anniversaire.
L'image .... formée à l'écran.
Dans cette cabane, ... moi le chef !
La glace, ... si bon !

131 C'est pas de la tarte !

→ Retrouve ces expressions, elles commencent toutes par : c'est.

ME	LA	IRE.	R À	ST	C'E	PAS	BO

C'E	PAS	N L	A V	MAI	EIL	ST	LE.	DE

NCH	AU	C'E	TRE	MA	ST	PA	IRE	UNE	ES.	DE

Additionner et soustraire des fractions

mémo

On peut additionner et soustraire des fractions entre elles lorsqu'elles ont **le même dénominateur**, il suffit de calculer les numérateurs.

ex. : $\frac{4}{9} + \frac{3}{9} = \frac{4+3}{9} = \frac{7}{9}$

$\frac{4}{9} - \frac{3}{9} = \frac{4-3}{9} = \frac{1}{9}$

132 Labyfractions

→ **Trace le chemin qui mène au résultat.**

$\frac{14}{8} + \frac{3}{8}$

$\frac{17}{8}$

$\frac{17}{16}$

$\frac{25}{9} - \frac{7}{9}$

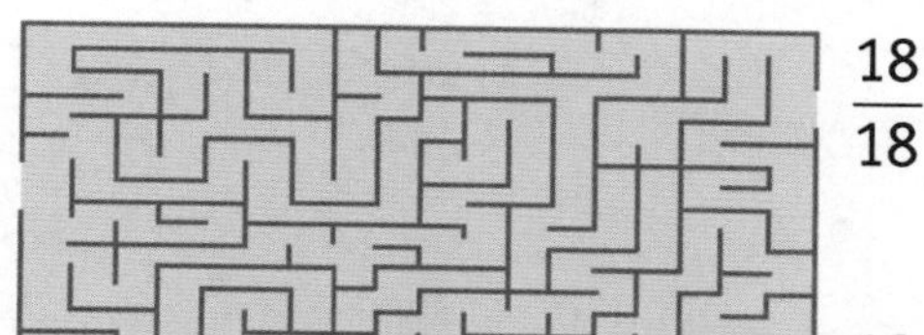

$\frac{18}{18}$

$\frac{18}{9}$

$\frac{36}{8} + \frac{15}{8}$

$6 + \frac{4}{8}$

$\frac{52}{8}$

$\frac{51}{8}$

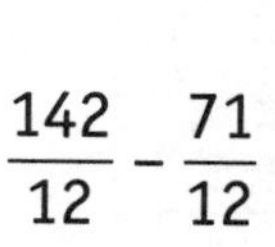

$\frac{142}{12} - \frac{71}{12}$

$\frac{71}{24}$

$5 + \frac{11}{12}$

$2 + \frac{23}{24}$

Comparer les nombres décimaux

On commence par **comparer les parties entières** et celui qui a la plus grande est donc le plus grand.

ex. : 54,699 < 687,1

On compare ensuite les parties décimales en commençant par les dixièmes puis les centièmes, les millièmes et ainsi de suite.

ex. : 3,456 < 3,5 ; 64,235 < 64,289 ; 87,961 < 87,968

133 Pause méritée

→ **Relie les nombres du plus petit au plus grand et tu découvriras où se trouve Julien.**

134 Le dernier nombre

→ **Suis les consignes pour connaître la température moyenne (en °C) de la ville d'Athènes (capitale de la Grèce) au mois d'août.**

Barre les nombres supérieurs à 40.
Barre les nombres qui ont trois chiffres dans leur partie décimale.
Barre les nombres inférieurs à 35.
Barre ceux qui ont un chiffre des dixièmes supérieur ou égal à 7.

1,7	**4,196**	**35,007**	**30**	**21,01**
71,71	**38,8**	**102,9**	**38,9**	**28,07**
63,71	**36,666**	**39,5**	**40,001**	**35,8**
1 234,1	**100**	**38,024**	**38,7**	**0,97**
6,61	**12,6**	**34,99**	**15**	**38,714**

L'air et la pollution de l'air

mémo

L'air est un **mélange de gaz**, il est **invisible** et **inodore.** Il peut résister aux liquides, à certains solides et à certains mouvements. Il peut aussi transmettre des mouvements, on peut le faire passer d'un récipient à un autre. L'air est une **matière** qui a une masse (on peut le peser).

L'air peut être pollué soit à cause des activités des hommes soit à cause de la nature. Cette pollution affecte la santé des hommes.

135 Respirez, soufflez

→ **Retrouve les différences qui font que le dessin du bas est plus pollué que celui du haut.**

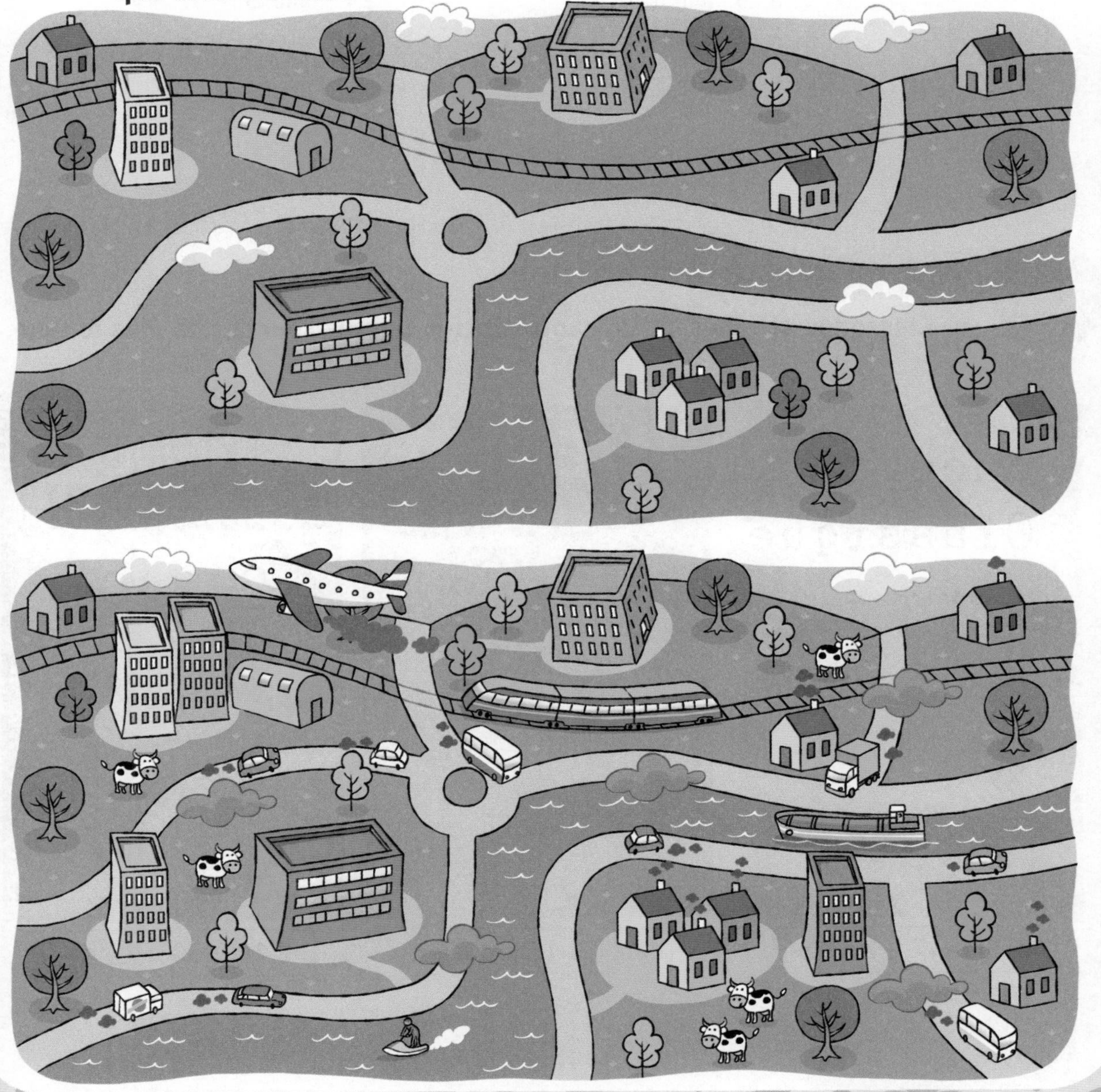

Additionner et soustraire les durées

Pour effectuer un calcul de durées, il faut très souvent **convertir une valeur** dans l'unité supérieure ou inférieure. On procède comme pour une opération classique puis on effectue les échanges nécessaires.

136 Le compte est bon

→ **Entoure les bonnes réponses.**

	2 h 47 min 11 s		10 h 24 min 9 s
+	1 h 38 min 54 s	–	6 h 43 min 6 s
	3 h 85 min 65 s		4 h 21 min 3 s
	3 h 86 min 05 s		3 h 41 min 3 s
	4 h 26 min 05 s		4 h 41 min 3 s

137 Tête d'affiche

→ **Classe les affiches de la manifestation la plus courte à la plus longue.**

de 20 h 47 à 23 h 54

de 21 h 15 à 0 h 25

de 14 h 30 à 17 h 45

Les homophones quand / quant

Quand, conjonction, peut être remplacé par « **lorsque** ».
ex. : Quand il pleut. Lorsqu'il pleut.
Quand, adverbe interrogatif, peut être remplacé par « **à quel moment** ».
ex. : Quand viens-tu ? À quel moment viens-tu ?
Quant (avec un **t** final), locution, fait partie de l'expression « quant à / quant au / quant aux ». On peut le remplacer par « **en ce qui concerne** ».
ex. : Quant à son frère... En ce qui concerne son frère...
Quant aux filles... En ce qui concerne les filles...

138 French... quand-quant !

→ **Assemble les morceaux de phrases en passant par « quand » ou par « quant ».**

Les voitures passent
Paulo a fini la course
L'ours ronfle
Il aime la vanille
Vous pourriez
Tu veux être pompier,
Elisa n'est bien que
Josepha danse à merveille

elle est avec sa mère.
la barrière se lève.
il dort.
à moi, je ne suis pas doué.
aux jumeaux, ils rêvent d'être policiers.
aux autres, ils ont abandonné.
à sa femme elle préfère le café.
même me donner un coup de main.

Le COD

Le **C**omplément d'**O**bjet **D**irect répond à la question « qui ou quoi » posée après le verbe.
On ne peut pas le supprimer.
On peut le remplacer par un pronom placé avant le verbe (le / la / les / l' / en).
Nature du COD : nom propre, groupe nominal, pronom, infinitif, proposition.
ex. : Mélissa écoute ***ce disque*** *tous les soirs.* Mélissa écoute « quoi » ? **ce disque (COD)**
Mélissa l'écoute tous les soirs. **l' (COD)**

C'est aux dés !

→ Complète la grille avec les COD de chaque phrase.

1) Ses parents achètent une nouvelle voiture.
2) Tu lances la balle au chien.
3) Tous mes copains aiment jouer au beach volley.
4) Anaïs offre une glace aux six enfants de son groupe.
5) Louis prête son jouet préféré pour la première fois.
6) Charlie a eu une planche de surf pour son anniversaire.

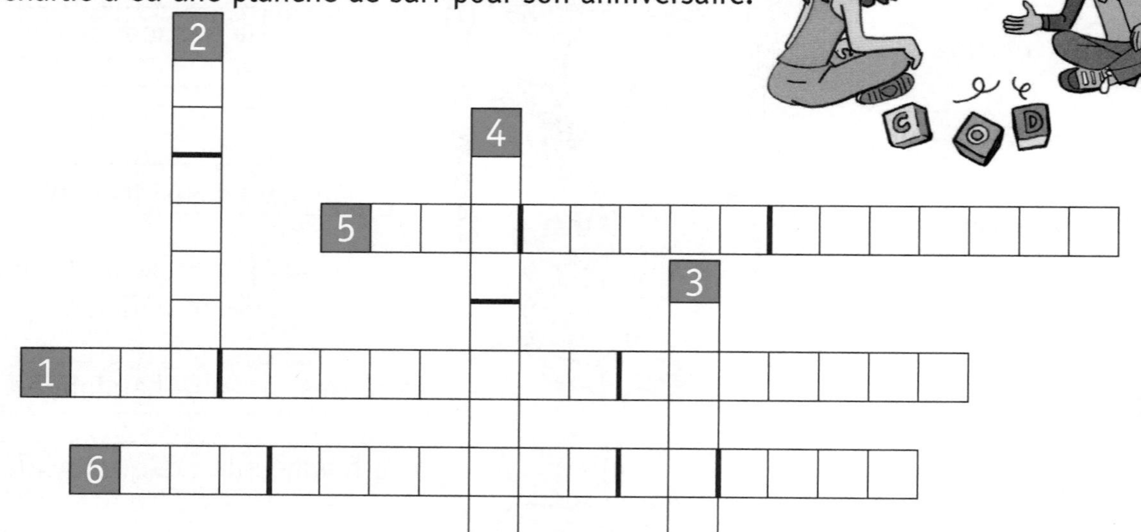

Les deux font la paire

→ Colorie de la même couleur le nom et le pronom qui lui correspond.

le bouchon	des bonbons	cette image	la voiture	ces chapeaux
en	les	le	l'	la

Les triangles

mémo

Un triangle est un **polygone à 3 côtés et 3 sommets.**

Un triangle quelconque (aucune particularité)

Un triangle isocèle (2 côtés égaux)

Un triangle équilatéral (3 côtés égaux)

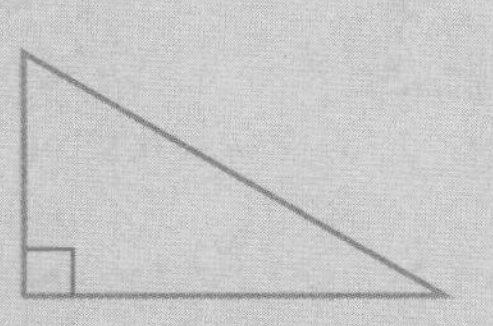

Un triangle rectangle (1 angle droit)

141 L'ombre de lui-même

→ Barre les ombres qui ne sont pas celles du modèle.

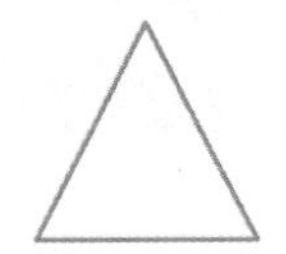

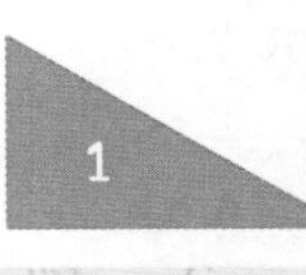

142 Programmes de construction

→ Colorie chaque triangle comme son programme de construction.

Trace le côté le plus grand : AB = 5 cm. Écarte ton compas de la longueur du 2e côté : BC = 3 cm. Trace un arc de cercle à 3 cm du point B. Écarte ton compas de la longueur de CA = 6 cm. Trace un arc de cercle à 6 cm de A. Le point d'intersection des 2 arcs de cercle est le point C. Trace AC puis BC.

Trace le côté de la mesure différente : AB = 4 cm. Écarte ton compas de la longueur des 2 autres côtés : BC = AC = 6 cm. Trace un arc de cercle à 6 cm du point B. Trace un arc de cercle à 6 cm de A. Le point d'intersection des 2 arcs de cercle est le point C. Trace AC puis BC.

Trace l'un des 3 côtés : AB = 6 cm. Écarte ton compas de la longueur des 2 autres côtés : BC = AC = 6 cm. Trace un arc de cercle à 6 cm du point B. Trace un arc de cercle à 6 cm de A. Le point d'intersection des 2 arcs de cercle est le point C. Trace AC puis BC.

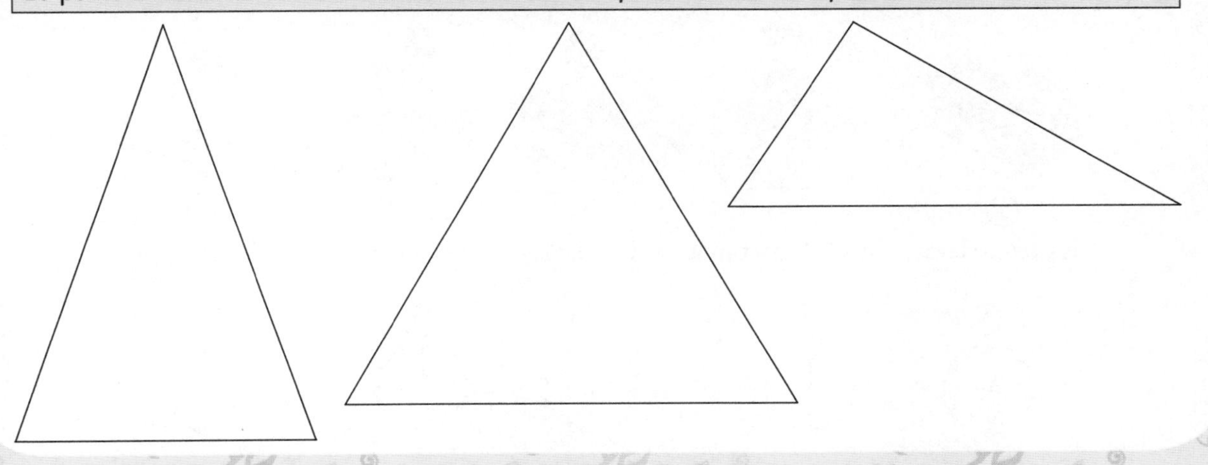

Time (l'heure)

It's ten o'clock. It's five past ten. It's a quarter past ten. It's twenty past ten. It's half past ten.

On utilise l'abréviation « **a.m.** » pour désigner les heures du **matin** et « **p.m.** » pour les heures de l'**après-midi**.

What time is it? Quelle heure est-il ?

→ Relie les horloges à l'heure qu'elles indiquent.

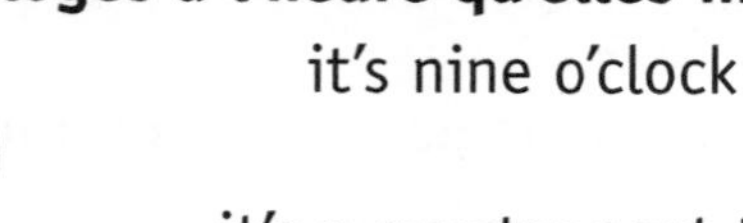

it's nine o'clock

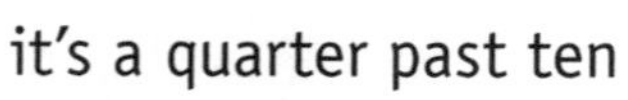

it's a quarter past ten

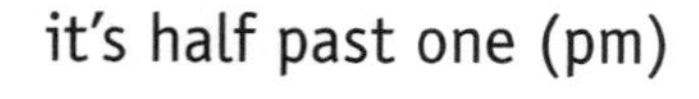

it's half past one (pm)

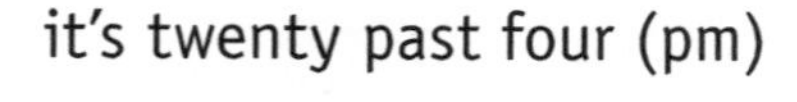

it's twenty past four (pm)

it's half past six (pm)

it's forty-five past seven (pm)

it's midnight

Big Ben

→ Remets de l'ordre dans les images pour reconstituer la journée de Ben à la plage. Puis, associe chaque pendule à l'image qui lui correspond.

① it's ten o'clock
② it's half past nine
③ it's midday
④ it's one o'clock
⑤ it's a quarter past eleven

Ⓐ 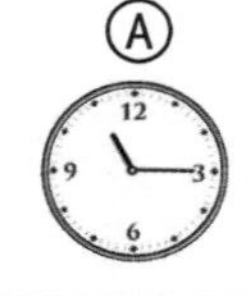 Ⓑ Ⓒ  Ⓓ  Ⓔ 

Problèmes de mesures des durées

mémo

Grandeurs et mesures :
Pour résoudre des problèmes de mesures de durée, il faut utiliser les calculs avec les nombres sexagésimaux. On peut aussi utiliser la droite numérique :

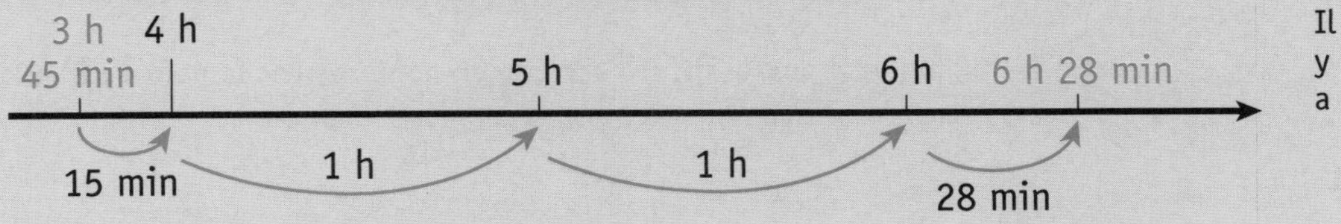

2 h 43 minutes entre 3 h 45 et 6 h 28.

145 Le soleil brille

→ **Utilise les nombres pour compléter la droite puis entoure la bonne réponse.**

Le 21 juin, jour du solstice d'été, le soleil se lève à 5 h 48 min et se couche à 21 h 56 min. Calcule la durée du jour.

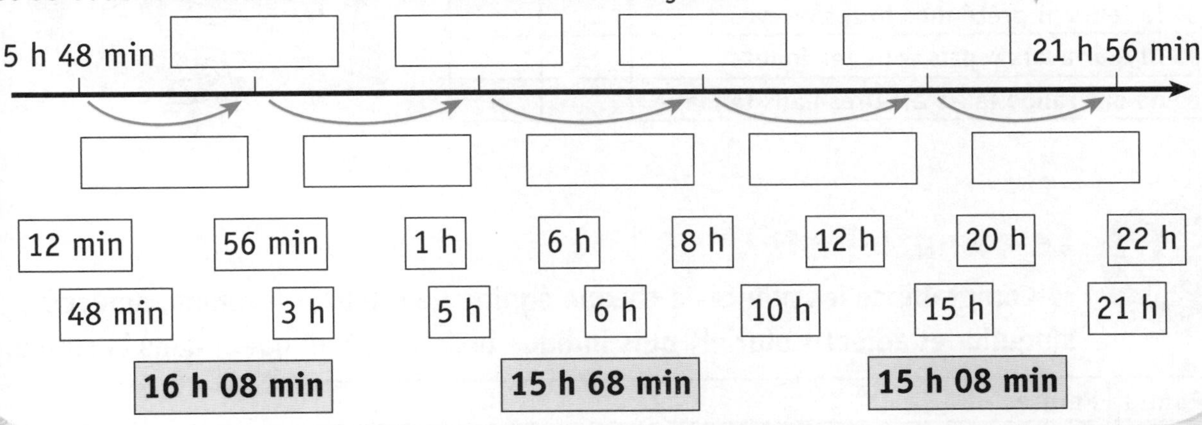

146 Devinettes

- Il est 7 h 35 min et je rate mon bus qui démarre devant moi. Le prochain est dans 15 min.
  À quelle heure passera-t-il ? .... h .... min
- Pour se rendre au collège, Sophie part de chez elle à 9 h 45 min. Elle marche pendant 18 min pour se rendre à la gare. Le trajet en train dure 27 min.
  À quelle heure arrivera-t-elle au collège ? .... h .... min
- Une émission de télévision commence à 16 h 55 min et se termine à 18 h 10 min.
  Quelle est sa durée ? .... h .... min

Les homophones leur / leur(s)

mémo

Leur est un **pronom personnel invariable.** On peut le remplacer par **lui.** Il est placé **devant un verbe.**

ex. : Il faut leur dire. Éric leur donne de l'eau.
lui lui

Leur(s) est un **adjectif possessif.** Il **s'accorde en nombre avec le nom qu'il accompagne.**

ex. : Vanessa écoute leur chanson. Vanessa écoute leurs chansons.
sa ses

147 Le bon choix

→ **Coche vrai ou faux quand « leur » est correctement orthographié.**

	VRAI	FAUX
1. On leur a volé des bijoux.		
2. Leur obstination fut payante.		
3. Les travaux de leurs maison sont achevés.		
4. Je leurs ai prêté mes billes neuves.		
5. Tu leur avais repris tous tes jouets.		
6. Ils ont rangé leurs affaires dans la malle.		

148 Le compte juste

→ **Comptabilise les points de chaque équipe de « leur » (pronom, adjectif singulier et adjectif pluriel) puis indique le nom du vainqueur dans la coupe.**

Points	Phrases
5	Tu leur rends les livres.
7	Elles cherchent leur frère.
6	Les enfants leur font une farce.
4	Les voisins ont pris leurs vélos.
5	Ils peuvent jouer avec leur jeu.
8	Certains sont repartis avec leurs parents.
6	Il faudra que vous leur montriez le chemin.
3	Nous allions leur dire la vérité.
5	Comme ils ressemblent à leurs grands-parents !
9	Louison se moquait ouvertement de leur peinture collective.

1

Leur (pronom)	Leur (adjectif singulier)	Leur (adjectif pluriel)
....	....	....

La France économique

mémo

En France, on trouve **3 secteurs d'activité** : le secteur **primaire** (agriculture, pêche) ; le secteur **secondaire**, appelé aussi secteur industriel (artisans, petites et moyennes entreprises et grosses usines) et enfin le secteur **tertiaire** (il offre tous les services administratifs, ceux liés à la santé et aux petits commerces de proximité).

149 Qui fait quoi ?

→ **Colorie chaque activité selon le secteur auquel elle appartient.**

secteur primaire ■ secteur secondaire ■ secteur tertiaire ■

agriculture — automobile — informatique — construction navale — pêche — santé

150 Sans l'ombre d'un doute !

→ **Entoure les ombres qui travaillent dans le secteur tertiaire.**

grand Jeu

Au boulot

Retrouve les noms de métiers dans la grille.

R	M	A	R	I	N	C	P	M	X	X	L	R	A	V
G	E	J	V	T	N	S	H	A	P	V	P	E	R	E
U	O	S	Z	R	E	T	O	C	O	G	L	I	U	T
I	U	R	T	R	C	F	T	O	M	V	A	L	E	E
D	B	C	V	A	B	R	O	N	P	N	G	E	I	R
E	K	E	N	S	U	I	G	M	I	D	I	T	N	I
D	U	O	R	E	Z	R	R	M	E	U	S	O	E	N
R	G	V	S	U	S	K	A	H	R	D	T	H	G	A
K	F	N	F	X	E	T	P	T	O	H	E	D	N	I
Q	A	Z	Y	K	E	T	H	E	E	T	R	C	I	R
D	Q	J	U	U	K	T	E	K	T	U	E	F	I	E
Q	F	W	R	Y	Z	V	R	V	K	O	R	S	T	N
R	E	I	N	I	S	I	U	C	U	G	L	E	S	R
V	E	N	D	E	U	S	E	S	N	A	Q	I	Y	E
P	R	O	F	E	S	S	E	U	R	L	S	O	P	L

ANIMATEUR
CUISINIER
DANSEUR
GUIDE
HÔTELIER
HÔTESSE
INGÉNIEUR
MAÇON
MARIN
MÉDECIN
PILOTE
PHOTOGRAPHE
PLAGISTE
PROFESSEUR
POMPIER
RESTAURATEUR
SAUVETEUR
SERVEUR
VENDEUSE
VÉTÉRINAIRE

Job d'été

Associe chaque métier à l'objet qui le caractérise.

serveur glacier plagiste manœuvre caissière

des métiers

S.O.S

Aide le sauveteur à rejoindre la personne en détresse en restant sur les vagues.

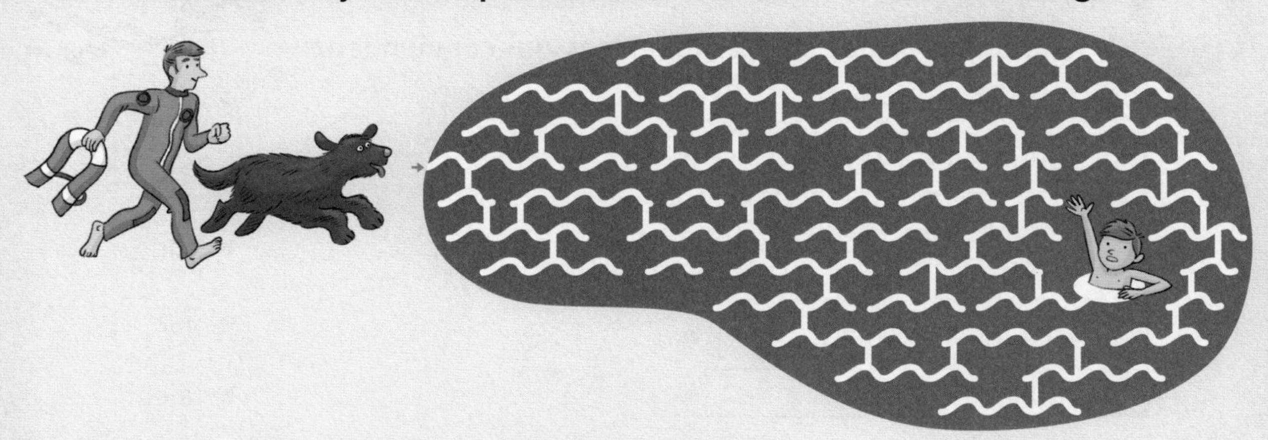

Métier caché

Complète la grille. Tous les mots appartiennent à la même famille et commencent par les mêmes lettres.

On la mange en été.	☐☐☐☐☐
Pour rafraîchir une boisson.	☐☐☐☐☐☐
Le verbe	☐☐☐☐☐☐
C'est son métier.	☐☐☐☐☐☐☐
L'adjectif	☐☐☐☐☐☐☐
Pour recouvrir.	☐☐☐☐☐☐☐
Pour maintenir au frais.	☐☐☐☐☐☐☐☐

Le conditionnel présent

Les **terminaisons** du conditionnel présent sont **les mêmes pour tous les verbes** :
ais - ais - ait - ions - iez - aient

Le **radical** est **le même pour toutes les personnes.**
ex. : dire - je dirais - nous dirions

On utilise le conditionnel présent pour **exprimer une condition**, un ordre, une incertitude, une **supposition** ou un **souhait.**

Si la condition est à l'imparfait, **alors** le reste de la phrase est au conditionnel présent.
*ex. : Si j'avais une planche, alors je **surferais** sur les vagues.*

151 Labyphrases

→ **Relie les verbes aux terminaisons qui conviennent.**

1	Mathias reviendr	•	• ais
2	Paulo et toi gagner	•	• ait
3	Mélissa et Anaïs rigoler	•	• ions
4	Je finir	•	• iez
5	Tristan et moi bâtir	•	• aient
6	Tu boir	•	

152 Elle file au large !

→ **Complète la grille avec les verbes conjugués au jeu ci-dessus, puis utilise les lettres en bleu pour trouver le nom de ce bateau.**

…………………… .

1 6 5 3 4 2

Diviser par 10, 100, 1 000

mémo

Pour **divise**r un nombre **par 10, 100, 1 000,** il faut **supprimer un, deux, trois zéros à la droite du nombre.**

S'il n'y en a pas assez, on place une virgule de façon à noter des dixièmes, des centièmes ou des millièmes si nécessaire.

ex. : 1 471 ÷ 10 = 147,1 - 1 471 ÷ 100 = 14,71 - 1 471 ÷ 1 000 = 1,471

Labyvision

→ **Trouve le chemin qui mène à chaque résultat, puis colorie les couples obtenus.**

Méli-Mélo

→ **Barre les résultats des opérations dans la grille et tu sauras combien de kilomètres Julia a parcourus pour rejoindre son lieu de vacances.**

124 000 ÷ 100
157 860 000 ÷ 1 000
45 000 ÷ 100
210 000 ÷ 10
239 000 ÷ 1 000
6 520 000 ÷ 100
14 ÷ 100
390 ÷ 100
74 290 ÷ 10
75 000 ÷ 1 000

1	2	4	0	9	8
5	3	2	6	0,	7
7	9	1	5	1	4
8	4	0	2	4	2
6	5	0	0	3	,9
0	0	0	0	7	5

Le COI

Le **C**omplément d'**O**bjet **I**ndirect **répond à la question « à qui ? »** ou « **à quoi ?** » posée après le verbe.
Il est **relié au verbe par une préposition** (à, de) **ou par un article contracté** (au, aux, du, des).
On ne peut pas le supprimer.
On peut le remplacer par un pronom placé avant le verbe (lui / leur / y / en).
Nature du COI : nom propre, groupe nominal, pronom, infinitif, préposition.
ex. : Benjamin se charge ***des serviettes de plage.***
Benjamin se charge « de quoi ? » : **des serviettes de plage (COI).**
*Benjamin s'****en*** *charge :* **en (COI).**

155 Suivre les flèches

→ **Place les COI de la liste dans la grille. Pense à la préposition ou à l'article qui le relie au verbe.**

voleurs – micro – Père Noël – chien – grand-mère – Afrique – sorcières

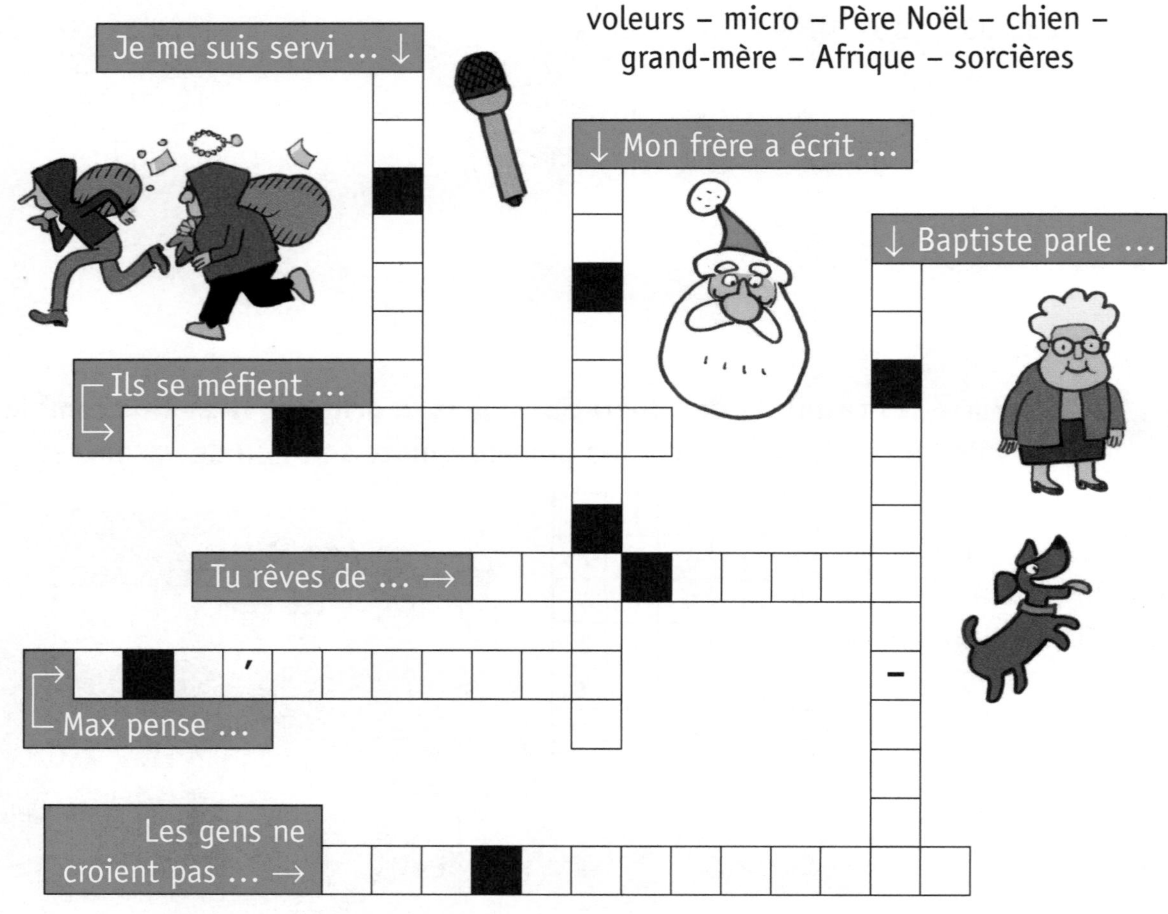

Pourcentages

mémo

Un pourcentage est une façon d'exprimer la **proportion** ou une fraction dans un ensemble **divisé en cent parties égales.** Dans « pourcentage » on entend : « pour cent », on écrit %.

ex. : Sur 100 cases : 15 cases vertes = 15 % ; 25 cases roses = 25 % ; 20 cases jaunes = 20 % et 40 cases blanches = 40 %.

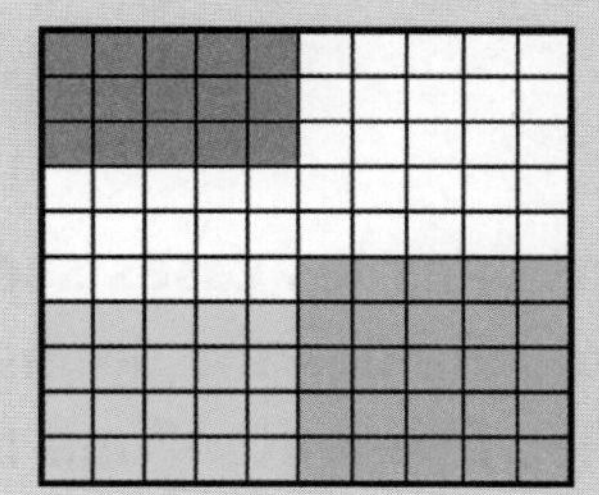

Pour calculer des pourcentages on peut utiliser le tableau des taux de pourcentages :

5%	$\frac{5}{100}$	5 ÷ 100 =	0,05
10%	$\frac{10}{100}$	10 ÷ 100	0,1

ex. : Un vêtement coûte 15 €. Quelle somme représente 20 % de 15 € ?

20 % = 15 x 0,2 = 3 €

Pourcentages	Taux
15 %	0,15
20%	0,2
25%	0,25
30%	0,3
35%	0,35
40%	0,4
45%	0,45
50%	0,5

156 Soldes d'été

→ **Relie chaque article à son prix soldé.**

- 12 €
- 11,70 €
- 26,50 €
- 19,80 €
- 17 €
- 9 €
- 6,65 €
- 9,90 €
- 13,30 €
- 10,50 €

Soustraction des nombres décimaux

Pour effectuer une soustraction avec des nombres décimaux, on procède comme pour la technique opératoire avec les nombres entiers. Il faut **aligner les virgules sous les virgules** et s'assurer que les **chiffres de la partie décimale** sont aussi bien **alignés. On calcule de la droite vers la gauche** et on doit **penser aux retenues** (quand il y en a).

157 Soustra-disco

→ Trouve les 4 soustractions qui se cachent dans les cases sachant que les 3 cases d'une même opération se touchent. Puis donne de l'éclat à cette piste de danse en coloriant les éléments d'une même opération de la même couleur.

13 862,395	25 064,147	28 213,697
25 377,65	2 047,902	3 149,55
11 814,493	20 221,74	21 272,532
5 155,91	25 472,51	4 199,978

158 Soustradance

→ Effectue cette opération en te reportant à la valeur des figures de danse. Chaque mouvement remplace toujours le même chiffre.

= 2 ; = ; = 5 ; = 6 ; = ; = 7 ; = ; = ; = ; = 9

Plusieurs sens pour un mot

mémo

En lisant les définitions de **certains mots** on se rend vite compte qu'ils ont **au moins deux sens différents.** Certains mots peuvent avoir 5 ou 6 définitions. Pour savoir laquelle est la bonne, il faut **s'aider du contexte** et donc **du sens global du texte.**

*ex. : **plage***

1) bord de mer 2) espace de temps 3) un espace entre deux éléments 4) pont à l'avant ou à l'arrière d'un navire de guerre.

J'ai une plage de 30 minutes de libre dans mon emploi du temps. <u>(définition 2)</u>

Station des sens

→ Relie chaque mot souligné à la pompe qui lui correspond.

Autre

Pendant son bain de mer, Sophia a bu la <u>tasse</u>.
Mes amis font tout comme moi... Quels <u>moutons</u> !
Cet <u>avocat</u> me coûte très cher.
Maé a peur d'une <u>souris</u>.
La laine des <u>moutons</u> est utile pour les tapis.
J'apprécie cette salade <u>d'avocats</u> des îles.
Son oncle élève des <u>cochons</u> gras.
Ma sœur n'est pas dans son <u>assiette</u> ce matin.
Vous mangez comme des <u>cochons</u>.
C'est déjà la cinquième <u>tasse</u> de café que tu bois !
René ne sait pas cliquer sur la <u>souris</u>.
Paul a cassé trop <u>d'assiettes</u>.

Association d'idées

→ Colorie les définitions avec la couleur du mot qui correspond.

Animal au poil épais et frisé.
Gâteau au chocolat.
Moyen d'agir sur quelqu'un.
Point d'accroche en escalade.
Mouvement de judo.
Flocon de poussière.
Scène filmée au cinéma.
Action de prendre.
Œuvre dramatique avec un accompagnement musical.
Personne qui se laisse mener.
Théâtre lyrique.
Pour se brancher sur le courant électrique.

Compléments circonstanciels : lieu, temps, manière

mémo

Le **C**omplément **C**irconstanciel complète le verbe et **précise l'action**.

Il peut être :
- de **lieu** et répond à la question « **où** se passe l'action ? »
- de **temps** et répond à la question « **quand** se passe l'action ? »
- de **manière** et répond à la question « **comment** se passe l'action ? »

ex. : ***Ce matin***, *Elio joue* ***calmement dans sa chambre***.
temps **manière** **lieu**

Le Complément Circonstanciel peut être de **différentes natures :** groupe nominal, pronom, adverbe, infinitif, participe présent et proposition subordonnée.

161 Coloriage magique

→ **Colorie les poissons comme la canne à pêche.**

La logique

Pour **résoudre un problème de logique** on ne fait **aucune opération**, on n'utilise pas de donnée chiffrée. **On cherche l'information principale**, celle qui n'a qu'une réponse possible et on organise le reste de la résolution avec logique. On utilise aussi souvent un **tableau de vérité** (logigramme) qui ne contient qu'une seule fois le mot « vrai » par ligne et par colonne.

162 La course en sac

→ Retrouve l'ordre d'arrivée des enfants en t'aidant des indices.

Coralie est arrivée avant Ahmed mais après Mamadou.
Sonia a terminé bonne dernière.

premier	deuxième	troisième	quatrième

163 Le manège

→ Résous l'énigme à l'aide des indices et inscris tes réponses dans les cases du manège.

Alexis, Béatrice, Claire, Élisabeth, Matthieu, Renaud, Stéphane et Yolande veulent faire un tour de manège. Mais chaque enfant a des exigences particulières.
Claire demande à être à côté de Renaud, mais ne veut pas d'objet volant.
Béatrice désire être à côté de Stéphane et conduire un hélicoptère.
Élisabeth souhaite être entre Renaud et Matthieu.
Yolande rêve d'être à côté d'Alexis.
Matthieu veut absolument un avion.
Alexis veut le vélo.
Peux-tu aider le placeur à satisfaire tout le monde ?

Le cercle

Un **cercle** est une **courbe plane** fermée constituée des points situés à égale distance d'un point nommé **centre**. La valeur de cette distance est appelée **rayon du cercle**. La corde qui passe par le centre du cercle est son **diamètre**.

Le périmètre du cercle : PC = 3,14 x le diamètre : PC = 3,14 x D

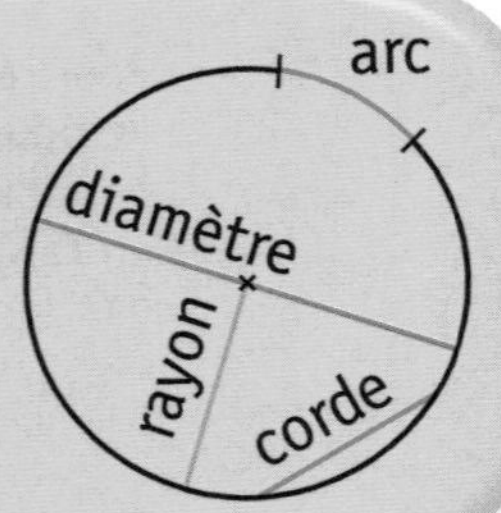

164 Le cercle de mes amis

→ Retrouve le diamètre (D) de chaque cercle puis, relie chaque diamètre au périmètre (P) qui lui correspond.

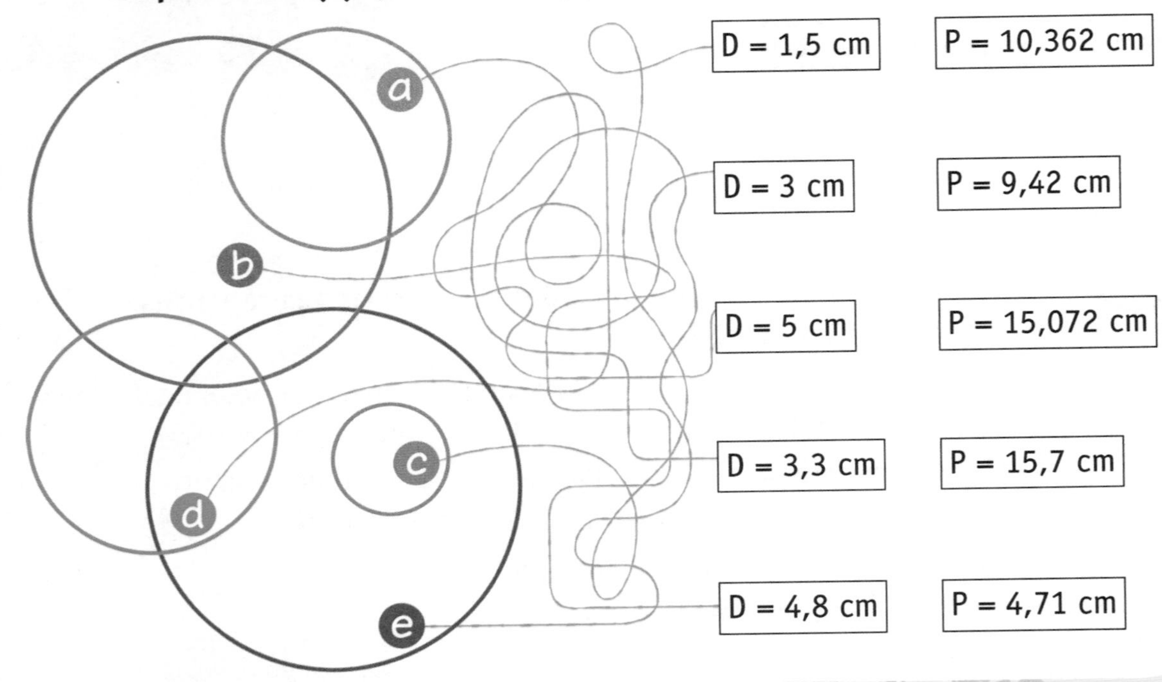

165 Le plein de trou

→ Place les mots pour compléter le programme de construction.

centre – diamètre – rayon – compas – cercle – pointe

Pour construire un .... : écarte ton .... d'un .... de 7 cm puis place la .... sur la feuille pour marquer le .... O. Trace le .... AB passant par O.

Calcule le périmètre du cercle obtenu.

Le débarquement en Normandie

mémo

Le **6 juin 1944**, les **forces américaines et britanniques débarquent sur les plages normandes** après une grosse opération aéroportée destinée à préparer le terrain.
Afin d'acheminer un important matériel et un grand nombre d'hommes, des **ports artificiels** sont construits non loin des plages du débarquement près de l'estuaire de la Seine. Les **Alliés** ont ainsi créé un front à l'ouest de l'Europe et c'est à partir de ce front qu'ils **vont** pouvoir **libérer la France de l'occupation allemande.**

166 Trouver le soldat « John »

→ **Retrouve le soldat « John » parmi tous ceux qui débarquent sur la plage dans cette image.**

167 Les Français parlent aux Français...

→ **Déchiffre ce message pour connaître les noms des plages du débarquement.**

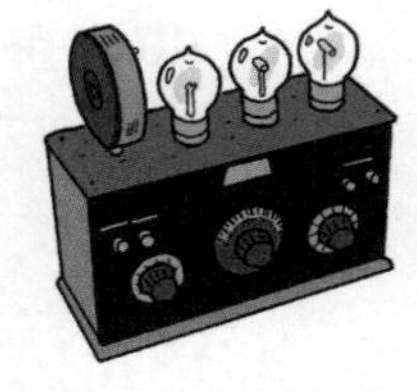

A	B	C	D	E	F	G	H	I	J	K	L	M	N	O	P	Q	R	S	T	U	V	W	X	Y	Z
	7	21	18		8	24	4	2	20		22	11	19	5	14	12	25	9	16	3	26	6	23	15	13

22-17-9 14-22-10-24-17-9 21-4-5-2-9-2-17-9 : 3-16-10-4 7-17-10-21-4,

_ _ _ P _ _ _ _ _ C H _ _ _ _ _ _ _ : _ _ _ _ B E _ _ _,

5-11-10-4-10 7-17-10-21-4, 24-5-22-18, 20-3-19-5 17-16 9-6-5-25-18.

_ _ _ _ _ _ _ _ _ _, _ _ _ _, _ _ _ _ _ _ _ _ _ _ _.

Le radical des mots

mémo

Le radical d'un mot c'est la **partie qui ne change pas** et **que l'on retrouve dans tous les mots dérivés.**
ex. : chaud - chauffage - chauffer - chaudière

168 Radicalement votre

→ Complète la grille sachant que tous ces mots ont le même radical.

Lettres	Grille	Définition
GISR	☐☐☐☐	couleur entre noir et blanc
SEIRG	☐☐☐☐☐	une des matières du cerveau
IGRSER	☐☐☐☐☐☐	pour atteindre la couleur
TERGEIST	☐☐☐☐☐☐☐☐	étoffe ordinaire
SIGRÂTER	☐☐☐☐☐☐☐☐	qui tend vers la couleur
RIALEILSG	☐☐☐☐☐☐☐☐☐	peinture qui ne comprend que des tons de la couleur
NONRISGER	☐☐☐☐☐☐☐☐☐	avoir les cheveux qui vieillissent

169 Pas touche !

→ Trouve 10 mots avec le radical « PASS » dans la grille. Les lettres se touchent dans toutes les directions. Tu ne peux pas utiliser deux fois une même lettre dans un même mot.

				P			R	
		T		A		O		T
E		M	N	S		P	A	
R	E	G	A	S	E	R	E	
		S		A	D	L		
				G		E	L	
				E				

Utiliser une calculatrice

On utilise la calculatrice comme outil **pour effectuer des calculs :**
- **plus rapidement** lorsque ceux-ci sont simples,
- **plus simplement** lorsque ceux-ci sont complexes (difficiles ou trop nombreux).

170 En voyage !

→ Choisis les bonnes étiquettes pour que l'écran de la calculatrice affiche le bon résultat.

Pour son voyage estival de 7 jours, M. Laurent Houtant dépense 350 € pour son billet d'avion aller et autant pour son billet retour. La nuit d'hôtel coûte 175 € en pension complète. Il dépense aussi 293 € en boissons et nourriture de toutes sortes. Enfin, il achète un cadeau souvenir pour ses voisins préférés à 37 €.
Calcule la dépense totale pour cette semaine de vacances. Utilise ta calculette.

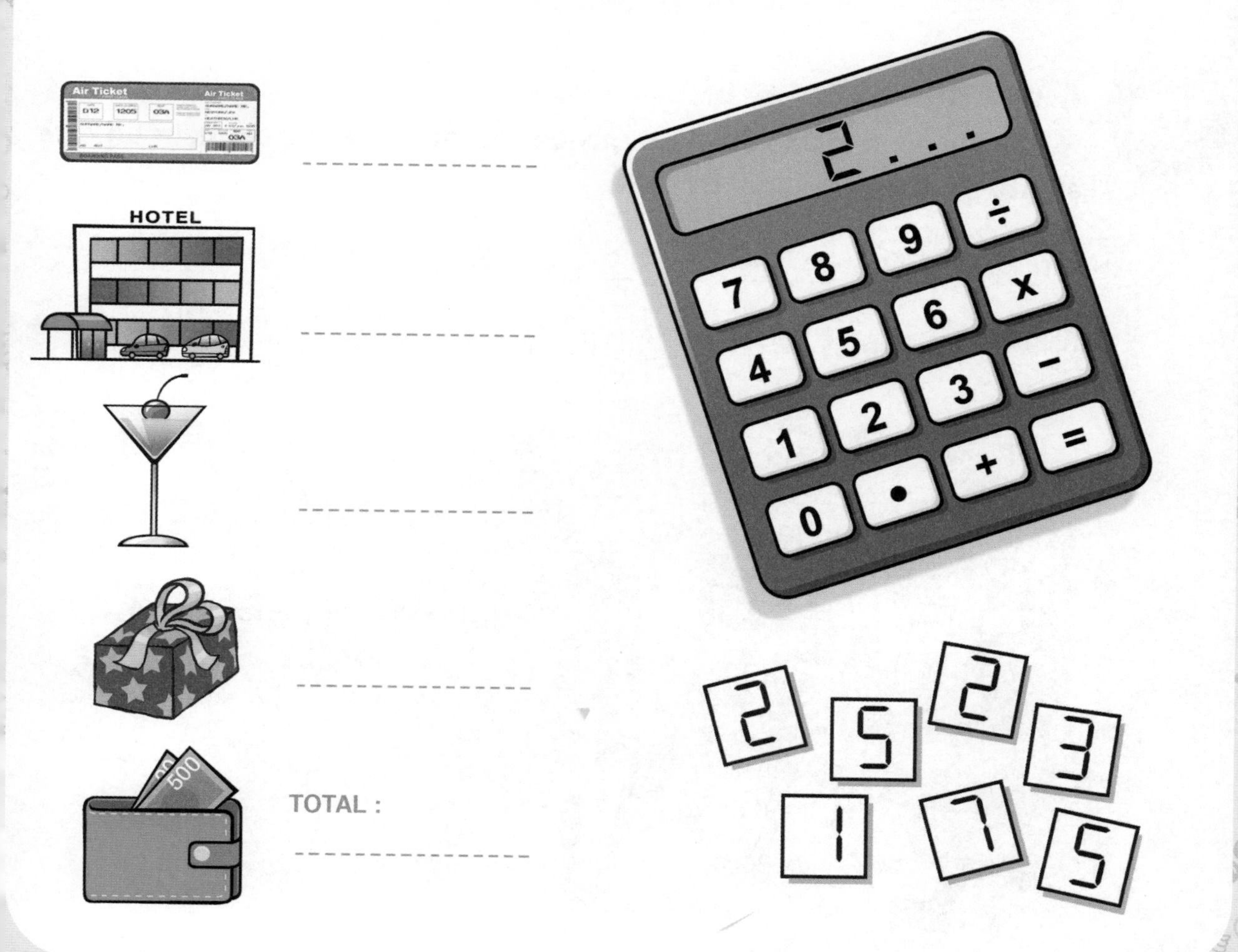

Les préfixes

Les préfixes se placent **devant le radical des noms** ou des verbes. Ils permettent ainsi de **modifier le sens** d'un mot et d'obtenir des mots dérivés. Chaque sorte de préfixe apporte une valeur différente.

171 Quiz

→ **Entoure les bonnes réponses.**

1) Je suis un préfixe qui dit le contraire :
a) in b) mal c) en

2) Je suis un préfixe de répétition :
a) ir b) re c) pro

3) Je suis un préfixe pour mettre dans :
a) il b) im c) en

172 À vos marques, prêts… fixes !

→ **Colorie de la même manière chaque mot et le préfixe qui peut lui être ajouté pour former un autre mot.**

IN | EN | histoire | compréhensible | MAL | SUPER | fumer | logique

réalisable | IM | passible | honnête | IR | poser | IL | PRÉ | porter | EM

Les graphiques

Un graphique est une **façon de présenter des données chiffrées** sous une **forme plus visuelle** qui facilite leur compréhension. Pour lire un graphique, il faut repérer son **titre** et les informations données sur l'axe horizontal (**les abscisses**) et sur l'axe vertical (**les ordonnées**).

173 Grande chaleur

→ Aide-toi du graphique et classe les villes de la plus froide à la plus chaude sur le thermomètre.

MOYENNE DES TEMPÉRATURES EN JUILLET ET EN AOÛT

température en degrés °C									
32									
31									
30									
29									
28									
27									
26									
25									
24									
23									
22									
0°	**A**	**B**	**C**	**D**	**E**	**F**	**G**	**H**	**I**
villes	**Saint-Tropez**	**Nice**	**Cannes**	**Deauville**	**Biarritz**	**La Rochelle**	**Brest**	**Berck**	**Argelès-sur-Mer**

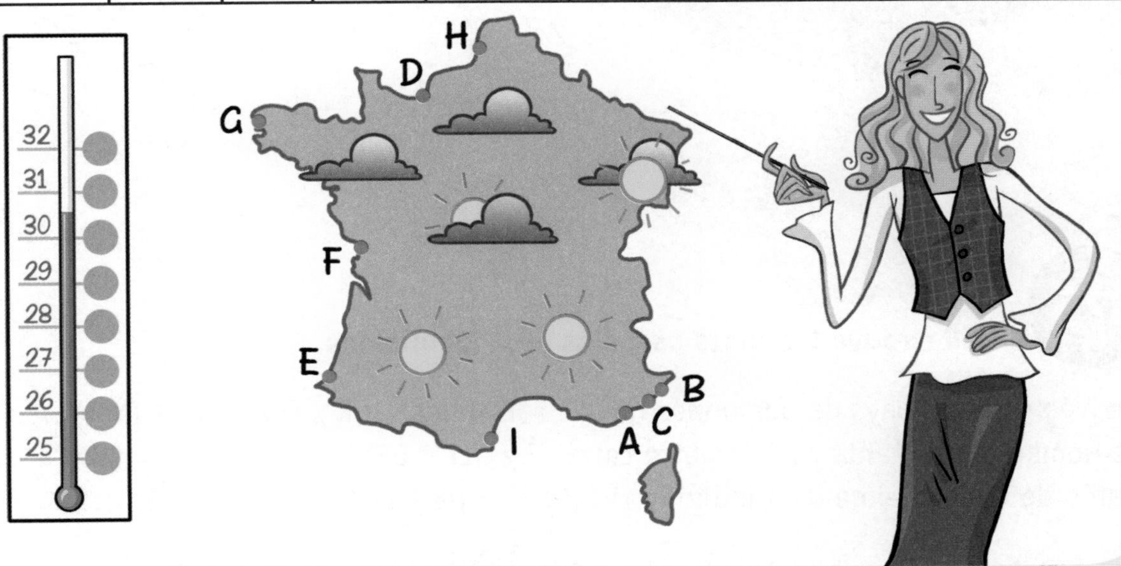

La population française

La population française est **inégalement répartie** sur le territoire. Elle est à peu près de **65 millions d'habitants** (dont 62 millions en métropole). Cette population se concentre surtout dans les **villes**, sur les **littoraux** et dans les **vallées** où se trouvent les emplois ; la **natalité**, une des plus fortes d'Europe, l'apport des **immigrés** et l'**allongement de la durée de vie** expliquent que la population française continue de croître. Enfin, la France dispose d'un **niveau de vie** parmi les plus élevés du monde, mais elle connaît aussi un fort développement du **chômage** et cela provoque de grandes inégalités.

Régions cachées

→ Colorie suivant le code puis note le nom des 3 régions les plus fortement peuplées.

....

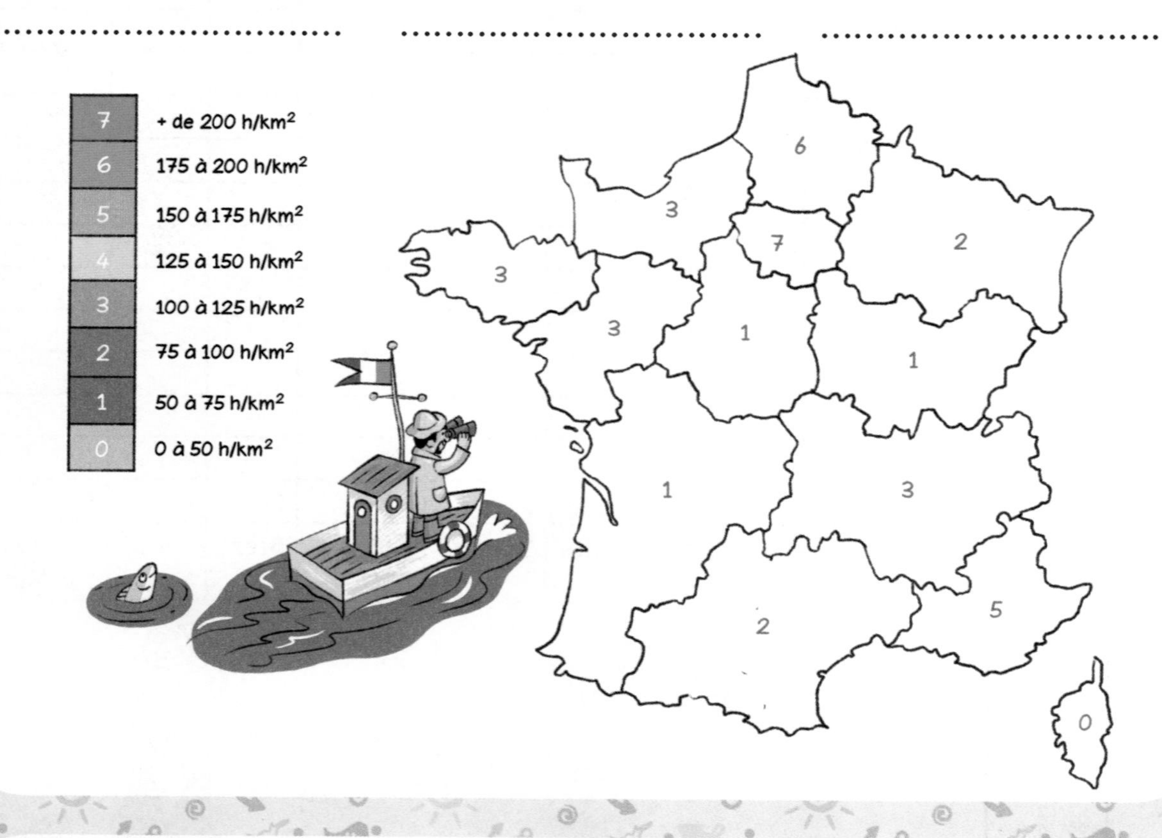

En vrac

→ Retrouve les mots associés aux définitions.

Arrivée dans un pays de personnes nées à l'étranger. (IGR / ON / ATI / IMM) ....
Le nombre d'habitants au kilomètre carré (É / SIT / DEN) ....
Durée de vie moyenne d'un individu (VI / ESP / DE / ÉRA / NCE / E) ....

La symétrie

Deux figures sont symétriques par rapport à une droite si elles se superposent parfaitement quand on plie suivant cette droite que l'on appelle « **axe de symétrie** ».
Si deux figures sont symétriques par rapport à un axe alors tous leurs points sont symétriques par rapport à cette même droite.
Une même figure peut avoir plusieurs axes de symétrie.

F A | A_1 F_1
B | B_1
C | C_1

176 Si mon clown était complet

→ **Trouve les pièces qui complètent la figure symétrique.**

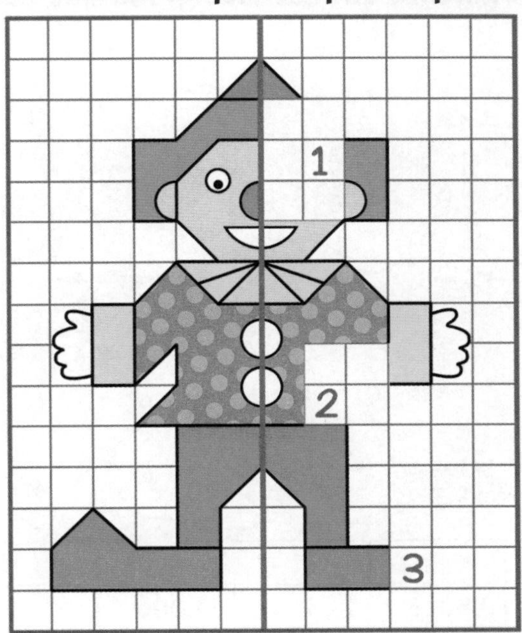

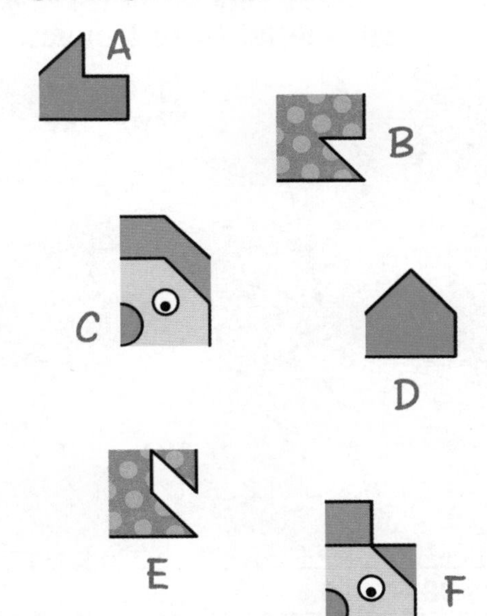

177 Droit dans les yeux

→ **Une figure n'est pas la symétrique du modèle, laquelle ?**

Ranger les nombres décimaux

Pour ordonner des nombres décimaux, on commence par **comparer les parties entières**, puis on compare **les parties décimales** pour faire apparaître la différence.

On peut ranger les nombres dans **l'ordre croissant** (du plus petit vers le plus grand) ou dans **l'ordre décroissant** (du plus grand vers le plus petit)

2,3 — 2,5 — 2,9 (ordre croissant)

8,29 — 8,2 — 8,01 (ordre décroissant)

178 Passage dangereux

→ **Traverse ce marécage infesté de bêtes dangereuses. Attention : tu dois toujours passer par un nombre qui est plus grand que celui sur lequel tu te trouves !**

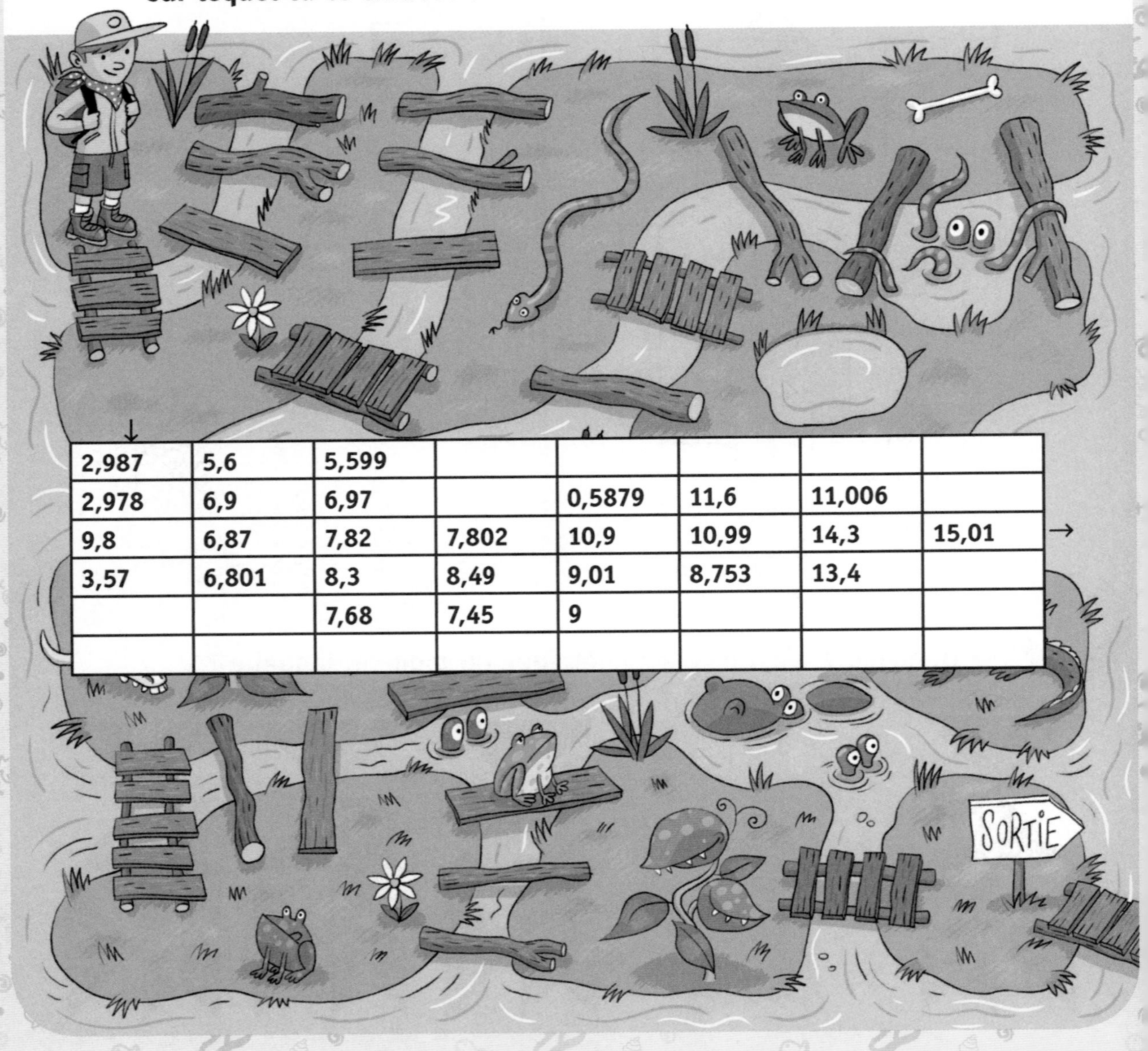

2,987	5,6	5,599					
2,978	6,9	6,97		0,5879	11,6	11,006	
9,8	6,87	7,82	7,802	10,9	10,99	14,3	15,01
3,57	6,801	8,3	8,49	9,01	8,753	13,4	
		7,68	7,45	9			

Les suffixes

Les suffixes **se placent après le radical du mot.** Ils permettent de **construire des mots de la même famille en changeant la nature des mots.**
ex. : charmer (verbe) - charme (nom) - charmant (adjectif)

179 On ne MENT pas

→ Retrouve les mots qui se terminent par le suffixe « MENT » pour compléter la grille.

Horizontal
7. d'une façon logique
8. un bruit en dormant

Vertical
1. qui est issu de la tragédie
2. difficile à trouver
3. d'une manière physique
4. qui pèse beaucoup
5. durant un long moment
6. qui est un poids plume

180 Mots voisins

→ On a ajouté un suffixe aux mots de la liste. Retrouve les nouveaux mots formés en remettant les lettres dans l'ordre.

diable	LINTABDOI	
moto	SERMOOTIR	
dessin	ESDNIATESRU	
roman	MERNOIRAC	

Compléments circonstanciels : les autres

Le **C**omplément **C**irconstanciel complète le verbe et **précise l'action.**

Il peut être :

- de **cause** et répond à la question « **pourquoi ?** »,
- de **moyen** et répond à la question « **avec quoi ?** »,
- de **but** et répond à la question « **pourquoi faire ?** ».

181 Coloriage magique

→ Colorie suivant le code.

cause - moyen - but - autres

1	Il agit par jalousie.	14	Tu voyages en avion.
2	Vous écoutez afin de comprendre.	15	Cet homme est fort comme un ours.
3	Elle vit comme une princesse.	16	Nous travaillons pour réussir.
4	Elle mange avec sa fourchette.	17	Il roule jusqu'à l'épuisement.
5	Il travaille jusqu'à s'endormir.	18	Tu nages comme un dauphin.
6	Elle prend la voiture pour gagner.	19	C'est faux car il manque une retenue.
7	Les filles s'entraînent pour danser.	20	Papounou ronfle comme un vieux lion.
8	La forêt brûle à cause des incendies.	21	Il suffit que je pleure pour que tu ries.
9	Luis paraît plus grand que Bruno.	22	Vous dessinez avec des pinceaux.
10	Je roule en moto.	23	Tu cuisines pour faire plaisir.
11	Elle donne à condition de recevoir.	24	Nos amis viennent s'ils en ont le temps.
12	Tiago est content à cause de son ami.	25	Lalie pleure car son chien est blessé.
13	Nous naviguons en bateau.	26	Sans elle, je ne réussirai pas.

Calcul mental

mémo

Il existe des **astuces** pour calculer plus rapidement de tête.
Par exemple, pour **ajouter 9, on ajoute 10 et on retire 1** ensuite.
Voici un tableau avec d'autres exemples.

+ 9	– 9	+ 99	– 99	+ 999	– 999
(+ 10 – 1)	(– 10 + 1)	(+ 100 – 1)	(– 100 + 1)	(+ 1 000 – 1)	(– 1 000 + 1)
25 + 9 = **34**	25 – 9 = **16**	654 + 99 = 753	654 – 99 = 555	8 397 + 999 = 9 396	8 397 – 999 = 7 398
25 + 10 = 35 35 – 1 = **34**	25 – 10 = 15 15 + 1 = **16**				
+ 1 dans les **d** et – 1 dans les **u**	– 1 dans les **d** et + 1 dans les **u**	+ 1 dans les **c** et – 1 dans les **u**	– 1 dans les **c** et + 1 dans les **u**	+ 1 dans les **u** de mille et – 1 dans les **u**	– 1 dans les **u** de mille et + 1 dans les **u**

182 Quoi de 9 ?

→ **Pars de la clé et réalise les calculs nécessaires pour pouvoir traverser ce parcours et atteindre la barque. Tu découvriras alors le numéro inscrit sur la porte du bungalow de la famille de Gabin.**

183 Suite de luxe

→ **Complète cette suite logique.**

43	142	133	232					

GRAND JEU

Meuh !!!

Retrouve les mots suivants dans la grille.

E	L	L	B	C	W	V	E	T	L	O	C	E	R
B	R	A	A	R	N	E	L	L	M	A	N	F	P
A	J	I	N	O	T	U	O	M	E	M	W	W	H
S	K	T	O	G	Z	Q	C	H	E	V	A	L	P
S	J	E	V	E	F	O	I	N	E	R	E	A	R
E	C	R	E	T	G	F	R	S	E	R	F	U	U
C	L	I	G	A	V	N	G	L	U	P	F	R	R
O	F	E	N	B	J	W	A	E	L	O	E	F	A
U	R	D	A	L	Z	E	T	M	U	U	E	E	L
R	I	E	R	E	R	C	W	R	J	L	P	R	N
H	I	Q	G	E	A	J	C	A	B	E	Q	M	L
B	Z	F	C	R	B	H	A	G	T	S	T	I	S
Q	C	B	T	P	E	O	S	G	F	L	F	E	M
S	E	A	U	F	T	V	A	C	H	E	S	R	J

AGRICOLE
BASSE-COUR
CÉRÉALE
CHEVAL
ÉLEVEUR
ÉTABLE
FERMIER
FOIN
FOURCHE
GRANGE
LAITERIE
MANGEOIRE
MOUTON
POULES
RÉCOLTE
RURAL
SEAU
TRACTEUR
VACHES
VERGER

SUDŒUF'KU

Range les œufs par boîtes de 9. Complète les grilles. Chaque ligne, chaque colonne et chaque carré ne contient les chiffres de 1 à 9 qu'une seule fois.

7	4	1	8	5	2	9	3	
2			9		3		1	5
	3				1			8
	1			7	4	2		9
	6		1				8	
9		7	3	8		1	6	
	9			1		5		
1		4			6			2
	5	8			7		4	1

DE LA FERME

Petits petits...

Associe chaque bébé à sa maman.

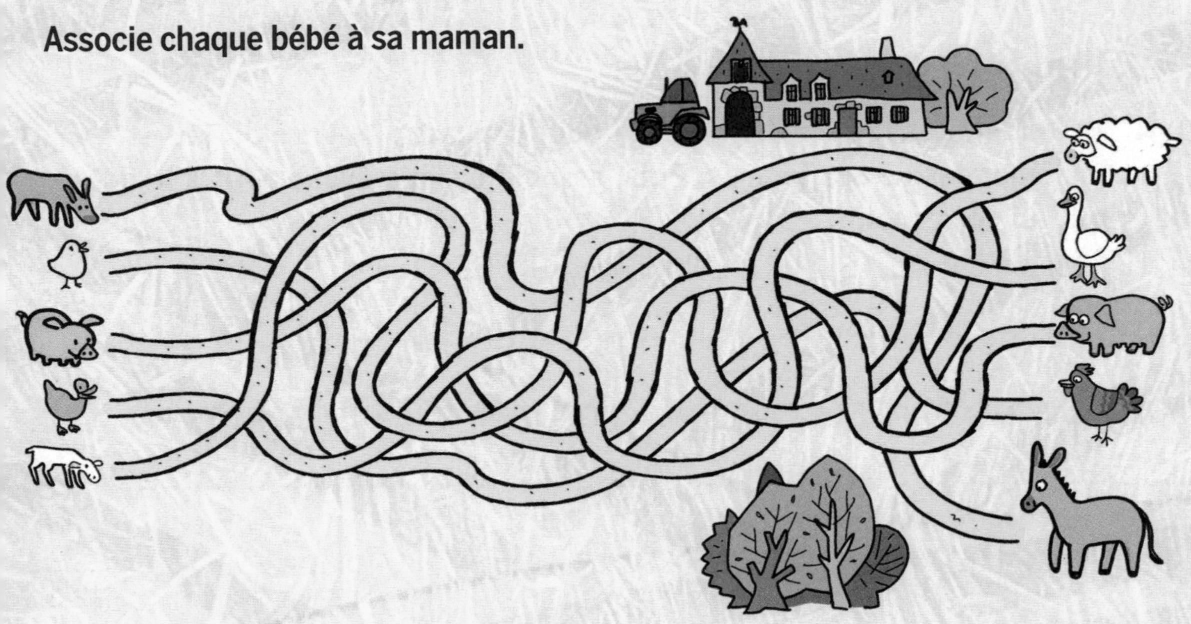

La basse-cour

Place les noms d'animaux qui correspondent aux illustrations dans la grille.

Le monde contemporain

La France se relève difficilement de la Seconde Guerre mondiale. Elle entreprend un gros effort de **modernisation**. Le **droit de vote** est **accordé aux femmes**, on crée la **Sécurité sociale** et la **décolonisation** commence. Le général **de Gaulle** à la tête du pays **en 1958 fonde la Ve République**. Dans le même temps, certains pays de l'Europe de l'Ouest s'unissent pour que naisse la **Communauté économique européenne**.

184 LNSGDEEE

→ **Remets les lettres dans l'ordre pour connaître le titre du jeu et les légendes de ces images. Puis, associe chaque événement à la date qui lui correspond.**

OMM / LE / LA / MIER / E / S / UR / LUN / PRE / H / E

.... 1989

MON / DE / LA / LL / ION / FRA / AMP / FO / NCE / NE / DU / OT / CH / DE / BA

.... 1968

LA / E / É / IAN / OLT / TE / DE / TUD / RÉV / MAI

.... 1998

BE/ CHU / RLI / DU / N / DE / MUR / TE / LA

.... 1969

Les compléments du nom

mémo

Le complément du nom (CDN) **donne une information supplémentaire sur le nom.**
ex. : boîte : la boîte à outils ; la boîte aux lettres
Il est **directement relié au nom par une préposition** (à, de, pour, avec...).
Il peut être de différentes natures :
- un nom : le chapeau du Roi
- un groupe nominal : le chat de la voisine
- un verbe à l'infinitif : la machine à écrire
- un adverbe : un air d'autrefois
- une proposition relative : le chien qui aboie.

185 Complètement mélangé

→ Le prestidigitateur a mélangé toutes les cartes. Retrouve les couples qui forment un nom avec son complément.

186 La cape du magicien

→ Après être passés sous la cape, les adjectifs se transforment en complément du nom. Remets les lettres dans l'ordre et retrouve-les.

Une enquête policière		**Une enquête DEEOPICL**
Une maladie enfantine		**Une maladie D'ENNCEAF**
Un acte courageux		**Un acte EDCUOAREG**
Les soldats français		**Les soldats FDNACREE**
La pollution terrestre		**La pollution ADRLEEETR**
Un geste menaçant		**Un geste ACEEEDMN**

Lire un texte

Lire un texte c'est **mettre du sens** dans ce que l'on **lit**. C'est comprendre de quoi parle l'histoire et être capable de répondre aux questions quel que soit le piège que l'on tend au lecteur.

187

→ Lis ce texte. Les phrases du tableau ont été mélangées. Numérote-les de 1 à 5 pour retrouver le sens du texte.

Le beau Greg avait grimpé la côte sur son vélo de course. L'ascension avait été longue et difficile, au milieu des cailloux et des nids-de-poule.

○	Il ramassa son vélo et se remit en selle, mais impossible de reprendre la route avec un pneu à plat ; le choc avait crevé la chambre à air.
○	Il en lâcha son vélo qui finit sa course contre le tronc de l'arbre le plus proche.
○	Comme il était fier de lui ! Il dominait la vallée et la beauté de son paysage.
○	Il n'avait aucun outil sur lui et pour l'instant, plus personne ne passait sur la route.
○	Soudain, une voiture rapide passa à côté de lui le laissant enveloppé dans un nuage de poussière et le cœur battant.

Que faire maintenant ? Pour rejoindre sa maison de vacances il n'avait plus qu'une seule solution : pousser son deux-roues sur plusieurs kilomètres. Rude programme ! Après un long moment à pousser sa machine, il entendit le bruit d'un moteur. Le boulanger qui finissait sa tournée des villages accrocha la bicyclette sur sa camionnette et Greg s'installa à côté de lui. Il serait vite rentré.

188 Prête-moi ta plume

→ Imagine un titre pour cette histoire : ....

Division avec quotient décimal

On procède comme pour une division avec des nombres entiers, mais **quand on arrive au reste, on peut poursuivre le calcul.**
Pour cela, **on place un zéro à la droite du reste** et en même temps **une virgule au quotient** (on divise alors des dixièmes). On peut continuer ainsi pour aller jusqu'à 3 chiffres dans la partie décimale.

83400	45
384	18,53
240	
150	
15	

189 À qui la place

→ **Complète chaque division avec l'étiquette qui convient puis, additionne tous les quotients et tu obtiendras le code de la valise.**

371 000	2,56	420	25	10	00	140	,72

☐	56
350	6,62
☐	
28	

27400	☐
0240	10,96
150	
☐	

19200	75
☐	☐
450	
00	

98,90	4
18	24☐
29	
☐	
2	

Tableau de conversion des mesures

mémo

Pour convertir plus facilement des mesures entre elles, on peut utiliser un tableau de conversion.

kilo	hecto	déca	unité	déci	centi	milli	
km	hm	dam	mètre	dm	cm	mm	**Longueur**
kg	hg	dag	gramme	dg	cg	mg	**Masse**
	hl	dal	litre	dl	cl	ml	**Capacité**
km²	hm²	dam²	mètre²	dm²	cm²	mm²	**Aire**
			mètre³	dm³	cm³		**Volume**
année	mois	semaine	jour	heure	minute	seconde	**Durée**

190 Méli-mélo

→ **Barre les mots de la liste dans la grille.**

R	I	É	E	H	E	O	L	I	J
C	T	T	R	T	E	R	I	A	O
H	M	I	U	U	S	U	T	T	U
L	O	N	G	U	E	U	R	È	R
G	I	U	N	K	M	D	E	E	M
M	S	E	M	M	A	R	G	L	A
C	A	P	A	C	I	T	É	A	F
V	S	E	C	O	N	D	E	G	I
V	O	L	U	M	E	S	S	A	M
A	N	N	É	E	É	R	U	D	P

AIRE
ANNÉE
CAPACITÉ
DURÉE
GRAMME
HEURE
JOUR
LITRE
LONGUEUR
MASSE
MINUTE
MOIS
MÈTRE
SECONDE
SEMAINE
UNITÉ
VOLUMES

191 Énigme

→ **Un homme de 55 ans boit en moyenne 1,8 litre d'eau par jour depuis qu'il a 20 ans. Sachant qu'un litre d'eau pèse 1 kg, quel volume d'eau a-t-il bu durant cette période ? À quel poids correspond-il ?**

.... m³

.... kg

L'Union européenne

mémo

L'Union européenne est une **association** de **27 États** européens (en 2016, les Britanniques ont voté pour la sortie du Royaume-Uni de l'Union européenne). Elle est la **première puissance économique mondiale.** C'est une zone de **diversité culturelle** avec des **caractéristiques communes** liées aux influences grecques et romaines. L'Europe, avec **plus de 730 millions d'habitants**, est une partie du monde où les densités sont très élevées. Les plus fortes densités se trouvent dans une zone urbaine et riche qui s'étend du Royaume-Uni à l'Italie mais aussi le long des fleuves et des routes qui permettent de circuler et d'échanger avec le reste de l'Europe. La population vit majoritairement dans les villes.

192 Drapeau blanc

→ **Écris sous chaque drapeau le nom de l'État de l'Union européenne qui lui correspond.**

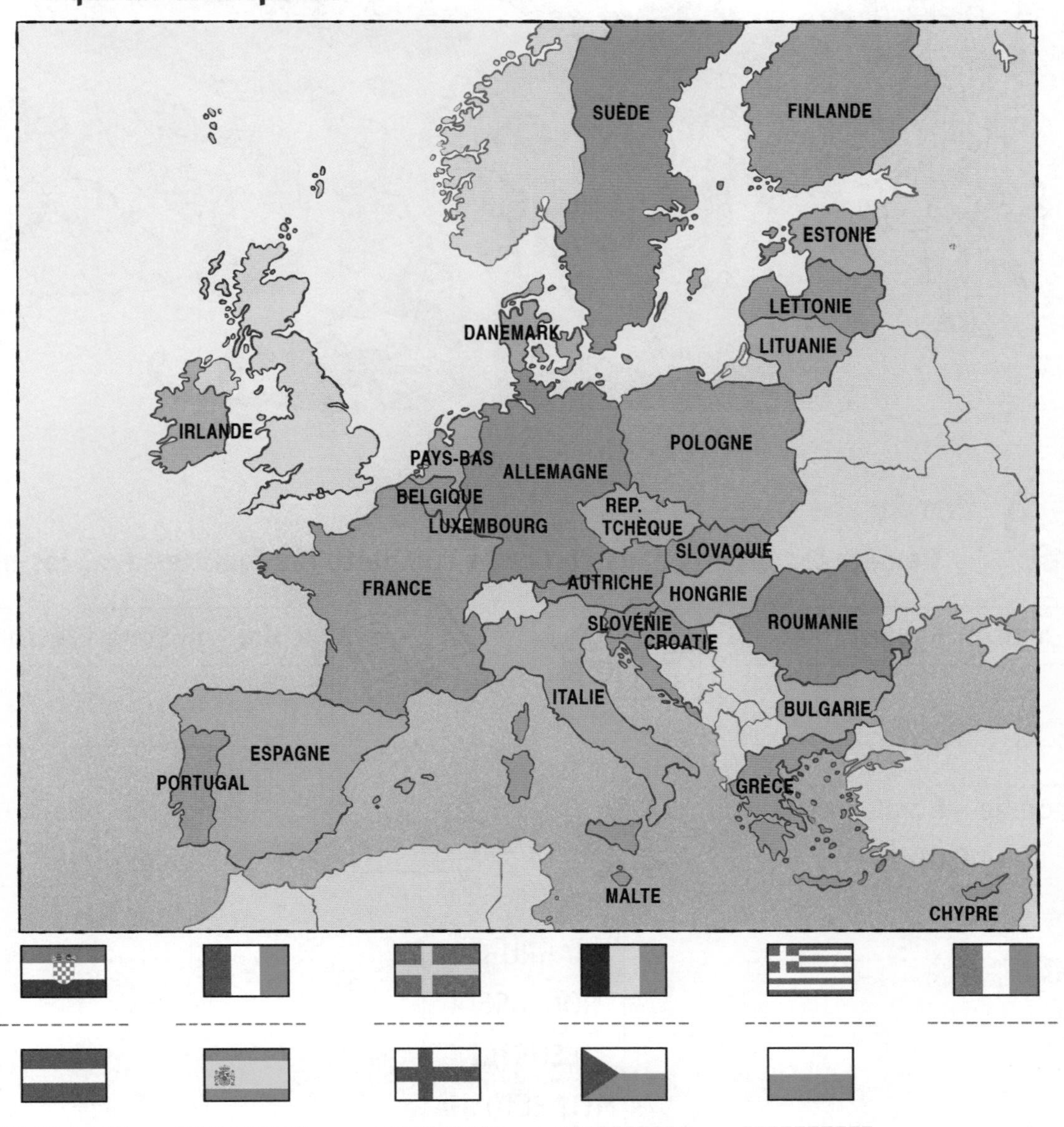

---------- ---------- ---------- ---------- ---------- ----------

---------- ---------- ---------- ---------- ----------

Famille de mots

mémo

Des mots sont de la même famille lorsqu'ils expriment **la même idée** sur la base du **même radical**.
ex. : mâcher - mâchoire - mâchonner - mâchouiller
mais pas « mâchurer » (écraser par une forte pression)

193 En famille

→ **Suis la route du soulier en passant par tous les mots en rapport avec cette illustration.**

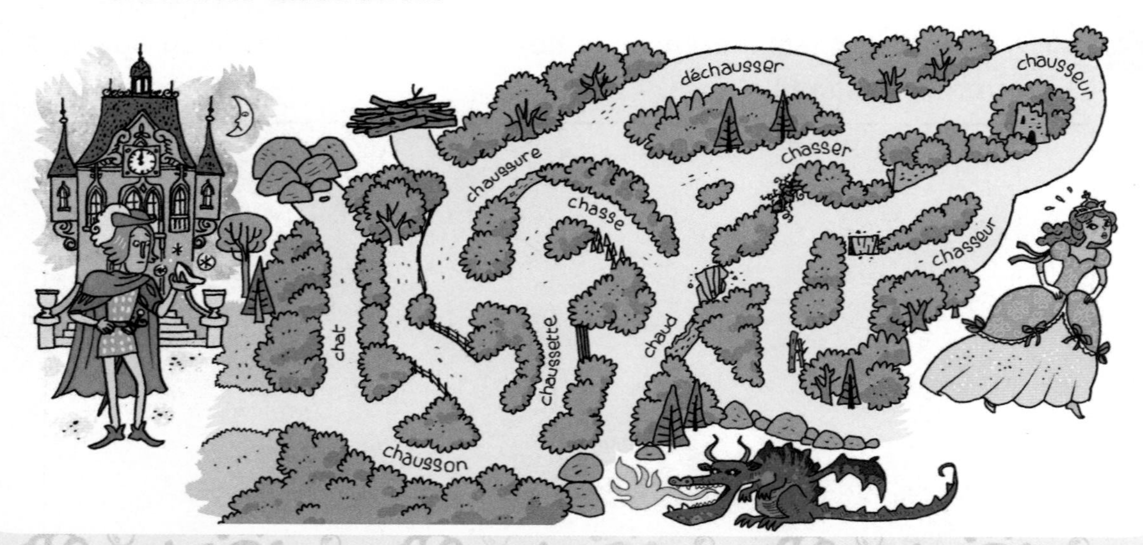

194 Perdu de vue

→ **Remets les lettres dans l'ordre et complète les familles avec les mots.**

maison – maisonnée

lire - illisible - lecture

....

....

floralie - florale - fleur
fleuriste

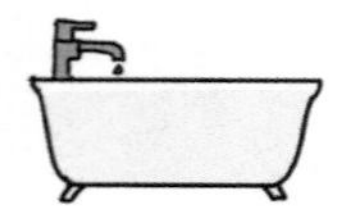

baignade - bain
baignoire

....

....

NAGRUBEI
RONLOSFIA
LEURTCE
MITNEETOSNA

Les angles

mémo

Un angle est une **surface délimitée par 2 demi-droites de même origine.**
Les demi-droites sont les côtés de l'angle et leur origine est le sommet de l'angle.
Pour vérifier la nature d'un angle, on utilise l'**équerre.**
Il existe différents types d'angles.

angle droit

angle obtu

angle aigu

195 Angles d'attaque

→ **Colorie en rouge les figures qui ont un angle droit, en bleu celles qui en ont deux, en vert celles qui en ont trois, en jaune quatre et en orange cinq et plus.**

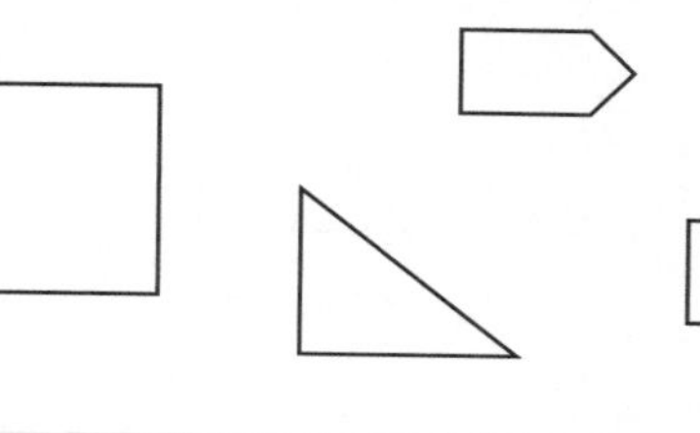

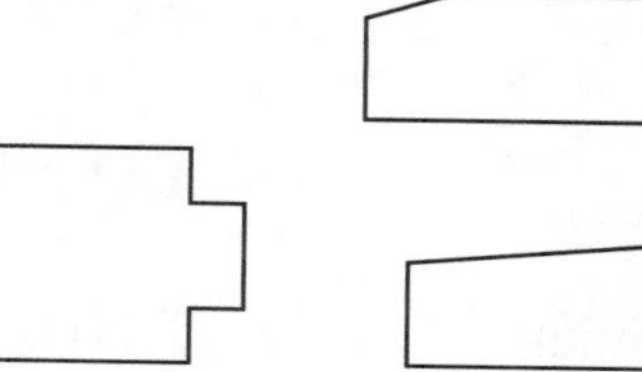

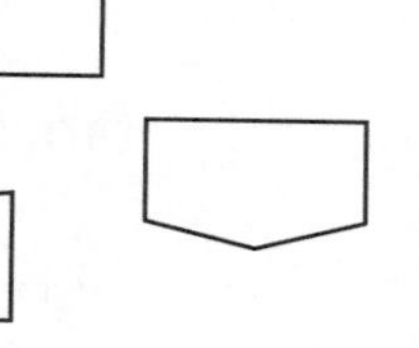

196 Arrondir les angles

→ **Aide Gobtout à traverser ce labyrinthe en avalant uniquement les angles aigus sur son chemin.**

Les synonymes

mémo

Des **synonymes** sont des mots ou des expressions qui ont le **même sens** ou une signification très proche.
ex. : parler - bavarder - parlementer - discuter

197 Embarquement immédiat

→ Trouve les synonymes des mots en t'aidant des lettres mélangées puis relève les lettres bleues pour découvrir le mot mystère.

terminal	A O P R É R O T	▢▢▢▢▢▢▢▢
planer	E O L R V	▢▢▢▢▢
tarmac	E I P S T	▢▢▢▢▢
commandant	E I O L P T	▢▢▢▢▢▢
cockpit	B N I C A E	▢▢▢▢▢▢
personnel de bord	S H Ô E T E S	▢▢▢▢▢▢▢

▢▢▢▢▢▢

198 Memory

→ Colorie les couples de synonymes de la même manière.

trace | excursion | écrire | congé | voyage | sillage

revue | vacances | publication | copier

La circulation sanguine

Le **sang** est composé de **cellules** fabriquées par la **moelle** des os : chaque jour naissent des **milliards** de **globules rouges**, de **globules blancs** et de **plaquettes**. Les adultes ont **plus de 5 litres** de sang dans le corps. Pour que le sang circule, il faut qu'il soit poussé : c'est le rôle du **cœur** qui fonctionne comme **une pompe** et chasse le sang dans les artères. C'est un muscle creux, gros comme le poing. Il bat **100 000 fois** par jour.

199 Don du sang

→ Utilise les mots du schéma pour compléter le texte puis colorie le sang avec les bonnes couleurs.

L'appareil .... est formé de deux types de ....

Les .... partent du .... gauche et emmènent le .... (rouge car riche en oxygène) dans tout le corps. Les .... au contraire, ramènent le sang (bleu sans ....) au cœur droit. Le sang circule à sens unique dans tout le corps.

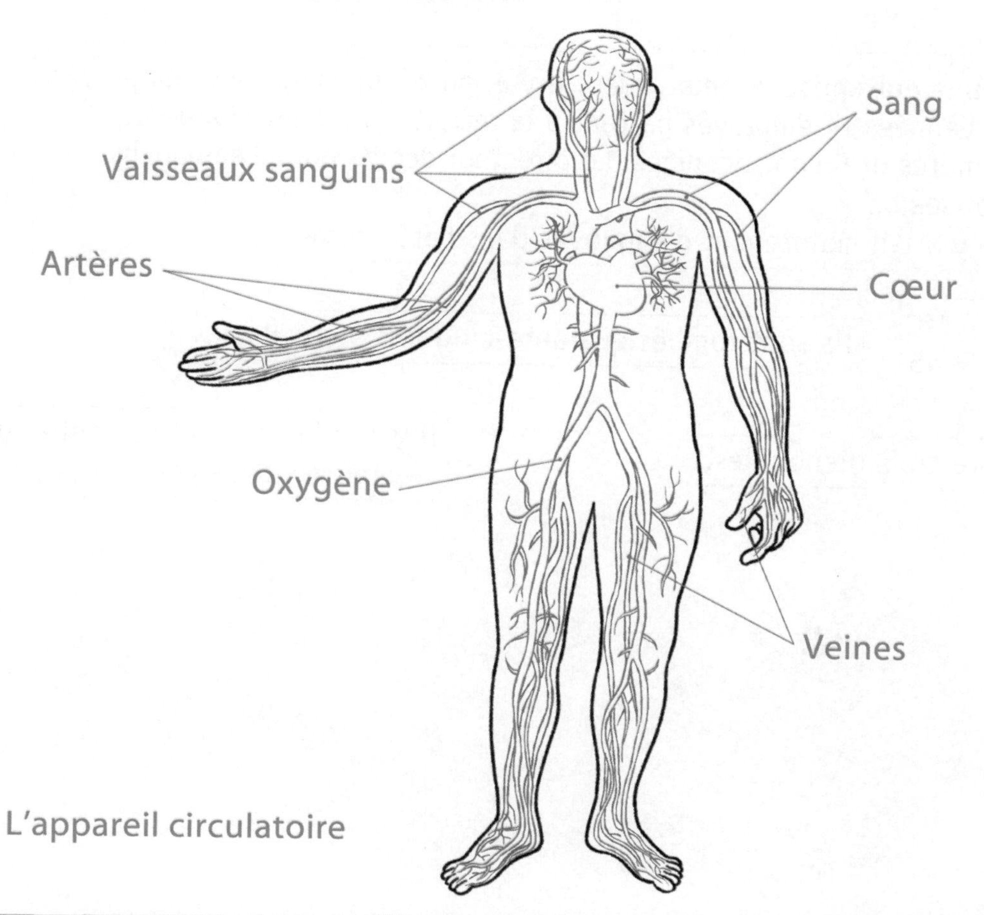

L'appareil circulatoire

Problèmes avec additions et soustractions

Dans un même problème, on peut être amené à effectuer des **additions** pour calculer des sommes (ajouter) et des **soustractions** pour calculer des différences (retirer). Il faut **respecter l'ordre des étapes** de la résolution et **ne pas oublier les opérations intermédiaires.**

200 Les 3 font la paire

→ **Colorie les trois éléments d'un même problème de la même couleur.**

1) Dans mon élevage, j'avais 29 grenouilles.
Huit d'entres elles se sont sauvées pendant la nuit.
Ce matin, je suis allé en rechercher 12 dans la forêt.
Combien ai-je de grenouilles maintenant ?

14 + 37 + 86 + 5 = 142
1 657 – 142 = 1 615
1615 + 49 = 1 664

29 – 8 = 21
21 + 12 = 33

2) Toum et Ben pratiquent la planche à roulettes pour la première fois. Toum est tombé 27 fois, et Ben est tombé 9 fois de moins que lui.
Combien de chutes ont-ils faites à eux deux ?

3) Dans une entreprise de jeux vidéo, il y a, au 1er janvier, 1 657 employés.
Pendant l'année, 14 employés partent à la retraite, 37 démissionnent, 86 sont mutés et 5 sont licenciés. Le directeur décide donc l'embauche de 49 nouveaux.
Combien y a-t-il maintenant d'employés dans cette entreprise ?

27 – 9 = 18
18 + 27 = 45

Ils sont tombés quarante-cinq fois à eux deux.

J'ai trente-trois grenouilles.

Il y a mille six cent soixante-quatre employés dans cette entreprise.

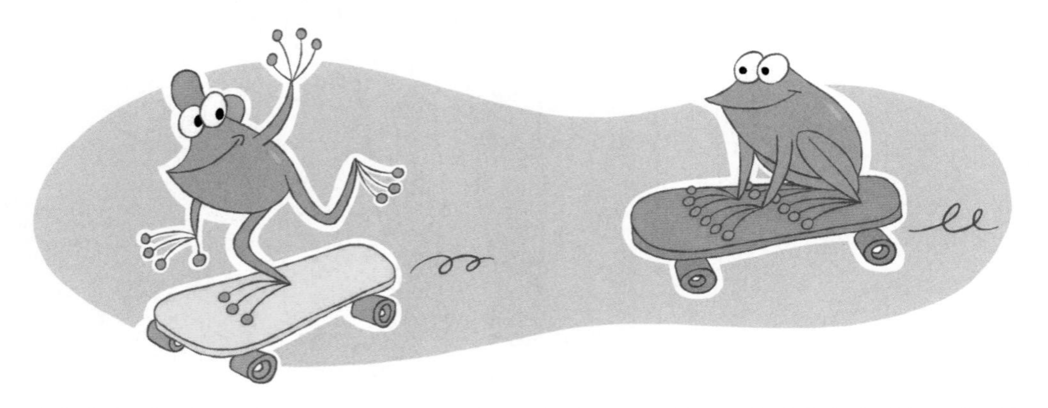

Multiplication des nombres décimaux

mémo

Pour effectuer une multiplication avec des nombres décimaux, on procède comme pour la **technique opératoire** avec les **nombres entiers, on ne tient pas compte des virgules.** Une fois que l'on a trouvé le **produit, on compte combien on a de chiffres dans la partie décimale des 2 nombres à multiplier. En partant de la droite du résultat, on compte autant de chiffres et on place la virgule.**

201 Mini Quiz

1) Dans le produit de 146,3 x 2,6 il y a :

a) 1 chiffre après la virgule b) 4 chiffres après la virgule c) 2 chiffres après la virgule

2) Le produit de la multiplication 1,629 x 4,03 est :

a) 6,56487 b) 656,487 c) 6 564,87

3) Dans le produit d'une multiplication avec des nombres décimaux, on place toujours la virgule :

a) après le 3e chiffre b) entre les unités et les dixièmes

c) entre les deux derniers chiffres

202 Une bonne place

→ Barre les nombres qui sont les produits des multiplications. Celui qui reste te permettra de construire la dernière multiplication en plaçant la virgule au bon endroit.

2 723 x 6,078 =

145,8 x 96,7 =

7 441 x 69,403 =

8 x 3,588 =

1 016,3 x 36,13 =

7 189 x 84,776 =

217 x 9,32 =

849 x 56,365 =

16 550,394	1 157,09	609 454,664
47 853,885	14 098,86	28,704
36 718,919	2 022,44	516 427,723

10519 ,

x 11

....

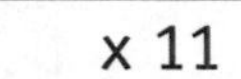

L'impératif présent

L'impératif présent **se conjugue à 3 personnes** : - à la deuxième personne du singulier
- à la première personne du pluriel
- à la deuxième personne du pluriel

Les **verbes du 1er groupe** et le **verbe aller** se conjuguent comme au présent de l'indicatif mais **sans le -s à la deuxième personne du singulier** (sauf vas-y, manges-en...).

Les **verbes du 2e groupe** et les **verbes faire, prendre, venir et voir** se conjuguent **comme au présent de l'indicatif.**

On utilise l'impératif présent pour donner un ordre, un conseil...

203 Soyons ZEN

→ Suis les consignes, utilise les verbes à l'impératif pour compléter la grille, puis avec les lettres bleues complète la légende pour connaître le nom de cette posture.

1) Place tes pieds parallèles à la largeur de tes épaules.
2) Fléchis les genoux.
3) Relâche les hanches et le bas du dos.
4) Rentre la poitrine.
5) Étire ton dos.
6) Abaisse les épaules.
7) Écarte les coudes vers le bas.
8) Relâche les poignets.
9) Recule le menton.
10) Détends ton corps.

1							
2							
3							
4							
5							
6							
7							
8							
9							
10							

La posture de l' ....

Les quadrilatères

Un quadrilatère est un **polygone qui a 4 côtés.**

Le **parallélogramme**, le **rectangle**, le **losange**, le **carré** sont des **quadrilatères particuliers** qui ont des points communs : ils ont 4 côtés ; les côtés opposés sont parallèles et de même longueur ; les diagonales se coupent en leur milieu.

Le **trapèze** est un quadrilatère avec seulement deux côtés opposés.

204 Identité secrète

→ **Complète les fiches d'identité avec les anagrammes puis dessine chaque figure dans le cadre-photo correspondant.**

RÉPUBLIQUE GÉOMÉTRIQUE

Carte d'identité n° 1
Nationalité Géom

Photo

Nom : ....
Prénom : quadrilatère
Côtés : opposés de même longueur
Angles : 4 droits
Diagonales : de même longueur

RÉPUBLIQUE GÉOMÉTRIQUE

Carte d'identité n° 2
Nationalité Géom

Photo

Nom : ....
Prénom : quadrilatère
Côtés : 4 de même longueur
Angles : 4 droits
Diagonales : de même longueur et perpendiculaires

RÉPUBLIQUE GÉOMÉTRIQUE

Carte d'identité n° 3
Nationalité Géom

Photo

Nom : ....
Prénom : quadrilatère
Côtés : 4 de même longueur
Angles : 0 droit
Diagonales : perpendiculaires

RÉPUBLIQUE GÉOMÉTRIQUE

Carte d'identité n° 4
Nationalité Géom

Photo

Nom : ....
Prénom : quadrilatère
Côtés : 2 opposés parallèles
Angles : 0 droit
Diagonales : de même longueur

RETAPÈZ

GLACERENT

EGALONS

RACÉR

At home (à la maison)

mémo

chambre	**bedroom**	toilettes	**toilet**	salon	**living-room**
salle de bains	**bathroom**	cuisine	**kitchen**	salle à manger	**dining-room**

205 Maison de poupée

→ **Remets les lettres dans l'ordre puis, note pour chaque pièce de la maison le numéro qui lui correspond.**

1) GAGARE
2) HMBAOTOR
3) NERSATP BODMERO
4) KICHENT
5) OBY MODOBRE
6) RIGL DOEMOBR
7) NIILGV MOOR
8) TIOTELS

Encadrer les nombres décimaux par des entiers

Pour encadrer un nombre décimal par deux nombres entiers, on donne la **partie entière** comme étant la **valeur inférieure** et **on lui ajoute une unité pour la valeur supérieure**.
ex. : 64 < 64,98 < 65 = (64+1)

206 Mur de briques

→ **Complète ce mur avec les bonnes briques.**

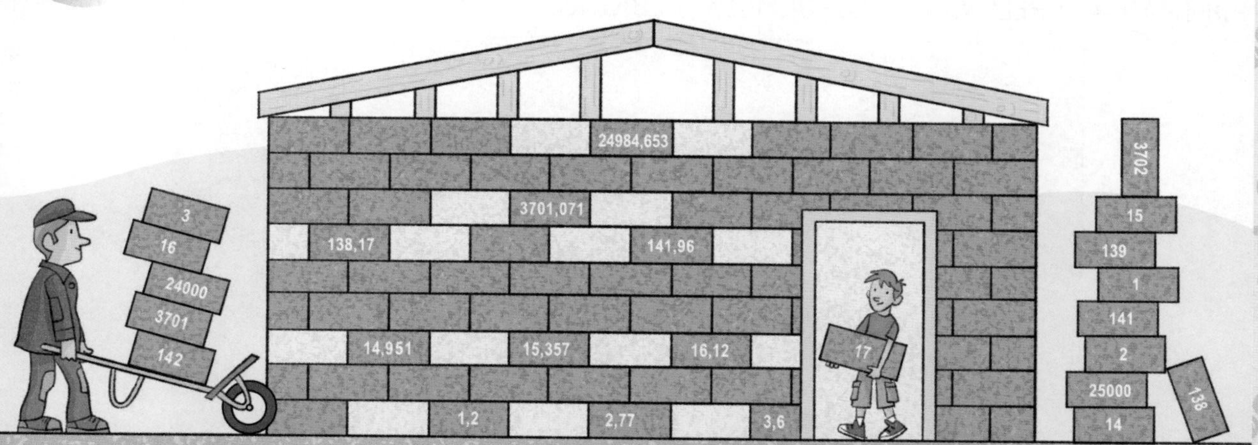

207 Piège à rêve

→ **Relie chaque nombre décimal à la partie entière qui s'en rapproche le plus.**

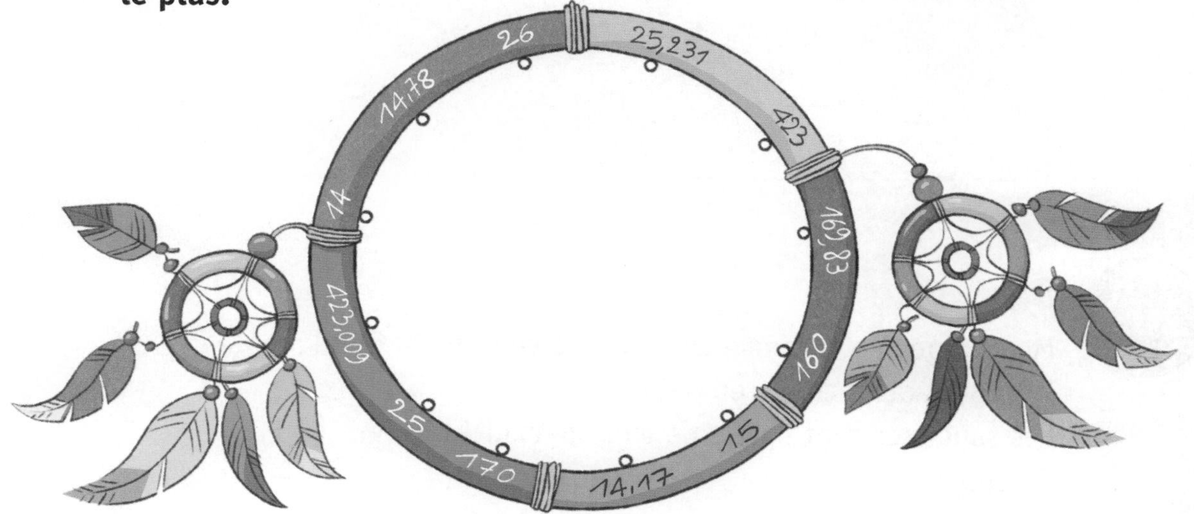

La France dans l'Europe

mémo

La France est **l'un des principaux** pays de l'Europe de **par sa superficie** (550 000 km²) et **sa population** (62 000 000 d'habitants en métropole). Elle est la **première puissance agricole** en Europe et la **deuxième puissance économique.**

208 En lettres capitales

→ Remets les lettres dans l'ordre et place sur la carte les capitales des pays frontaliers de la France.

DRIMAD — DRELONS — BLUROUMGEX — BRINEL — BRELUSLEX — MORE — NERBE

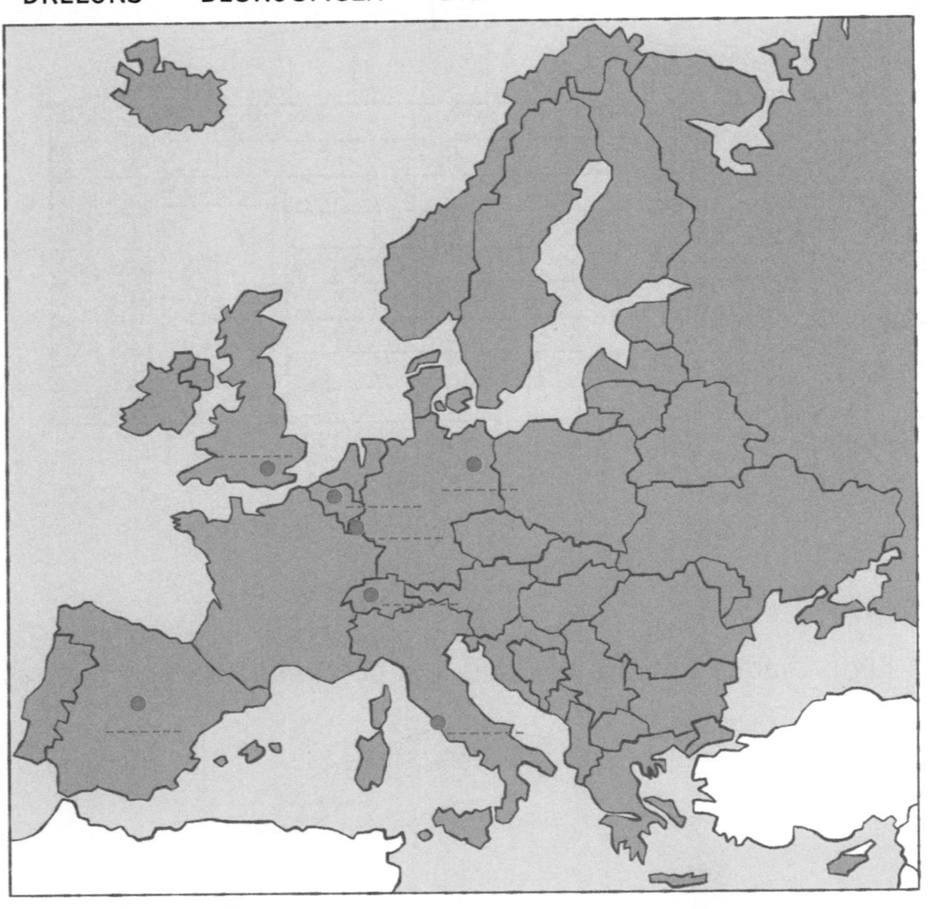

209 Devinette

Mon drapeau a la même couleur que celui de la Belgique.
Mon pays était coupé en deux par un mur.
Les saucisses font partie de mes spécialités !
Je suis...

Le plus-que-parfait

Pour construire le plus-que-parfait il faut :
auxiliaire conjugué à l'imparfait + le participe passé du verbe conjugué.
participe passé :

1er groupe en é	2e groupe en i	3e groupe en u / i / t / s / é
ex. : j'avais chanté / elle était tombée	*j'avais grandi*	*j'avais vu / cueilli / ouvert / pris / j'étais allé*

210 Additions plus que parfaites

→ Effectue ces opérations.

		Plus-que-parfait				Résultats
Je	+	**aller**	+	**dans la forêt.**	=	
Tu	+	**travailler**	+	**le jour de l'an.**	=	
Il	+	**finir**	+	**le dernier.**	=	
Elle	+	**suivre**	+	**les plus rapides.**	=	
On	+	**observer**	+	**cette vague.**	=	
Nous	+	**conduire**	+	**notre belle moto.**	=	
Vous	+	**courir**	+	**longtemps.**	=	
Ces baigneurs	+	**partir**	+	**le plus loin possible.**	=	
Elles lui	+	**offrir**	+	**la bague de mamie.**	=	
Toi et moi	+	**arriver**	+	**depuis hier.**	=	

Grand Jeu

Baignade interdite

Retrouve les mots suivants dans la grille.

E	Z	T	D	E	Z	I	R	S	O	N
Y	T	J	R	Y	S	E	U	G	A	V
U	N	T	J	A	I	E	D	S	S	O
H	A	U	E	M	N	E	J	B	A	B
U	Y	E	L	I	P	S	E	L	L	R
A	R	A	S	C	V	L	A	K	E	A
E	P	X	W	T	V	R	E	T	T	S
T	F	E	S	E	F	P	E	U	A	S
A	W	F	L	N	G	K	U	S	M	A
R	N	B	S	L	H	L	O	M	N	R
S	A	L	O	F	E	G	B	C	Z	D
S	L	U	P	A	R	A	S	O	L	S
S	E	G	A	L	L	I	U	Q	O	C

BOUÉE
BRASSARDS
COQUILLAGES
MATELAS
PALMIER
PARASOL
PELLE
RATEAU
SABLE
SEAU
SERVIETTE
TRANSAT
VAGUES

Grand concours

Déchiffre ce rébus.

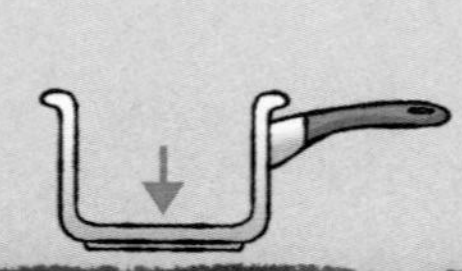

ta, ma, ...

A
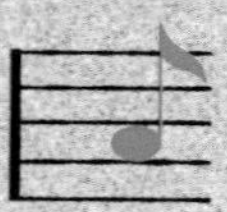

...., tu, il

de la plage

Bain de soleil

Trouve les 10 erreurs qui se sont glissées entre ces deux dessins.

Quiz

1) Le drapeau orange en bord de mer signifie :
a) mer calme
b) baignade interdite
c) baignade dangereuse mais surveillée

2) Pour protéger sa peau du soleil on utilise :
a) du savon solaire
b) de la crème solaire
c) de la crème lunaire

3) Le sport de glisse le plus pratiqué dans les vagues est :
a) le surf
b) le smurf
c) le souffre

Le tableau de numération des nombres décimaux

mémo

Milliards			Millions			Mille			Unités simples			Virgule	Partie décimale		
C	D	U	C	D	U	C	D	U	C	D	U	,	dixièmes	centièmes	millièmes
													1/10	1/100	1/1 000
													0,1	0,01	0,001

211 Rébus

→ **Découvre quelle règle se cache dans ce rébus.**

il, elle, ... SSS , ..., la, les 123 579 47

z'U ..., elle 10 z'i

212 En croisant les mots

→ **Retrouve les mots qui correspondent aux définitions.**

Horizontal

3. C'est le troisième chiffre de la partie décimale.
4. Elle sert à séparer les parties d'un nombre.
5. Il est le premier chiffre de la partie décimale.
6. Il est le titre de la famille des nombres entiers qui comptent entre 7 et 9 chiffres.

Vertical

1. Elle ne contient aucun décimal.
2. C'est le quotient de la division par 100.

1 2 3 4 5 6

Les antonymes

Des **antonymes** (ou **contraires**) sont des mots ou des expressions qui ont des **sens opposés**.
Selon le contexte, un même terme peut avoir des antonymes différents.
ex. : vieux / jeune ou vieux / nouveau

213 C'est pas moi, c'est lui !

→ **Complète la grille avec les mots contraires.**

Horizontal
2. nain
4. tristesse
5. plein
8. veiller
9. fragile

Vertical
1. rapide
3. interdire
6. léger
7. femelle
10. dangereux

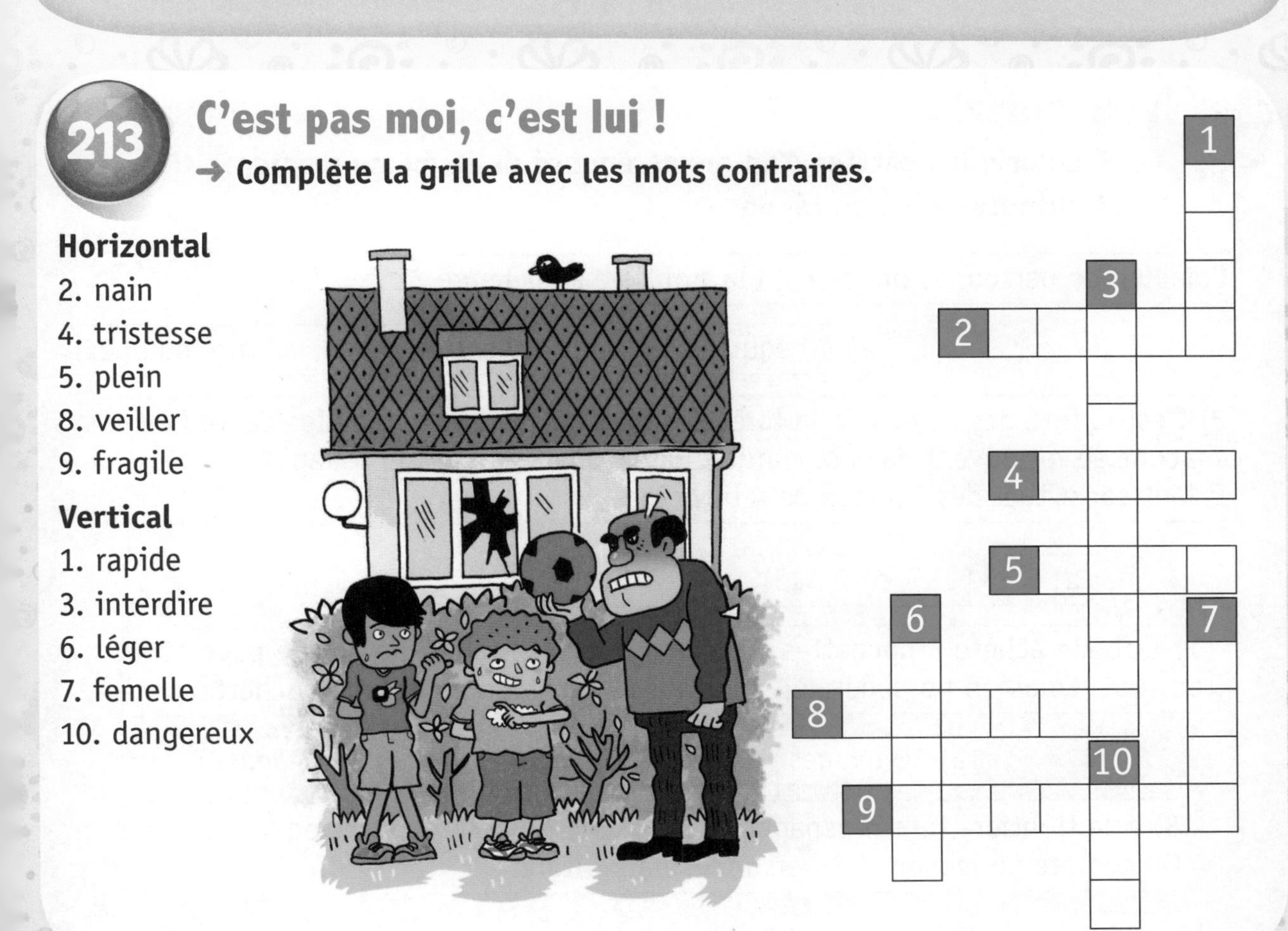

214 Prouve le contraire !

→ **Relie chaque mot au préfixe qui lui fera dire le contraire puis écris l'antonyme obtenu à côté.**

Préfixe	Mot	Antonyme
In	ranger	....
Im	régulier	....
Mal	lisible	....
Ir	possible	....
Dé	valide	....
Il	honnête	....

Problèmes avec multiplications et divisions

Dans un même problème, on peut être amené à effectuer des **multiplications** pour calculer des produits (augmenter) et des **divisions** pour calculer des quotients (partager). Il faut **respecter l'ordre des étapes de la résolution** et **ne pas oublier les opérations intermédiaires.**

215 Le quizzle

→ Colorie les parties d'un même énoncé de la même manière et entoure la bonne réponse.

Combien de personnes ont franchi la frontière en 1 heure ?

a) 40 équipes b) 30 équipes c) 124 équipes

2) C'est la fête des lièvres de la forêt des Six Chênes. Douze familles de 10 lièvres chacune se retrouvent dans la clairière pour jouer à « chasser le lapin ».
Il faut constituer des équipes de 4 lièvres.

a) 2 331 b) 2 313 c) 2 133

1) Isabelle achète 6 pochettes de 5 images de fées chacune qu'elle paye 18 € en tout. Combien possède-t-elle d'images ? Combien coûte une pochette ?

a) 30 images b) 11 images c) 48 images

3) À la frontière franco-espagnole, il est passé 8 532 voitures en 12 heures.
On compte en moyenne 3 personnes par voiture.

Combien y aura-t-il d'équipes ?

a) 18 € b) 3 € c) 6 €

L'alimentation

Nous avons besoin d'un apport régulier de nourriture pour nous maintenir en bonne santé.
On distingue **7 familles d'aliments** et chaque famille a un rôle bien particulier pour le bien être de notre corps et nous en avons besoin chaque jour.

- les **sucres** : le plaisir pour la force immédiate
- les **féculents** : l'énergie pour la croissance et la construction
- les **végétaux** : prévention et santé pour la croissance et la protection
- les **animaux** : cellules et muscles pour la construction
- les **produits laitiers** : calcium et protéines pour la croissance
- les **graisses** : réserve d'énergie
- les **boissons** : apport en eau pour notre santé

216 À table

→ **Entoure chaque aliment de la couleur de sa famille alimentaire.**

217 Menu 5 étoiles

→ **Complète la carte du chef à l'aide des rébus.**

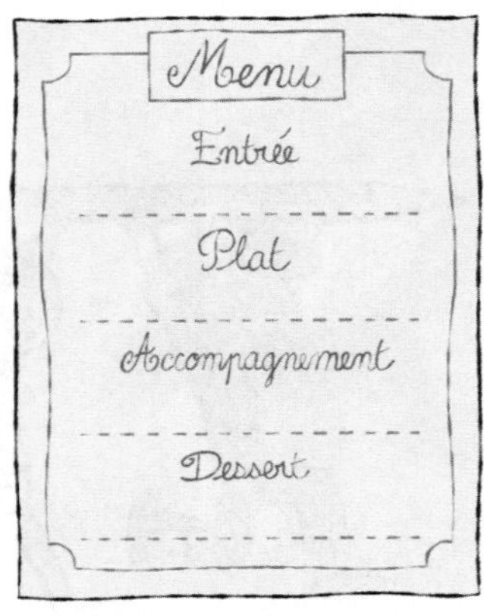

La fonction attribut

mémo

L'attribut est relié au sujet par un verbe d'état (attributif) : être, paraître, sembler, devenir...
Les natures de l'attribut :
- **adjectif qualificatif** : Ce garçon semble grand.
- **groupe nominal** : Le chat est un félin.
- **groupe verbal** infinitif : Le plus difficile reste de se réveiller.
- **pronom** : On le trouve fragile, il ne l'est pas.
- **proposition** : Le plus important semble que vous réussissiez.

218 Grande finale des gramympiades

→ **L'équipe des « Attributifs » en rouge est opposée à celle des « CODéziens » en bleu. Note le numéro des phrases avec un attribut sur la ligne rouge et celui des phrases contenant des COD sur la ligne bleue, puis fais le total des points.**

2	Je suis content.	3	Cet animal paraît vieux.
10	L'étoile qui brille semble petite.	4	Tout le public lève la tête.
2	Je range mon vélo.	2	L'Amérique est un continent.
1	Il mange une pomme.	5	Les enfants regardent le paysage.
5	Mathias avale son goûter.	3	Tu cuisines des gâteaux.
4	Nous sommes des personnes responsables.	4	Le principal est de participer.

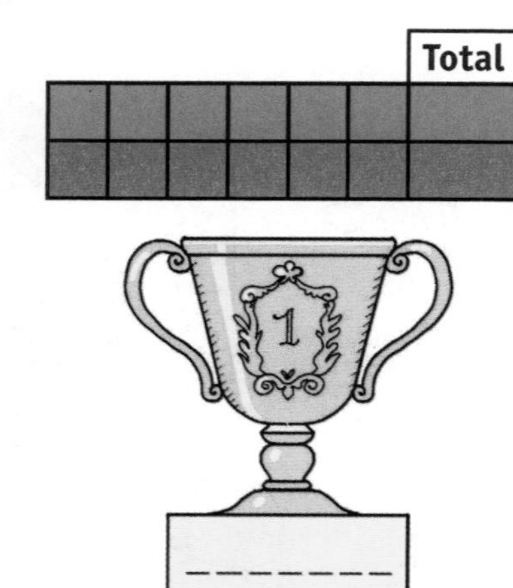

La victoire revient à l'équipe des ....

219 Méli-mélo

→ **Retrouve les 10 verbes attributifs dans ce méli-mélo.**

E	I	P	R	E	L	B	M	E	S
R	R	J	A	B	C	M	T	D	E
T	W	T	X	R	N	M	U	E	F
X	E	X	E	U	A	O	T	M	A
W	D	E	V	E	N	I	R	E	I
R	E	T	S	E	R	Z	T	U	R
A	P	P	A	R	A	I	T	R	E
R	E	M	M	O	N	E	S	E	E
S	A	P	P	E	L	E	R	R	U

APPARAÎTRE
DEMEURER
DEVENIR
ÊTRE
PARAÎTRE
RESTER
S'APPELER
SE FAIRE
SEMBLER
SE NOMMER

Les DROM-COM

mémo

La France possède dans le monde **d'anciennes colonies,** qui sont restées **attachées à la métropole.**

La Martinique, la Guadeloupe, la Guyane, la Réunion et **Mayotte** sont devenues des Départements ou Régions français d'Outre-Mer **(DROM).**

La Polynésie, la Nouvelle-Calédonie, Wallis et Futuna sont devenus des Collectivités d'Outre-Mer **(COM)**, ce qui leur garantit une autonomie plus grande que les DROM.

Les DROM et les COM sont pour la plupart en zone chaude. **La population des DROM et des COM est métissée. Elle est jeune et en pleine croissance, mais le chômage la pousse à se déplacer vers la Métropole.**

220 Aux quatre coins du globe

→ Retrouve les mots de la liste dans la grille.

E	P	U	O	L	E	D	A	U	G	R
M	A	R	T	I	N	I	Q	U	E	E
E	R	P	E	T	T	O	Y	A	M	U
S	A	I	N	T	M	A	R	T	I	N
A	E	I	S	E	N	Y	L	O	P	I
J	C	A	L	E	D	O	N	I	E	O
E	L	O	P	O	R	T	E	M	V	N
O	U	T	R	E	M	E	R	Y	E	O

CALÉDONIE
GUADELOUPE
GUYANE
MARTINIQUE
MAYOTTE
MÉTROPOLE
OUTREMER
POLYNÉSIE
RÉUNION
SAINT-MARTIN

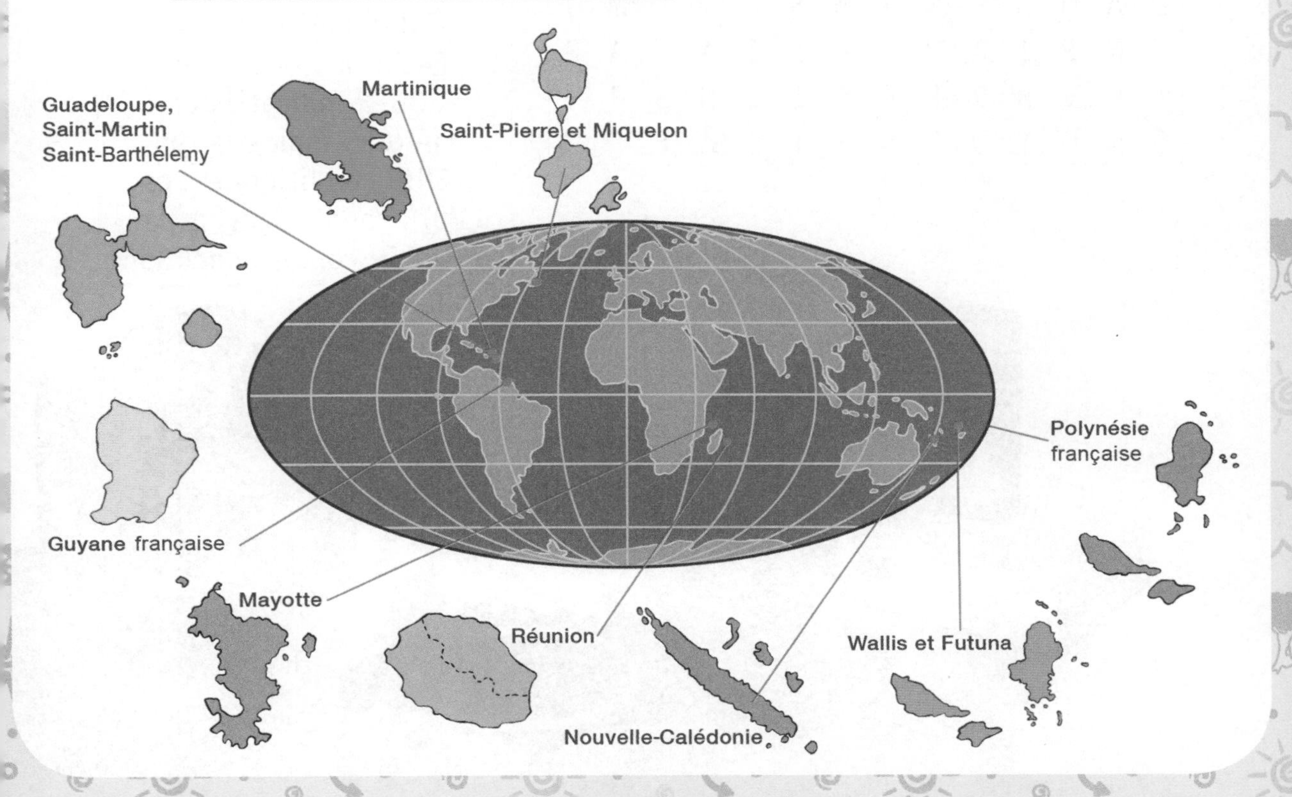

Les présents

mémo

Le présent se conjugue avec **plusieurs modes :** l'**indicatif**, l'**impératif**, le **conditionnel** et le **subjonctif.** Ce dernier s'accompagne d'une conjonction de subordination.

ex. : tu fais - fais - te ferais - que tu fasses

221 En mode « présent »

→ **Retrouve les 21 verbes au présent qui se cachent dans cette grille.**

1ps : 1re personne du singulier
2pp : 2e personne du pluriel

Z	V	E	N	N	O	D	Z	E	L	L	A	W	A
T	E	O	Z	D	I	T	E	S	M	K	H	J	Y
S	I	I	U	É	C	R	I	R	I	O	N	S	E
S	N	E	R	D	S	E	M	M	O	S	E	Y	Z
S	E	O	N	I	R	Ê	T	E	S	A	B	Z	T
I	S	S	E	D	U	A	A	L	L	O	N	S	N
A	H	U	S	G	R	D	I	Z	W	T	T	R	E
R	T	H	I	A	N	A	N	E	X	P	H	N	U
I	S	Q	F	S	F	A	I	O	N	O	U	F	O
D	A	N	S	E	N	T	M	S	C	T	L	M	J
T	N	E	I	A	R	E	L	L	I	A	T	A	B
W	C	V	B	V	E	R	R	I	O	N	S	J	C
S	N	O	Y	O	S	S	E	T	I	A	F	F	H

ALLER impératif 2pp
ALLER indicatif 1pp
ALLER conditionnel 1ps
AVOIR impératif 2pp
BATAILLER conditionnel 3pp
CONDUIRE conditionnel 2pp
DANSER indicatif 3pp
DIRE indicatif 2pp
DONNER indicatif 1ps
ÉCRIRE conditionnel 1pp
ÊTRE indicatif 2pp
ÊTRE indicatif 1pp
ÊTRE impératif 1pp
ÊTRE indicatif 1ps
FAIRE impératif 2pp
FAIRE subjonctif 2ps
JOUER indicatif 3pp
MANGER indicatif 1pp
TENIR conditionnel 2ps
VOIR conditionnel 1 pp
VOULOIR conditionnel 3pp

Les solides

Un solide est un **objet géométrique** fermé et qui n'est pas plat (il est **en 3 dimensions**). Les **polyèdres** sont des solides dont toutes les faces sont des polygones (comme le pavé) ; les **non polyèdres** (comme le cône) sont des solides ayant des bases arrondies et une surface courbe.

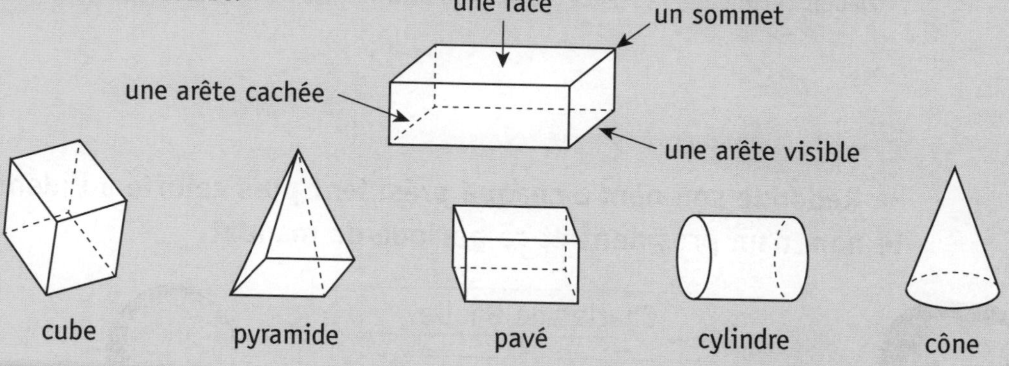

Oui patron !

→ **Colorie de la même couleur chaque solide et son patron.**

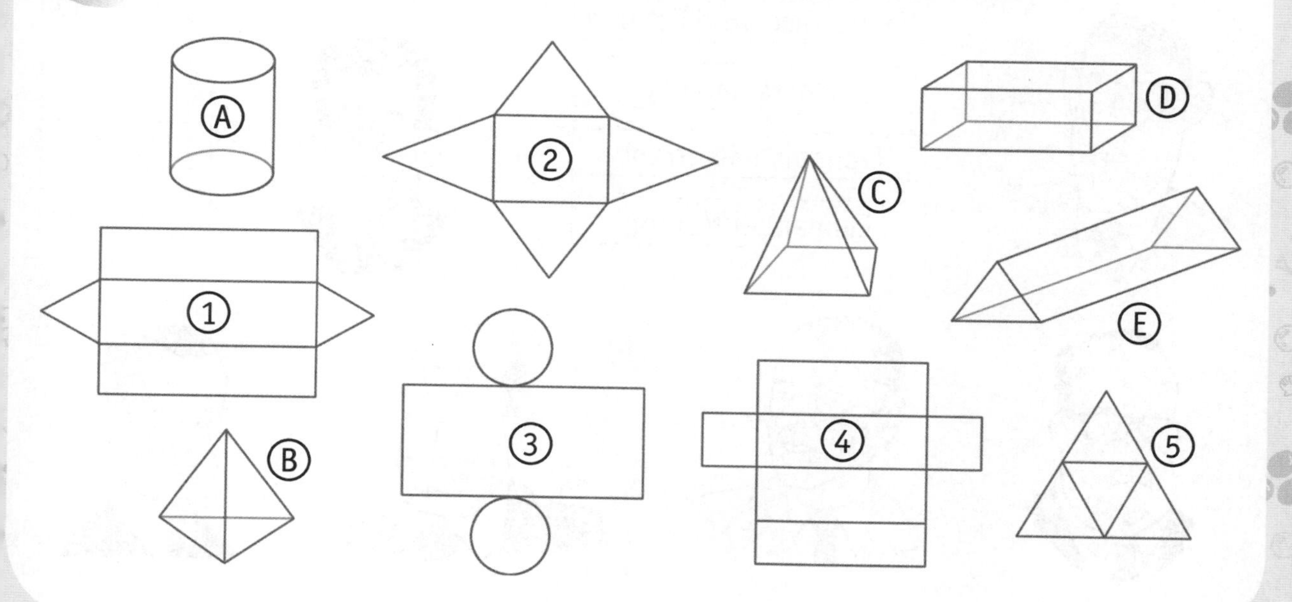

Devinettes

- Je suis formée de 4 triangles et 1 rectangle, j'ai 8 arêtes et 4 sommets et les Égyptiens m'adorent. Je suis ....
- J'ai une face comme un disque et les enfants me mangent très souvent en été. Je suis ....

Les présidents de la Ve République

En France, la Ve République est le **régime républicain** en vigueur **depuis le 5 octobre 1958.** Son fonctionnement est régi par la **Constitution** de 1958. En septembre 1958, par un référendum, les Français acceptent une nouvelle Constitution à 80 %. Depuis cette date, la France a connu huit présidents de la République.

224 Messieurs les Présidents

→ **Redonne son nom à chaque président puis colorie à l'identique le nom d'un président et sa période de mandat.**

Charles de Gaulle	2017/2022
François Hollande	2007/2012
Jacques Chirac	1995/2007
Georges Pompidou	1969/1974
Valéry Giscard d'Estaing	2012/2017
Nicolas Sarkozy	1981/1995
François Mitterrand	1974/1981
Emmanuel Macron	1959/1969

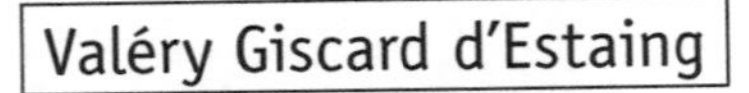

225 Élections

Mon premier est la première syllabe de 15.
On attend le train à la gare sur mon deuxième.
Mon troisième est suivi de « nanère ».
Mon tout est la durée du mandat présidentiel.

Les pays du monde

Près de **200 pays** se partagent l'ensemble des terres du monde. Les pays aujourd'hui sont presque tous des États indépendants. Six États sont installés sur des territoires très vastes : la Russie, le Canada, la Chine, les États-Unis d'Amérique, le Brésil et l'Australie. **Chaque pays** a son **hymne**, son **drapeau** et est délimité par des **frontières.** À travers le monde, il existe plusieurs centaines de **langues** différentes et même si l'anglais est la plus connue, c'est le chinois qui est la plus parlée.

226 La traversée du monde

→ Pour connaître le message que doit délivrer le pigeon voyageur, retrouve le nom des pays qu'il traverse puis utilise les lettres vertes dans l'ordre indiqué.

N°										
1	7			52		16	47		54	
2		12		55		29				
3	31		28	14	4					
4	20		34	27		8				
5	25	9		37			18	23		46
6		10	51	39		26				
7		38		42	41		2			
8	53	5								
9		36	19	30	44					
10			21							
11	22			48						
12	17	32			50	13				
13	45		40		6					
14	1	43	33		49					

1 2 Q 4 ' 5 6 F 7 8 9 10 U 12 13 14 U 16

17 14 18 19 20 21 22 23 T 25 26 27 28 29 30 31 32 33 34 ,

1 ' E 36 37 38 39 1 14 20 40 41 42 43 44 45 46 47 14 48

D 49 50 51 52 18 17 53 54 55 .

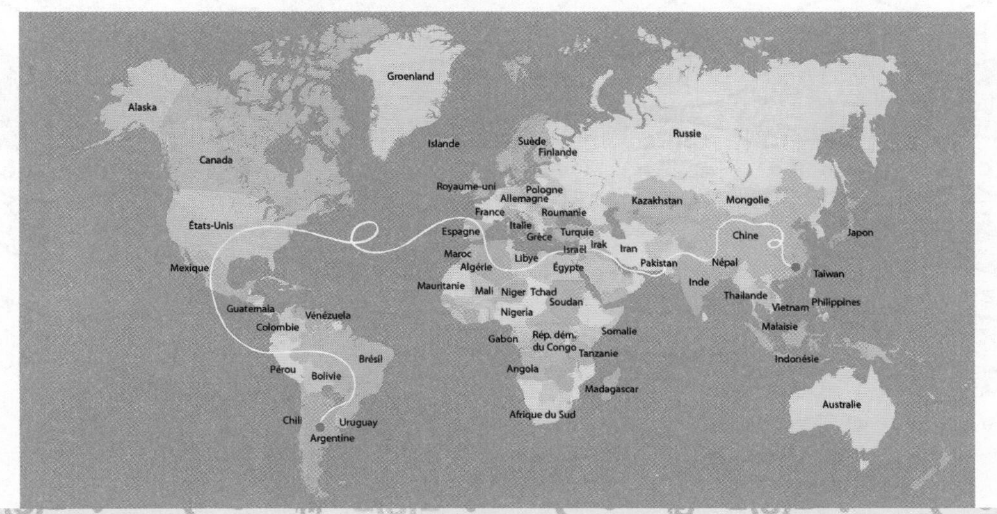

Les homonymes

Des homonymes sont des mots qui **se prononcent de la même façon** (on entend les mêmes sons), mais qui n'ont **pas le même sens**.
ex. : mal (la douleur) - malle (le coffre) - mâle (l'homme)

227 C'est pas moi, c'est lui !

→ Aide-toi des dessins et choisis la bonne orthographe pour compléter la grille.

père	pair	paire
serf	cerf	serre
prit	prix	pris
mort	mord	mors
peint	pin	pain
fer	faire	ferre
champs	chant	champ
est	haie	ait
coût	coup	cou
cygne	signe	signent

228 La bonne route

→ Traverse cette route en choisissant les bonnes bifurcations pour que le texte ait du sens.

Les échelles

L'échelle sur une carte est le **rapport** qui existe **entre les mesures** que l'on prend **sur la carte** et celle de **la réalité** du terrain.
Sur une carte à l'échelle : 1/20 000 (un vingt millièmes), 1 cm mesuré sur la carte représente 20 000 cm ou 200 m mesurés sur le terrain.
Sur une carte à l'échelle : 1/2 000 000, 1 cm = 20 km

229 La bonne échelle

→ **Calcule la distance totale parcourue par les concurrents du tour de France à moto.** (Carte de France au 1/20 000 000e)

Les étapes
Paris-Metz = 1,5 cm = 30 000 000 cm = 300 km
Metz-Lyon = 2,5 cm = ...
Lyon-Marseille = 1,5 cm = ...
Marseille-Toulouse = 2 cm = ...
Toulouse-Bordeaux = 1 cm = ...
Bordeaux-Nantes = 2 cm = ...
Nantes-Caen = 1,5 cm = ...
Caen-Lille = 2 cm = ...
Lille-Paris = 1 cm = ...

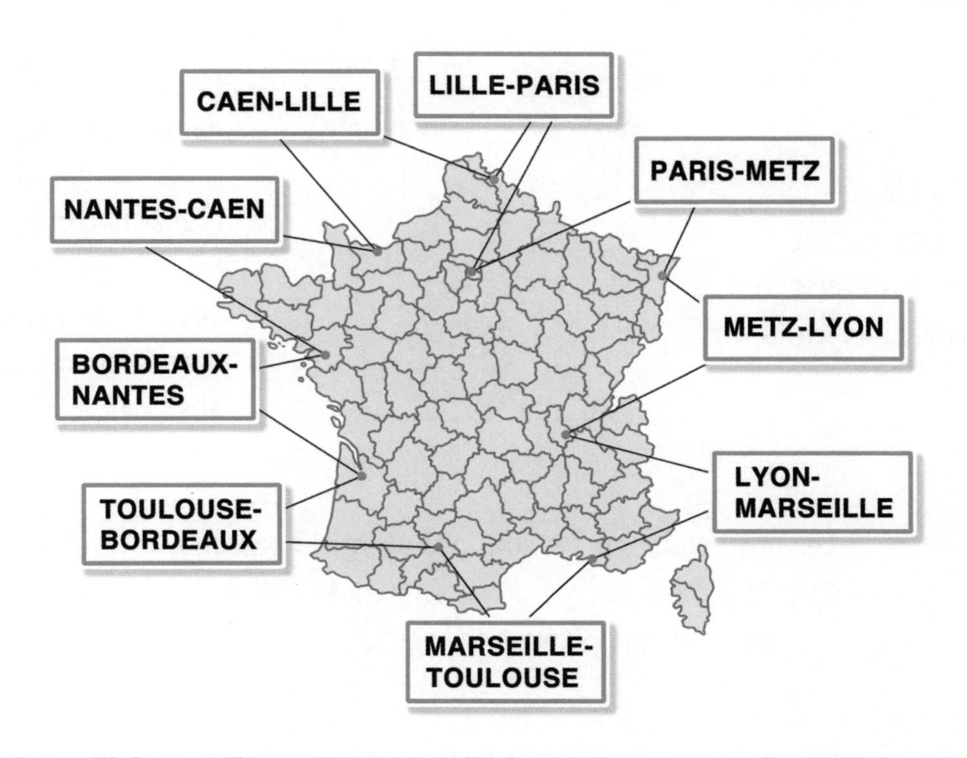

La digestion

Chaque jour, nous buvons et nous mangeons pour donner à notre corps force et énergie.
Tous les **aliments** que nous consommons sont **transformés mécaniquement et chimiquement** pour traverser notre corps en suivant un **trajet très précis.**

230 Un aller sans retour

→ Après avoir lu les indices, complète les phrases et colorie le schéma en respectant le code couleur.

bouche - estomac - anus - foie - œsophage - intestin grêle - pancréas - gros intestin

Les aliments entrent par la ______ . Ils subissent l'action des dents et de la salive.

Ils passent dans l' ______ …

… puis dans l' ______ où ils sont malaxés et subissent l'action du suc gastrique.

Le ______ produit de la bile, qui est déversée dans l'intestin grêle.

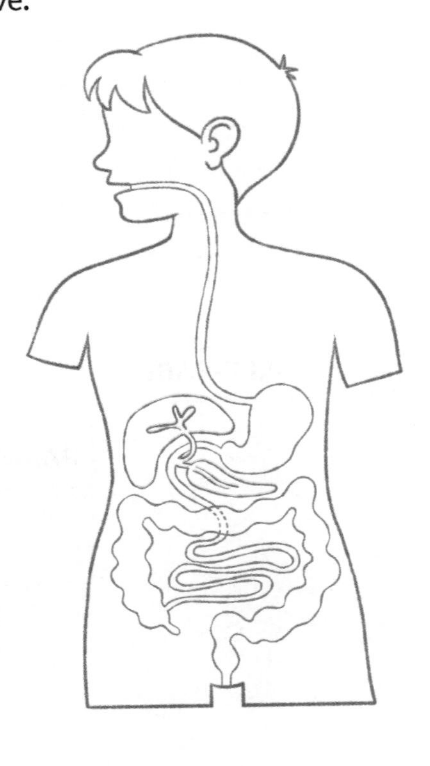

Le ______ produit du suc pancréatique, qui est déversé dans l'intestin grêle.

Les aliments progressent dans l' ______ où le suc gastrique et la bile décomposent les aliments en nutriments. Les nutriments passent dans le sang : ils sont absorbés.

Les nutriments qui ne sont pas absorbés passent dans le ______ où se forment les selles…
… qui sont rejettées par l' ______ .

La francophonie

La francophonie rassemble les **populations** du monde **qui parlent le français.**
Depuis 1970, il existe une **Organisation Internationale de la Francophonie** (O.I.F.).
Cette organisation regroupe 56 États membres et 19 observateurs.
Les actions de l'O.I.F. visent principalement à **défendre la langue française** et à **maintenir son utilisation** et son importance dans les relations internationales. Le français est une langue parlée sur tous les continents, c'est aussi la deuxième langue de la diplomatie après l'anglais.

231 Vive la France !

→ Complète la grille avec les noms de pays francophones en commençant par le plus long.

Israël — Vietnam — Niger — Québec — Liban — Zaïre — Mauritanie

232 Quiz

1) Combien de personnes parlent le français dans le monde ?
100 millions 65 millions 220 millions

2) Quelle langue utilise-t-on dans l'administration en Afrique noire ?
l'anglais le français l'africain

3) Quelle est la langue maternelle des Québécois d'origine ?
le français l'anglais l'américain

4) Pour combien de personnes dans le monde le français est-elle la langue maternelle ?
115 millions 220 millions 65 millions

5) Quelle est la langue officielle pour les Jeux Olympiques ?
l'allemand l'anglais le français

Les paronymes

Les **paronymes** sont des **mots qui se ressemblent** soit par leur forme, soit par leur prononciation ; **mais** ils ont des **sens différents** :

*ex. : l'**immigration** (le fait d'entrer dans un pays) ≠ l'**émigration** (le fait de quitter un pays)*
*l'**évolution** (le fait de se transformer) ≠ l'**évaluation** (le fait de donner une valeur à quelque chose)*

Faux frères !

→ **Colorie de la même manière les couples de mots paronymes.**

The body (le corps)

mémo

la tête	the **head**	le cou	the **neck**	la bouche	the **mouth**	les yeux	**the eyes**
le bras	the **arm**	la main	the **hand**	l'oreille	the **ear**	les cheveux	the **hair**
le doigt	the **finger**	la jambe	the **leg**	le pied	the **foot**	les orteils	the **toes**
le nez	the **nose**	l'épaule	the **shoulder**				

234 Move your body (Bouge ton corps !)

➜ Complète la grille à l'aide du schéma.

Problème

Dans un problème, on peut tout rencontrer : les **opérations se mélangent**, la **réponse est dans l'énoncé**, on peut utiliser des nombres entiers et/ou des nombres décimaux, des fractions, calculer des pourcentages etc. **Tout est possible !**

235 Dans le texte

→ Trois énoncés de problèmes sont mélangés. Surligne en bleu les phrases du premier, en rouge, celles du deuxième et en vert, celles du dernier.

Marc part de chez lui, il regarde sa montre, il est 14 heures. Il se rend à la piscine qui se Melle Delphine est couturière de mode. Elle travaille 5 jours par semaine de 9 h à 13 h et de trouve à 1 500 mètres de sa maison. Aujourd'hui, il veut essayer de battre son record de Enfin, c'est le départ pour le camp de vacances, direction le bord de la mer à 945 km de la natation qui est de 13 longueurs. Il va parcourir des longueurs en plusieurs nages : 17 en capitale. On a réservé 3 cars de 56 places chacun. Sachant qu'il y a 12 accompagnateurs, crawl, 26 en brasse et 8 en papillon. Il rentre ensuite chez lui par le même chemin et arrive en
14 h 30 à 18 h.
même temps que sa sœur qui rentre à 16 h 30 de son cours de danse.
Elle reçoit un salaire mensuel (25 jours) de 2 393 euros.
combien d'enfants y a-t-il par accompagnateur ?
Combien de temps reste-t-il absent de chez lui ?
Calcule son salaire pour 1 jour de travail.

236 Ils sont liés

→ Colorie les opérations et les solutions de la même couleur que les énoncés ci-dessus auxquels elles correspondent.

16 h 30 – 14 h = 2 h 30

Il y a treize enfants par accompagnateur.

56 x 3 = 168
168 ÷ 12 = 14

16 h 30 – 14 h = 20 h 30

393 ÷ 25 = 957,2

Le salaire journalier est de quatre-vingt-quinze euros soixante-douze.

2 393 ÷ 25 = 95,72

56 x 3 = 168
168 – 12 = 156
156 ÷ 12 = 13

Marc est absent de chez lui pendant deux heures et trente minutes.

Les phrases complexes

Une phrase complexe comprend **plusieurs verbes conjugués**. Chaque verbe est le noyau de ce que l'on appelle une **proposition**.

La **proposition principale** est la phrase de base.

La **proposition subordonnée relative** est introduite par un pronom relatif (qui, que, dont...). Ce pronom remplace le groupe nominal (***l'antécédent***) de la principale.

ex. : ***Il regarde les lettres*** que tu as écrites ce matin. (*« lettres » est l'antécédent de que*)

237 Antécédent

→ Trouve l'antécédent de chaque pronom relatif pour construire la grille.

Horizontal

2. Tu écoutes la chanson dont je t'ai parlée.
10. Les phrases que tu dois analyser sont complexes.
7. J'entends le hibou que je n'ai jamais vu.
8. Le livre que tu lis est bien illustré.
9. Le tigre qui vit dans la jungle est féroce.

Vertical

1. Il glisse sur les vagues que tu lui indiques.
3. Tristan regarde la télévision qui se trouve dans le salon.
4. Chaque crayon que j'utilise se casse.
5. Le loup poursuit les poules qui se sauvent.
6. Les soldats dont les pièges fonctionnent se réjouissent.

GRAND JEU

Quel athlète !

Retrouve les mots suivants dans la grille.

E	S	N	A	D	N	X	E	E	T	T	F	I	L
E	G	J	B	T	Z	P	E	Q	D	G	L	Z	C
O	J	A	W	O	R	X	G	U	U	I	O	W	C
W	A	X	N	M	X	J	N	I	R	U	G	B	Y
M	Y	T	W	I	E	E	O	T	L	I	D	T	C
N	E	J	H	J	T	S	L	A	S	I	E	O	L
O	C	U	W	L	I	A	P	T	K	Z	D	L	I
I	V	D	P	N	E	Q	P	I	I	K	A	S	S
T	G	O	N	B	F	T	G	O	Y	B	L	L	M
A	O	E	I	J	W	G	I	N	E	B	A	H	E
T	T	I	G	L	Y	S	H	S	A	O	C	M	Y
A	C	W	Z	M	E	P	A	L	M	H	S	H	N
N	E	H	A	N	D	B	A	L	L	E	E	P	Q

ATHLÉTISME
BASEBALL
BOXE
CYCLISME
DANSE
ESCALADE
ÉQUITATION
GOLF
HANDBALL
JUDO
NATATION
PATINAGE
PLONGÉE
RUGBY
SKI
TENNIS
VOILE

Droit au but

Quel est le chemin qui mène au but ?

DES SPORTS

Médaille d'or

Complète la grille avec le nom des sports représentés sur les dessins.

1 Géographie (p. 8)

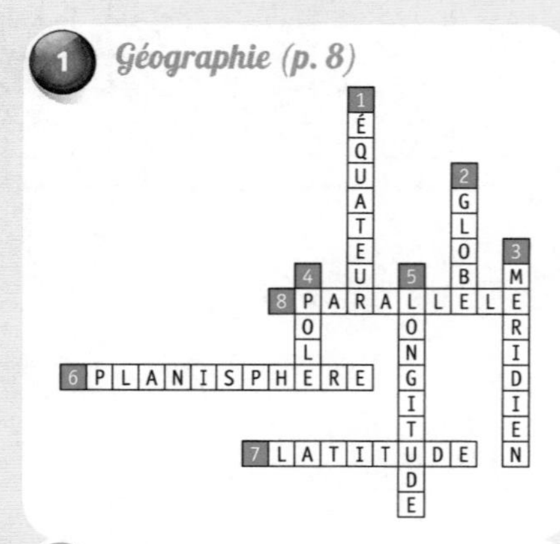

2 Anglais (p. 9)

Hello! My name's John, I'm a **boy**.
I come from New York and I'm American.
Hello! My name's Ines, I'm a **girl**.
I come from Barcelona and I'm Spanish.
Hello! My name's Henry, I'm a **boy**.
I come from London and I'm English.
Hello! My name's Regina, I'm a **girl**.
I come from Pisa and I'm Italian.
Hello! My name's Ling Tao, I'm a **boy**.
I come from Beijing and I'm Chinese.

Henry Ines Ling Tao Regina John

3 Anglais (p. 9)

UNITED KINGDOM · SPAIN · CHINA · ITALY · UNITED STATES OF AMERICA

4 Français (p. 10)

R	A	S	K	E	O	M	P	T	E	E
A	T	O	D	U	Z	O	I	O	R	R
E	T	E	N	J	U	N	R	M	T	D
R	E	C	E	V	O	I	R	B	T	N
D	N	B	O	I	R	E	S	E	E	I
N	D	I	E	Z	V	C	A	R	M	E
I	R	B	E	R	I	F	F	U	S	T
E	E	V	E	N	D	R	E	R	K	T
P	A	S	R	I	O	V	E	D	I	A
S	B	J	O	U	E	R	P	T	E	Z
O	E	R	I	A	F	E	I	S	R	A

5 Français (p. 10)

Je suis le verbe trouver !

6 Français (p. 11)

maigrir / tirer / nager / rendre / avoir / bondir / partir

7 Français (p. 11)

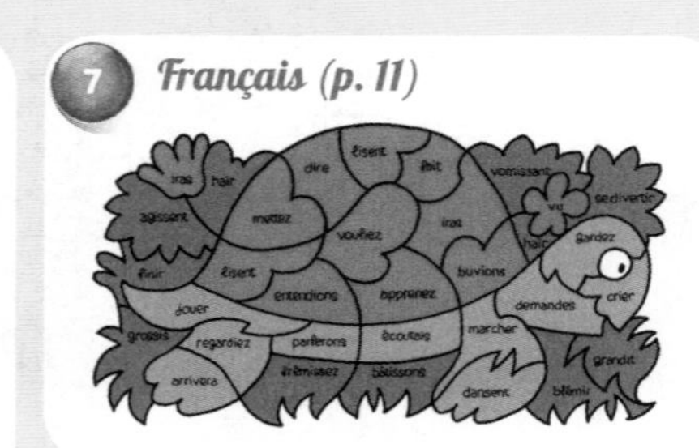

8 Histoire (p. 12)

1. Algérie
2. Maroc
3. Tunisie
4. Mauritanie
5. Mali
6. Sénégal
7. Tchad
8. Congo
9. Madagascar
10. Cambodge

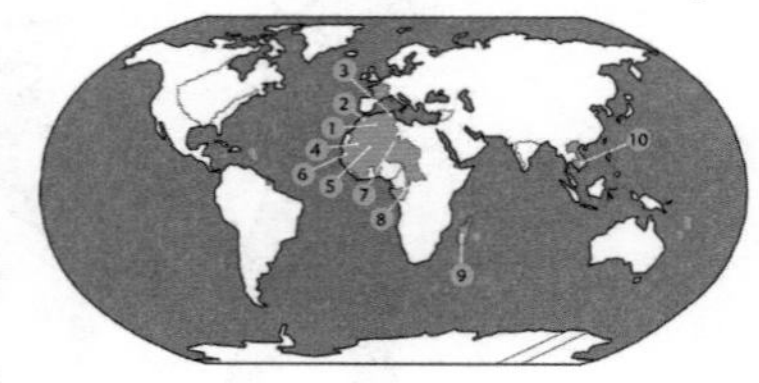

9 Maths (p. 13)

14 393
8 067 | 6 326
4 812 | 3 255 | 3 071
3 031 | 1 781 | 1 474 | 1 597
1 989 | 1 042 | 739 | 735 | 862
1 329 | 660 | 382 | 357 | 378 | 484
878 | 451 | 209 | 173 | 184 | 194 | 290
548 | 330 | 121 | 88 | 85 | 99 | 95 | 195
280 | 268 | 62 | 59 | 29 | 56 | 43 | 52 | 143
24 | 256 | 12 | 50 | 9 | 20 | 36 | 7 | 45 | 98

10 Maths (p. 13)

$$\begin{array}{r} 36542107 \\ 8493865 \\ +\ 87396549 \\ \hline 132432521 \end{array}$$

11 Français (p. 14)

12 Français (p. 15)

13 Anglais (p. 16)

U	Z	A	A	X	Z	E	B	J	K	V	G	S	N	H
T	B	U	T	O	P	S	P	E	F	W	V	U	X	N
J	I	M	V	N	S	U	B	G	A	C	S	W	H	T
Y	B	A	L	L	O	O	N	U	K	C	V	B	I	M
T	A	O	B	I	G	H	L	J	Q	W	H	U	J	R
C	N	H	L	E	L	T	P	Q	P	L	S	W	F	Y
I	U	W	V	L	J	H	P	S	S	M	Z	A	W	X
P	G	S	R	P	Q	G	L	S	I	X	T	E	I	W
G	S	J	O	D	B	I	J	W	N	T	W	S	F	K
T	A	W	J	Y	R	L	S	X	G	I	I	P	G	P
I	N	H	R	C	A	G	Q	I	A	K	T	J	C	Y
A	D	E	S	C	X	R	D	T	Q	U	B	J	W	R
E	P	Z	O	I	O	Q	N	B	W	J	J	A	Q	B
F	B	F	T	E	F	I	A	O	L	N	V	T	N	E
W	I	M	R	J	D	H	P	V	L	E	T	P	B	F

14 Anglais (p. 16)

POOL · BEACH · WAVE
MOUNTAIN · SAND · SUMMER

15 Sciences (p. 17)

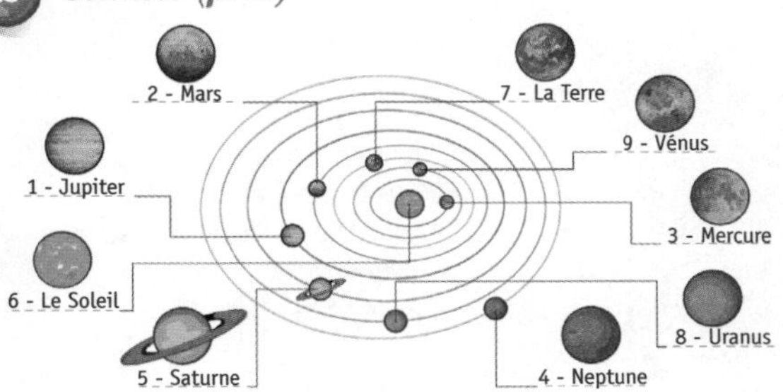

16 Français (p. 18)

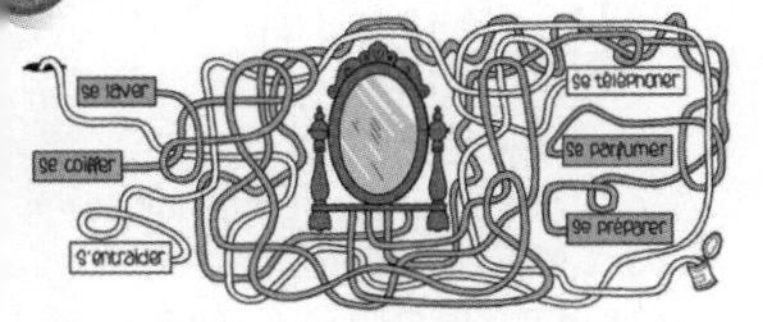

Les verbes pronominaux réfléchis sont donc : se laver, se coiffer, se préparer, se parfumer.

17 Français (p. 18)

1) b. 2) a. 3) b. 4) c. 5) b. 6) b. 7) b. 8) a.

18 Maths (p. 19)

$\frac{N}{D} < 1$

$\frac{N}{D} = 1$

$\frac{N}{D} > 1$

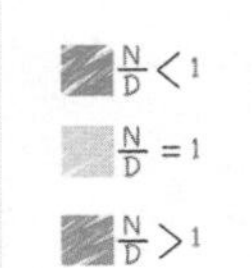

19 Maths (p. 19)

trois demis
cinq quarts
quatre sixièmes
deux tiers
un cinquième
Les premières représentations des fractions apparaissent vers 3000 avant J.-C. en : Mésopotamie.

20 Français (p. 20)

C'est	mon	dernier	jour	de	classe	à	l'école	élémentaire.			
L'an	prochain	je	serai	élève	dans	un	collège	proche	de	chez	moi.
Je	vais	profiter	au	mieux	de	mes	vacances.				

21 Français (p. 20)

Pendant	joueront	neige	nagèrent	hier	L'eau	de	à	vagues
Autour	les	avec	souvent	des	châteaux	sable	lui	samiftre
Le	vacances	dans	mange	grands	glaces	avec	mes	amis.
le	la	je	les	de	à	avec	des	pliathgdr
Sur	goûter	plage	enfants	construire	la	vanille	sur	coquillages.
Demain	mer	étoile	adorent	plouf	froide	pluie	tout	cailloux.

Pendant les vacances, je mange souvent des glaces à la vanille avec mes amis.
Sur la plage, les enfants adorent construire de grands châteaux de sable avec des coquillages.

22 Maths (p. 21)

Pour 30 Guimcakes, il faut : 600 g de chocolat noir, 450 g de pâte à tartiner au chocolat, 30 palets bretons (600 g) et 30 oursons en guimauve.

23 Français (p. 22)

C'est un(e) élève.

P	L	I	E	M	M	O	S	E
F	R	F	E	U	I	L	L	E
A	T	I	M	I	D	I	T	É
U	M	A	O	E	T	R	I	T
T	U	I	U	R	A	T	L	C
E	S	R	E	V	I	E	E	I
U	E	E	A	O	E	T	V	D
I	E	I	M	C	L	E	É	O
L	L	E	E	N	I	T	A	M
E	C	O	N	S	E	I	L	E

24 Français (p. 22)

le paysan / la paysanne
le coiffeur / la coiffeuse
le mouton / la brebis

25 Maths (p. 23)

Il fallait entourer les lettres E, J et H.
Les autres droites sont parallèles deux à deux : A-B ; C-F ; D-G ; I-K.

26 Maths (p. 23)

1) F
2) H
3) L

27 Français (p. 24)

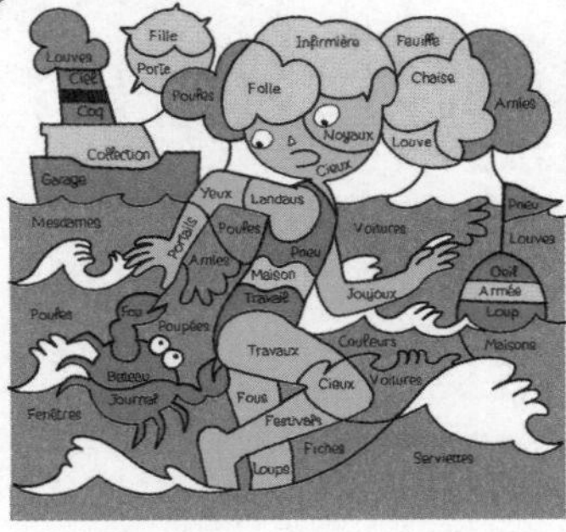

28 Histoire (p. 25)

- James Watt / la machine à vapeur (1769)
- les frères Michelin / le pneu (1894)
- Carl Benz / le moteur à explosion (1886)
- Alexandre Graham Bell / le téléphone (1876)
- Thomas Edison / l'ampoule électrique (1879)
- Joseph Nicéphore Niépce / la photographie (1827)
- Louis Pasteur / la pasteurisation (1863)

29 Anglais (p. 26)

30 Français (p. 27)

Le titre du poème est à vérifier par un adulte.

haut	cabossée
beau	léger
crique	dos
critique	radeau

Grand jeu de la ville (p. 28-29)

Mégapole

C	B	T	L	F	T	L	N	Y	E	U	E	T	I	C
B	H	D	W	T	A	G	P	R	S	R	H	M	V	H
B	V	A	A	C	K	Q	U	L	Q	B	T	E	Q	G
Q	F	I	U	S	W	T	F	T	N	A	N	G	U	Y
R	R	W	Z	S	I	E	C	S	P	I	S	M	K	B
Z	P	B	X	O	S	E	A	R	W	N	V	J	S	F
A	A	L	V	U	O	E	N	C	A	P	N	Y	S	A
E	R	E	U	R	L	O	E	O	U	R	L	P	H	M
L	K	Z	O	Y	Z	H	J	M	L	E	C	C	F	C
B	I	P	A	G	P	O	B	M	V	I	I	B	P	X
U	N	X	I	Z	R	L	P	U	S	E	E	T	I	L
E	G	O	L	C	K	C	W	N	Z	M	V	W	E	N
M	L	J	H	L	F	T	L	E	G	J	X	F	T	M
M	E	A	O	Q	L	J	G	T	A	H	S	S	O	G
I	O	K	Q	W	S	B	M	C	A	O	Y	W	N	I

Charades

- Autobus (o / tôt / bus).
- Population (pot / pue / la / scions).

Quiz

1) Paris
2) Paris
3) Tour Eiffel

Quand on arrive en ville

31 Maths (p. 30)

Il fallait repasser en violet la droite perpendiculaire à la droite qui est de couleur rouge.
Il fallait repasser en bleu la droite qui est perpendiculaire à la droite jaune.

32 Français (p. 31)

Lâchez du lest !
On va trop vite !
Qui ronfle là-haut ?
Je prends les commandes.

33 Français (p. 31)

Elle se termine par « ? » / interrogative
Elle exprime un sentiment / exclamative
Elle exprime un fait / déclarative
Elle donne un ordre / impérative

34 Français (p. 32)

35 Sciences (p. 33)

b) 15 h 47

36 Sciences (p. 33)

Paris, bien que géographiquement dans la zone du méridien de Greenwich, appartient au fuseau horaire +1. La Nouvelle-Calédonie est dans la zone +11. Il y a donc 10 h de décalage entre les deux villes et il est 7 h du matin de la journée suivante à Nouméa lorsqu'il est 21 h à Paris.

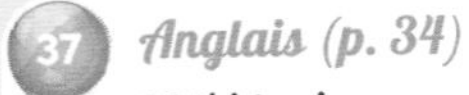

37 Anglais (p. 34)

36 thirty-six
21 twenty-one
72 seventy-two
47 fourty-seven
654 six hundred and fifty-four
137 one hundred and thirty-seven
64 sixty-four
95 ninety-five

38 Anglais (p. 34)

			16	S	I	X	T	E	E	N
5	F	I	V	E						
11	E	L	E	V	E	N				
	20	T	W	E	N	T	Y			
		1	O	N	E					

Le célèbre agent secret britannique porte le numéro seven, c'est-à-dire 7 et plus précisément 007. Son nom est Bond, James Bond !

39 Maths (p. 35)

3 cm = 30 mm = 0,03 m
19 km = 190 hm = 19 000 m = 19 000 000 mm
47 dam = 470 m = 47 000 cm = 4,7 hm = 0,47 km

40 Maths (p. 35)

1) 0,3 km + 54 dam + 6 135 dm + 4 738 mm = 1 458 238 mm
2) 1 003 m + 2 hm + 1 848 dm + 29 056 mm = 1 416 856 mm
3) 14 hm + 17 m + 94 cm + 87 mm = 1 418 027 mm
Le plus court chemin est donc le b.

41 Français (p. 36)

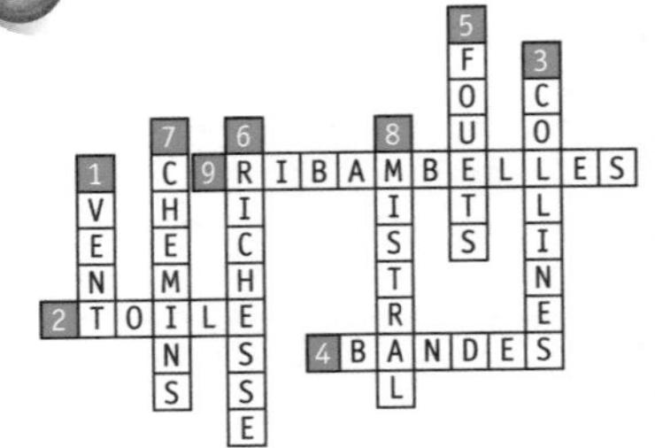

42 Géographie (p. 37)

43 Français (p. 38)

- On ne peut pas venir avec son chien.
- On n'a plus le droit de porter de short.
- Il ne faut pas fumer.
- Il ne faut pas marcher avec des chaussures.
- On ne doit jamais pousser.
- On ne doit rien jeter par terre.
- On ne doit pas utiliser de matelas.
- On ne peut pas se baigner sans bonnet.
- On ne doit jamais courir.

44 Sciences (p. 39)

1-E énergie nucléaire
2-B énergie hydraulique
3-G énergie géothermique
4-A énergie éolienne
5-D énergie de la biomasse
6-F énergie fossile
7-C énergie solaire

Anglais (p. 40)

CNKOGHM = DOLPHIN (dauphin)
KHNM = LION (lion)
SHFDQ = TIGER (tigre)
GNQRD = HORSE (cheval)
YDAQZ = ZEBRA (zèbre)
DKDOGZMS = ELEPHANT (éléphant)
LNMJDX = MONKEY (singe)
DZFKD = EAGLE (aigle)
RMZJD = SNAKE (serpent)
ROHCDQ = SPIDER (araignée)
ADZQ = BEAR (ours)

46 Maths (p. 41)

Qu'est-ce qui est le plus lourd ? Un kilogramme de plomb ou mille grammes de plumes ?
Les deux ont la même masse !

47 Maths (p. 41)

chien	35 000 g
souris	250 000 mg
crocodile	780 000 g
baleine bleue	100 000 kg
éléphant	470 000 hg
rhinocéros	2 500 000 dag
hippopotame	32 000 000 dg
girafe	1 500 kg

48 Français (p. 42)

Expédition
sorties, Inès
• Le texte parle de deux filles.
La première fois
combinaison, ceinture lestée, bouteille, détendeur, profondimètre, corail, masque, palmes
• Michel a pratiqué la plongée sous-marine pour la première fois.
Un beau métier
feuille, mots, page, aventure, idées, papier, plume, fin
• Le texte parle du métier d'écrivain.

49 Histoire (p. 43)

D) août 1914 : début de la guerre.
B) septembre 1914 : les taxis de la Marne.
H) juillet 1916 : la bataille de la Somme.
C) août 1916 : la bataille de Verdun.
G) février 1917 : entrée en guerre des USA.
A) octobre 1917 : la Révolution russe.
E) mars 1918 : les Russes cessent le combat.
F) 11 novembre 1918 : l'Armistice.

50 Maths (p. 44)

51 Français (p. 45)

Chaque année, les animateurs de la colonie de vacances organisent un concours.
Cette fois, ils ont choisi comme thème : « les châteaux de sable ».
Les enfants ont donc besoin pour réaliser leur construction : de pelles, de râteaux, de seaux, et de sable bien sûr !
Qui sera le vainqueur ? Celui qui aura fait le plus gros château ou celui qui aura le plus de détails tracés dans le sable ?
Mais prenez garde... La mer monte !

52 Français (p. 45)

Les parenthèses !

53 Français (p. 46)

54 Maths (p. 47)

À vérifier avec un adulte.

55 Maths (p. 47)

La bonne reproduction est la figure 5.

56 Maths (p. 48)

													1
							2						6
							3						0
			5		**3**	1	4	8	0	0	6	3	5
4	3	6	8	5			9				**6**		0
			0						**8**		7		0
7	9	5	0	7	8				7		4		0
			0						7		8		0
9	6	0	1	3			**10**	8	2	7	3	9	0
			7						0		1		4
	11	9	0	0	2	4	0	1	0	0			
			0						9				
			0	**12**	2	1	4	5	6	3	1		

57 Maths (p. 48)

Un milliard deux cents millions.

58 Maths (p. 49)

9 327 608 154

59 Maths (p. 49)

milliards			millions			mille			unités simples		
c centaines	d dizaines	u unités	c centaines	d dizaines	u unités	c centaines	d dizaines	u unités	c centaines	d dizaines	u unités
					4	0	0	2	5	7	9
			9	0	0	0	1	1	0	0	1
						8	8	9	9	9	8
				3	2	1	4	5	6	7	8

• 4 002 579 : quatre millions deux mille cinq cent soixante-dix-neuf
• 900 011 001 : neuf cents millions onze mille un
• 889 998 : huit cent quatre-vingt-neuf mille neuf cent quatre-vingt-dix-huit
• 32 145 678 : trente-deux millions cent quarante-cinq mille six cent soixante-dix-huit

Grand jeu de la mer (p. 50-51)

Bon bain

Bonne glisse

Sécurité
Pour se baigner en toute sécurité, **il faut se rendre sur une plage surveillée quand le drapeau est vert.**

60 Français (p. 52)

Les adjectifs de couleur s'accordent avec le nom sauf lorsqu'ils font référence à un nom commun.

61 Français (p. 52)

Les adjectifs qui ne s'accordent pas sont les suivants :
turquoise, olive, pistache, pêche, marron, orange, prune, saumon, émeraude.

62 Maths (p. 53)

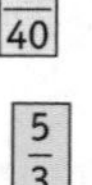
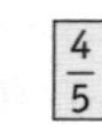

$\frac{60}{50}$ $\frac{20}{12}$ $\frac{4}{28}$ $\frac{32}{40}$ $\frac{18}{36}$

$\frac{1}{7}$ $\frac{1}{2}$ $\frac{6}{5}$ $\frac{5}{3}$ $\frac{4}{5}$

63 Maths (p. 53)

$$\frac{8}{3} = \frac{6}{3} + \frac{2}{3} = 2 + \frac{2}{3}$$

$$\frac{9}{5} = \frac{5}{5} + \frac{4}{5} = 1 + \frac{4}{5}$$

$$\frac{42}{8} = \frac{40}{8} + \frac{2}{8} = 5 + \frac{2}{8}$$

$$\frac{55}{9} = \frac{54}{9} + \frac{1}{9} = 6 + \frac{1}{9}$$

64 Histoire (p. 54)

CASQUE
BAIONNETTE

CAPOTE
BRODEQUINS
JAMBIERES
FUSIL
MUSETTE

65 Histoire (p. 54)

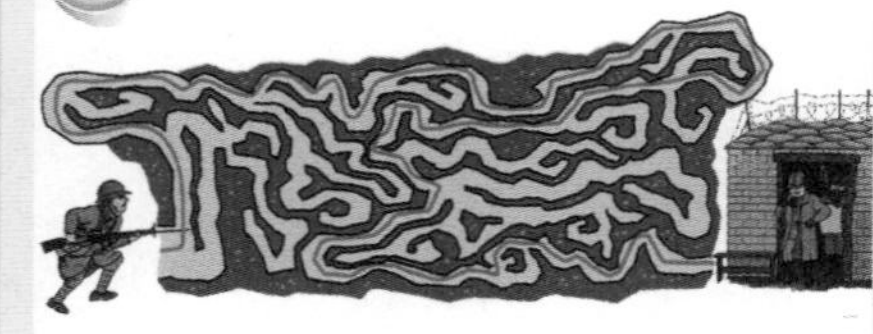

66 Histoire (p. 55)

L'expression « **gueules cassées** », inventée par le Colonel Picot, premier président de l'*Union des Blessés de la Face et de la Tête*, désigne les survivants de la Première Guerre mondiale ayant subi une ou plusieurs blessures au combat notamment au niveau du visage.
À la fin de la Grande Guerre, le nombre total de morts s'élevait à 9 millions dont plus de 2 millions d'Allemands, presque 1,5 million de Français, 1,8 million de Russes, 750 000 Britanniques et 650 000 Italiens. Proportionnellement à sa population, la France est le pays où les pertes ont été les plus importantes.

67 Maths (p. 56)

Amielle : 3/10
Abby : 4/5 = 8/10
Abel : 1/2 = 5/10
C'est Abby qui a le plus rempli son tonneau.

68 Maths (p. 56)

69 Français (p. 57)

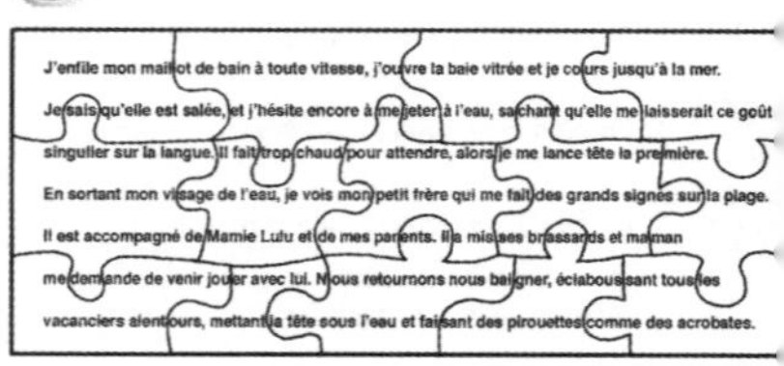

J'enfile mon maillot de bain à toute vitesse, j'ouvre la baie vitrée et je cours jusqu'à la mer. Je sais qu'elle est salée, et j'hésite encore à me jeter à l'eau, sachant qu'elle me laisserait ce goût singulier sur la langue. Il fait trop chaud pour attendre, alors je me lance tête la première. En sortant mon visage de l'eau, je vois mon petit frère qui me fait des grands signes sur la plage. Il est accompagné de Mamie Lulu et de mes parents. Il a mis ses brassards et maman me demande de venir jouer avec lui. Nous retournons nous baigner, éclaboussant tous les vacanciers alentours, mettant la tête sous l'eau et faisant des pirouettes comme des acrobates.

Dans l'ordre : 5, 1, 2, 4, 10, 6, 3, 8, 9, 11, 7

70 Maths (p. 58)

A) neuf hectomètres / A x 4 = 3 600 m
B) quatre-vingt-cinq centimètres
C) quatre-vingt-dix-sept centimètres
périmètre = (B + C) x 2 = 364 cm = 3 640 mm

71 Maths (p. 58)

- P = 36 m / P = c x 4 / 9 m
- P = 38 m / P = (L + l) x 2 / 7 m et 12 m
- P = 38 m / P = a + b + c + d + e + f + g + h + i + j + k + l + m + n / 3 + 1 + 5 + 2 + 3 + 1 + 2 + 3 + 4 + 1 + 4 + 2 + 4 + 3

72 Français (p. 59)

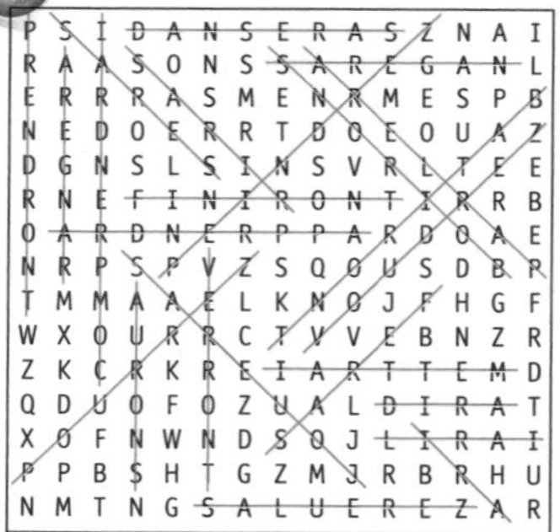

P S I D A N S E R A S Z N A I
R A A S O N S S A R E G A N L
E R R R A S M E N R M E S P B
N E D O E R R T D O E O U A Z
D G N S L S I N S V R L T E E
R N E F I N I R O N T I R R B
O A R D N E R P P A R D O A E
N R P S P V Z S Q O U S D B R
T M M A A E L K N O J F H G F
W X O U R R C T V V E B N Z R
Z K C R K R E I A R T T E M D
Q D U O F O Z U A L D I R A T
X O F N W N D S O J L I R A I
P P B S H T G Z M J R B R H U
N M T N G S A L U E R E Z A R

73 Maths (p. 60)

Il fallait relier entre elles les fractions décimales et parties entières suivantes :
400/10= 40
857 000/100 = 8 570
530/10 = 53
85 000/1 000 = 85
835 600/10 = 83 560
98 700/100 = 987
6 350/10 = 635
759 000/1 000 = 759

Solutions

74 Maths (p. 61)

A- 1
B- 3
C- 6

75 Maths (p. 61)

L'aire de cette figure est égale au produit de 14 carreaux sur 2 carreaux.

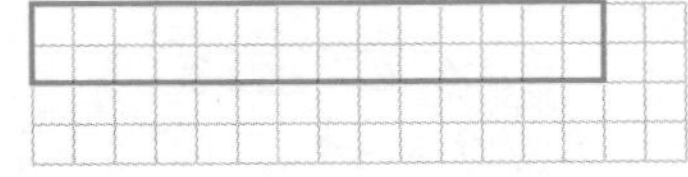

76 Maths (p. 62)

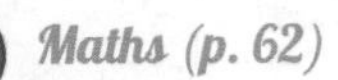

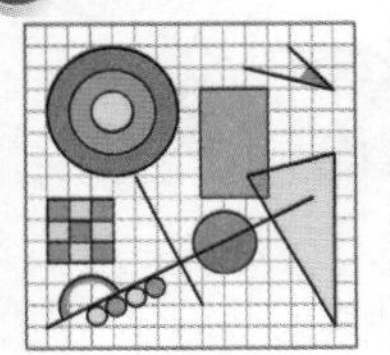

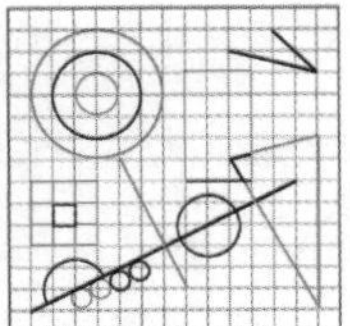

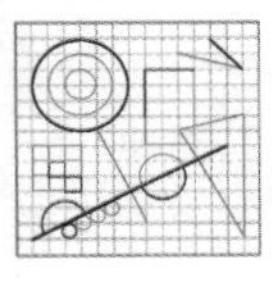

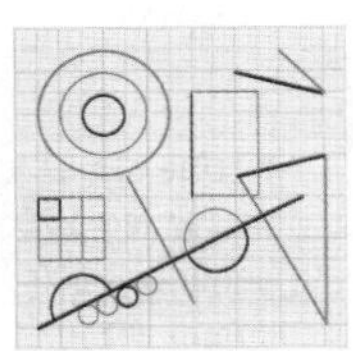

77 Français (p. 63)

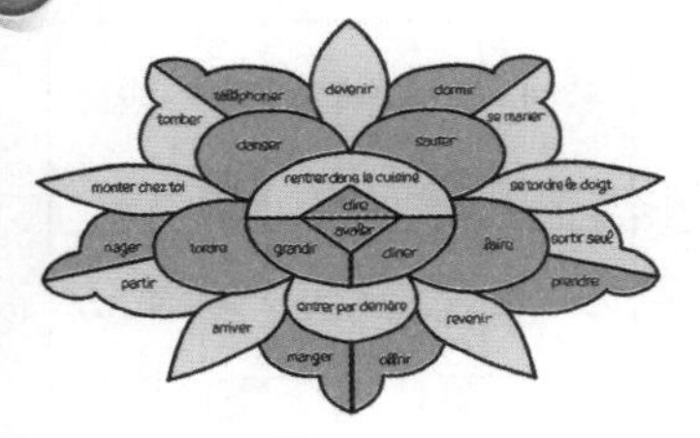

78 Français (p. 63)

Il est parti / Tu as perdu / J'ai pris / Ils sont allés
Nous avons assuré / J'ai gagné / Elles sont revenues / Nous avons bu
Elle a fait / Vous êtes tombés / Tu as dormi / Tu as grandi

79 Français (p. 64)

80 Géographie (p. 65)

81 Français (p. 66)

Dix ans que nous ne sommes pas rentrés dans notre village du Nord. Le papa est chargé de ranger les bagages, la mère est occupée à préparer les sandwichs. Toutes les valises sont attachées ensemble sur la galerie. Zita la petite chienne est montée à l'arrière entre les deux enfants qui sont assis sagement. Nikita était confortablement installée pour dévorer son roman lorsque son petit frère s'est jeté sur elle pour lui faire un câlin. La chienne est immédiatement allée se réfugier sur les genoux de la maman. Comme il y a peu de voitures sur la route, le père pense qu'ils seront arrivés rapidement.

82 Français (p. 67)

Les acteurs ont mémorisé cette scène.
Il aime les jeux que nous avons inventés.
Ces filles avaient écouté une histoire.
Voici les fleurs que j'ai cueillies.
Ces livres, je les ai lus.
Les voitures que nous avions achetées.
Le garçon a gagné la course.
Tu as écrit cette lettre.
Le mobile que nous avions suspendu.
Vous aviez fait des courses.
Regarde les flammes qui ont surgi.
Jette les bouteilles que tu as bues.
Ces personnes, vous les aviez attendues.
Tous les jours, elles ont joué au calme.

83 Français (p. 68)

Le célèbre petit port est celui de Saint-Tropez.

84 Maths (p. 69)

3 x 49 x 21 x 4 = 12 348
5 x 2 x 15 x 36 = 5 400
8 x 7 x 17 x 19 = 18 088
Le chemin le plus court est le jaune.

85 Maths (p. 69)

256	494	975
× 29	× 32	× 35
2304	988	4875
5120	14820	29250
7424	15808	34125

Grand jeu de la campagne (p. 70-71)

Le bon air

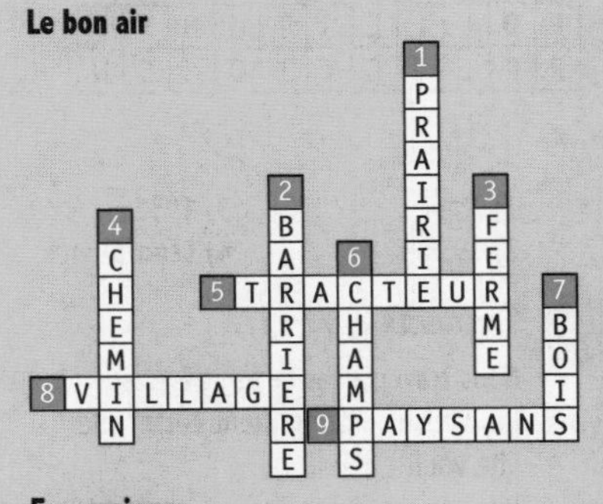

Expressions
Mettre la charrue avant les bœufs.
Prendre le taureau par les cornes.
Passer du coq à l'âne.
Chargé comme une mule

Mot caché

Le mot vertical est : paysage.

		P	O	R	C											
		A	R	B	R	E										
P	A	Y	S	A	N	N	E									
		S	A	P	I	N										
		A	R	R	O	S	E	R								
		G	A	R	D	E	C	H	A	M	P	E	T	R	E	
		E	L	E	V	E	U	R								

86 Maths (p. 72)

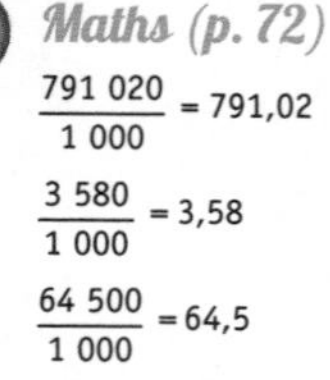

$\frac{791\ 020}{1\ 000} = 791{,}02$

$\frac{3\ 580}{1\ 000} = 3{,}58$

$\frac{64\ 500}{1\ 000} = 64{,}5$

$\frac{582}{1\ 000} = 0{,}582$

$\frac{3\ 786\ 159}{1\ 000} = 3\ 786{,}159$

87 Maths (p. 72)

25,687 | 1 325,009 | 0,815

88 Histoire (p. 73)

C'est le charleston.

E	L	E	C	T	R	I	C	I	T	E
I	E	S	I	M	N	C	H	E	S	M
R	U	I	N	O	A	O	R	T	T	O
E	R	R	E	D	C	I	R	E	A	N
S	O	C	M	E	A	H	R	F	C	D
L	P	E	A	L	Z	Z	A	J	I	I
S	E	R	U	T	A	T	C	I	D	A
S	A	P	O	I	D	A	R	S	N	L
F	O	L	L	E	S	T	O	N	Y	E
P	E	L	E	C	T	I	O	N	S	N

89 Histoire (p. 73)

1) Italie
2) 1936
3) 1931
4) Léon Blum

90 Français (p. 74)

Nous traversâmes la frontière.
Les voisines atteignirent cette ville.
Elle voulut un cheval.
Benjamin prit son temps.
Tu partis très vite.
Vous eûtes de la chance.
Je longeai le fleuve.

91 Français (p. 74)

lancèrent
partis
finîtes
connurent
tins
prîmes
aperçut
La célèbre tour de Pise se trouve en Italie.

92 Français (p. 75)

À fabriquer avec l'aide d'un adulte.

93 Maths (p. 76)

Je suis la figure D et mon aire est de $55 \times 20 = 1\ 100\ mm^2$.

94 Maths (p. 76)

C1) $\mathscr{A}_{c1} = c \times c = 18 \times 18 = 324\ dm^2$
C2) $\mathscr{A}_{c2} = c \times c = 6{,}4 \times 6{,}4 = 40{,}96\ cm^2$
R1) $\mathscr{A}_{r1} = L \times l = 14 \times 6 = 84\ dam^2$

95 Maths (p. 77)

Au centième jour, le puits contient 100 000 Litres x 2 = 200 000 Litres.

96 Maths (p. 77)

biberon et seringue = mL
canette et gourde = cL
bouteille de lait et arrosoir = L
jerrican = daL
tonneau = hL

97 Français (p. 78)

1) b
2) a
3) b
4) c
5) b
6) c

98 Français (p. 78)

casser les pieds (F) / ennuyer quelqu'un (P)
geler les pourparlers (F) / arrêter les négociations (P)
donner sa langue au chat (F) / vouloir connaître la réponse (P)
avoir un cheveu sur la langue (F) / zozoter (P)

99 Anglais (p. 79)

père / father
mère / mother
papa / daddy
maman / mum
frère / brother
sœur / sister
oncle / my mother brother's : uncle
tante / my father sister's: aunt
grand-père / grandfather
grand-mère / grandmother
papy / grandpa
mamie / grandma
fils / son
fille / daughter

100 Anglais (p. 79)

Voici un groupe de 7 enfants.
Paul n'a que deux sœurs. Marguerite a deux frères.
Pierre et son frère Jean ont deux sœurs.
Élise a une sœur et deux frères.
Anne et sa sœur Charlotte ont chacune un frère et une sœur.
Voici comment se composent les deux familles :
- Anne, Charlotte et Paul
- Pierre, Jean, Élise et Marguerite

101 Français (p. 80)

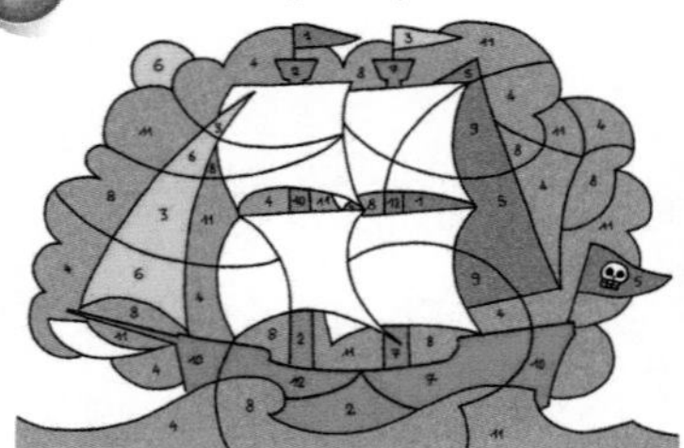

102 Maths (p. 81)

1) $1{,}5\ dm^3$
2) $12\ dm^3$
3) $250\ cm^3$
4) $100\ m^3$
5) $8{,}1\ m^3$
6) $920\ 000\ cm^3$

103 Maths (p. 81)

piscine olympique = $3\ 750\ 000\ dm^3$
baignoire = $200\ dm^3$
pétrolier = $600\ 000\ m^3$
citerne = $240\ 000\ dm^3$

104 Maths (p. 82)

351,9	+	134,74	=	486,64
+		+		+
798,946	+	97,576	=	896,522
=		=		=
1 150,846	+	232,316	=	1 383,162

105 Maths (p. 82)

```
  374,8
+ 157,21
  532,01
```

```
  406,53
+ 154,35
  560,88
```

```
  259,369
   54,02
+ 278,741
  592,130
```

106 Sciences (p. 83)

107 Sciences (p. 83)

108 Maths (p. 84)

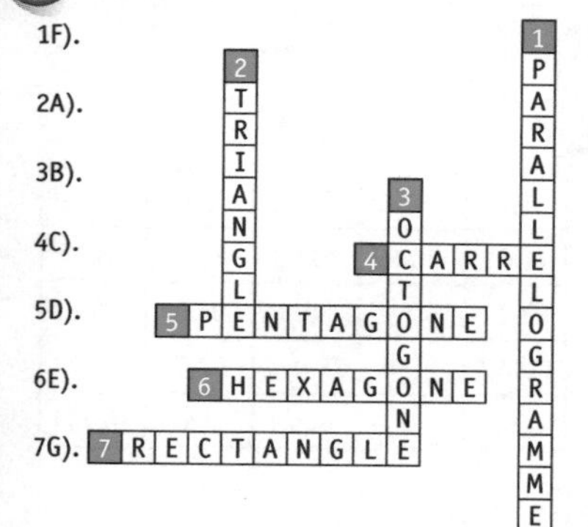

109 Maths (p. 85)

C'est un carré qui mesure quatre carreaux de côté alors que pour le rectangle, la longueur est de dix carreaux et la largeur de cinq carreaux.
Il faut colorier les figures 3 et 8.

110 Français (p. 86)

courant / familier / soutenu
chaussures / pompes / brodequins
maison / baraque / demeure
vêtements / fringues / habits
crier / gueuler / vociférer
s'évanouir / tomber dans les pommes / se pâmer

111 Français (p. 86)

C'est fastoche de s'éclater en vacances, on oublie le boulot et on se vide la tête.
Traduction :
C'est facile de s'amuser en vacances, on oublie le travail et on ne pense à rien.

112 Sciences (p. 87)

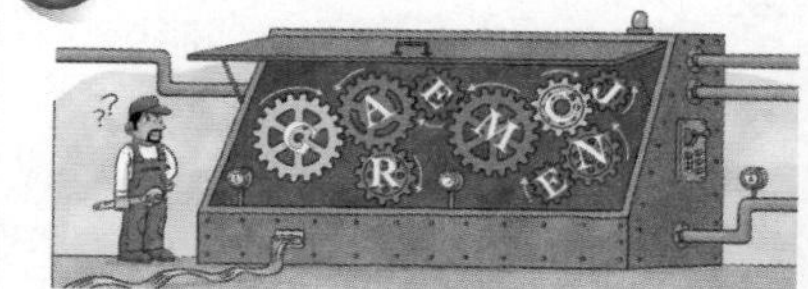

C'est la Grèce.

113 Sciences (p. 87)

1 pignons et chaîne
2 roue dentée et crémaillère
3 poulies et courroies
4 bielle et manivelle

114 Maths (p. 88)

38 x 10 = 380
15,236 x 100 = 1 523,6
643 x 1 000 = 643 000
0,1 x 1 000 = 100
9,2 x 100 = 920
41,8 x 10 = 418

115 Maths (p. 88)

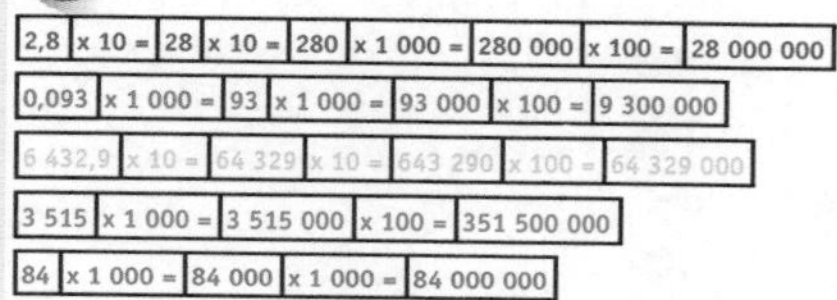

2,8	x 10 =	28	x 10 =	280	x 1 000 =	280 000	x 100 =	28 000 000
0,093	x 1 000 =	93	x 1 000 =	93 000	x 100 =	9 300 000		
6 432,9	x 10 =	64 329	x 10 =	643 290	x 100 =	64 329 000		
3 515	x 1 000 =	3 515 000	x 100 =	351 500 000				
84	x 1 000 =	84 000	x 1 000 =	84 000 000				

9 300 000 / 28 000 000 / 64 329 000 / 84 000 000 / 351 500 000
Le cheval gagnant est celui portant la couleur rose.

116 Français (p. 89)

Grand jeu des véhicules (p. 90-91)

Code de la route

Pilote de course

circuit de la moto rouge :
8 + 5 + 3 + 9 + 17 = 42
circuit de la moto jaune :
2 + 6 + 13 + 12 + 7 = 40
circuit de la moto violette :
1 + 9 + 4 + 15 + 8 = 37
Le concurrent qui a marqué le plus de points est celui avec la moto rouge.

Tomber dans le panneau

route prioritaire

vitesse minimale obligatoire

sens interdit

limitation de vitesse

stationnement interdit

117 Maths (p. 92)

24 h = 1 440 min
299 min = 4 h 59 min
1 h = 3 600 s
2 h = 120 min
1 j 1 h 1 min 1 s = 90 061 s
2 j 121 h 34 min = 10 174 min

118 Maths (p. 92)

Paul roule en moto – 5 h 17 min 28 s = 19 028 s.
Gérard est en voiture – 294 min 54 s = 17 694 s.
Raoul navigue en bateau – 317 min 49 s = 19 069 s.
Le trajet qui permet d'atteindre le plus rapidement l'arrivée est celui de Gérard.

119 Maths (p. 93)

JANVIER : l'armistice n'est pas le 1er janvier mais le 8 mai. FÉVRIER : il ne comporte que 28 ou 29 jours mais pas 30. MARS : Mardi 11. Il manque la date du jeudi 27. AVRIL : le printemps n'est pas le 1er avril. Les numéros des semaines 14 et 17 sont à intervertir. MAI : s'écrit sans s et comporte 31 jours. JUIN : 9L, 10M, 11M, 12J, 13V, 14S. Fête de la musique le 21. JUILLET : la Fête Nationale est le 14 et non le 15.

120 Français (p. 94)

Il s'agit du verbe user conjugué à l'imparfait à la troisième personne du pluriel : usaient.

T	N	E	I	A	E	G	N	A	M	C
U	F	A	I	S	A	I	T	V	Z	O
S	Z	E	I	N	E	R	P	A	E	U
A	E	T	I	O	N	S	I	I	I	R
L	A	V	A	I	S	E	N	T	I	A
S	I	A	S	S	I	N	U	E	R	I
T	T	N	E	I	A	U	O	J	Ç	S
T	N	E	I	A	D	R	A	G	E	R
R	O	U	G	I	S	S	I	O	N	S

121 Français (p. 94)

tu répondais
il parlait
vous voliez
elles gâchaient

122 Anglais (p. 95)

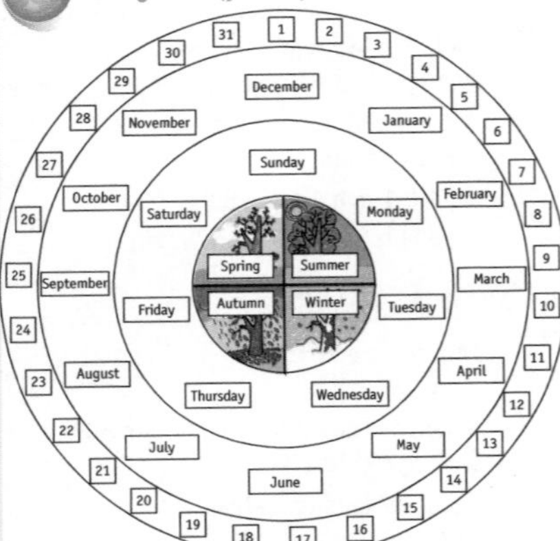

123 Français (p. 96)

des cerfs-volants
des aide-mémoire
ces arcs-en-ciel

124 Français (p. 96)

des garde-meubles
les abat-jour
ses coupe-vent
les compte-gouttes
des haut-parleurs

125 Sciences (p. 97)

1) filament
2) culot
3) plot
4) ampoule de verre
5) fil de conduction

L'inventeur est Edison.

126 Sciences (p. 97)

Les fils qui sont correctement placés pour allumer les ampoules sont les couples suivants :
B-C, D-E et I-G.

127 Maths (p. 98)

	E↓	I↓	A↓	C↓	G↓
F→	9	6	1	1	3
	B→	6	8	5	8
J→	1	3	5	4	4
		0	H→	3	6
K→	1	0	D→	9	4

Les congés payés en France datent de 1936.

128 Histoire (p. 99)

Général De Gaulle

Adolf Hitler

Maréchal Pétain

Benito Mussolini

Jean Moulin

129 Histoire (p. 99)

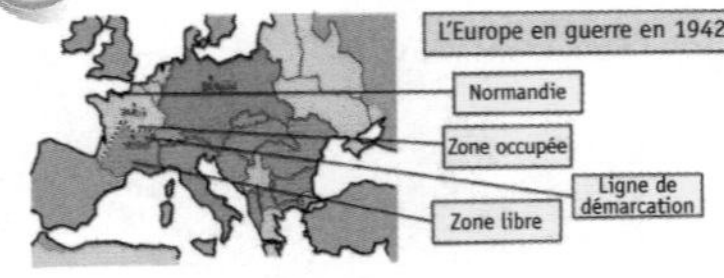

130 Français (p. 100)

C'est pour mardi gras qu'elle se déguise.
Mon voisin s'est souvenu de mon anniversaire.
L'image s'est formée à l'écran.
Dans cette cabane, c'est moi le chef !
La glace, c'est si bon !

131 Français (p. 100)

C'est pas la mer à boire.
C'est pas demain la veille.
C'est une autre paire de manches.

132 Maths (p. 101)

Les chemins reliaient les paires suivantes :

$$\frac{14}{8} + \frac{3}{8} = \frac{17}{8}$$

$$\frac{25}{9} - \frac{7}{9} = \frac{18}{9}$$

$$\frac{36}{8} + \frac{15}{8} = \frac{51}{8}$$

$$\frac{142}{12} - \frac{71}{12} = 5 + \frac{11}{12}$$

133 Maths (p. 102)

134 Maths (p. 102)

1,7	4,196	35,007	30	21,01
71,71	38,8	102,9	38,9	28,07
63,71	36,666	39,5	40,001	35,8
1234,1	100	38,024	38,7	0,97
6,61	12,6	34,99	15	38,714

135 Sciences (p. 103)

Dans le dessin du bas, il y a plus de pollution à cause des éléments suivants :

- un avion dans le ciel
- des voitures
- des immeubles
- un bus
- un camion
- des cheminées qui fument
- un train
- un scooter des mers

136 Maths (p. 104)

4 h 2 6 min 0 5 s

3 h 4 1 min 3 s

137 Maths (p. 104)

Concert classique = 3 h 07 min
Théâtre = 3 h 10 min
Cirque = 3 h 15 min

138 Français (p. 105)

Les voitures passent quand la barrière se lève.
Paulo a fini la course quant aux autres, ils ont abandonné.
L'ours ronfle quand il dort.
Il aime la vanille quant à sa femme elle préfère le café.
Vous pourriez quand même me donner un coup de main.
Tu veux être pompier, quant aux jumeaux, ils rêvent d'être policiers.
Elisa n'est bien que quand elle est avec sa mère.
Josepha danse à merveille quant à moi, je ne suis pas doué.

139 Français (p. 106)

140 Français (p. 106)

le bouchon / le : je le retire.
des bonbons / en : j'en mange.
cette image / l' : je l'imagine.
la voiture / la : je la conduis.
ces chapeaux / les : je les vends.

141 Maths (p. 107)

Il fallait barrer les ombres 1, 2, 4 et 5.

142 Maths (p. 107)

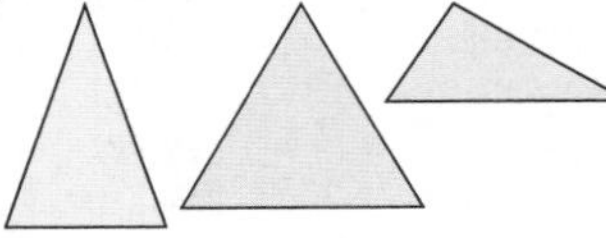

143 Anglais (p. 108)

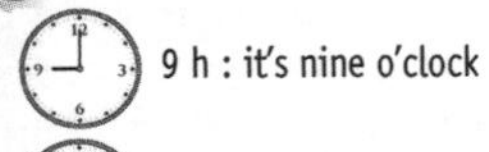

9 h : it's nine o'clock
10 h 15 : it's a quarter past ten
13 h 30 : it's half past one (pm)
16 h 20 : it's twenty past four (pm)
18 h 30 : it's half past six (pm)
19 h 45 : it's forty-five past seven (pm)
minuit : it's midnight

144 Anglais (p. 108)

C-2 it's half past nine
D-1 it's ten o'clock
A-5 it's a quarter past eleven
B-3 it's midday
E-4 it's one o'clock (pm)

145 Maths (p. 109)

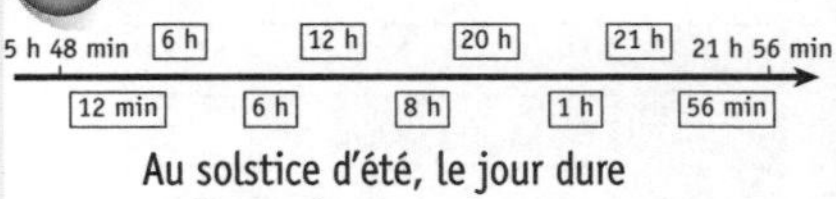

Au solstice d'été, le jour dure 16 h 08 min.

146 Maths (p. 109)

- Le prochain bus passera à 7 h 50 min.
- Sophie arrivera au collège à 10 h 30 min.
- L'émission dure 1 h 15 min.

147 Français (p. 110)

1. V / 2. V / 3. F (leur) / 4. F (leur) / 5. V / 6. V.

148 Français (p. 110)

Leur (pronom) = 5 + 6 + 6 + 3 = 20
Leur (adjectif singulier) = 7 + 5 + 9 = 21
Leur (adjectif pluriel) = 4 + 8 + 5 = 17
Le vainqueur est l'équipe Leur (adjectif singulier).

149 Géographie (p. 111)

agriculture
automobile
informatique
construction navale
pêche
santé

150 Géographie (p. 111)

Il fallait entourer les ombres représentant les métiers suivants : chercheur B, coiffeur C, garagiste D, balayeur E, serveur G, pompier H, couturière I, médecin K.

Grand jeu des métiers (p. 112-113)

Au boulot

R	M	A	R	I	N	C	P	M	X	X	L	R	A	V
G	E	J	V	T	N	S	H	A	P	V	P	E	R	E
U	O	S	Z	R	E	T	O	C	O	G	L	I	U	T
I	U	R	T	R	C	F	T	O	M	V	A	L	E	E
D	B	C	V	A	B	R	O	N	P	N	G	E	I	R
E	K	E	N	S	U	I	G	M	I	D	I	T	N	I
D	U	O	R	E	Z	R	R	M	E	U	S	O	E	N
R	G	V	S	U	S	K	A	H	R	D	T	H	G	A
K	F	N	F	X	E	T	P	T	O	H	E	D	N	I
Q	A	Z	Y	K	E	T	H	E	E	T	R	C	I	R
D	Q	J	U	U	K	T	E	K	T	U	E	F	I	E
Q	F	W	R	Y	Z	V	R	V	K	O	R	S	T	N
R	E	I	N	I	S	I	U	C	U	G	L	E	S	R
V	E	N	D	E	U	S	E	S	N	A	Q	I	Y	E
P	R	O	F	E	S	S	E	U	R	L	S	O	P	L

Job d'été

serveur manœuvre glacier plagiste caissière

S.O.S.

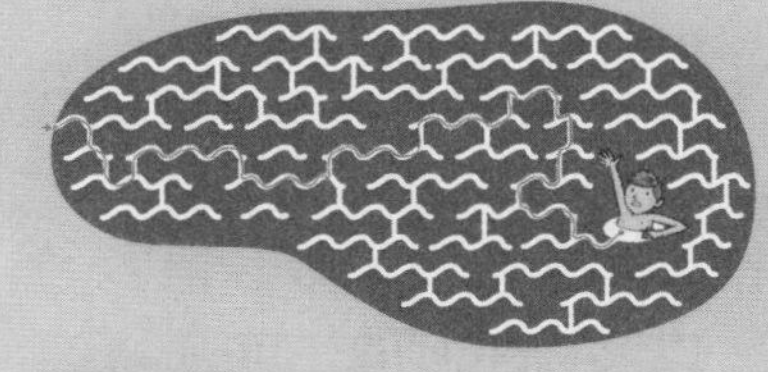

Métier caché

G	L	A	C	E		
G	L	A	Ç	O	N	
G	L	A	C	E	R	
G	L	A	C	I	E	R
G	L	A	C	I	A	L
G	L	A	Ç	A	G	E
G	L	A	C	I	E	R	E

151 Français (p. 114)

1) Mathias reviendrait
2) Paulo et toi gagneriez
3) Mélissa et Anaïs rigoleraient
4) Je finirais
5) Tristan et moi bâtirions
6) Tu boirais

152 Français (p. 114)

C'est une goélette.

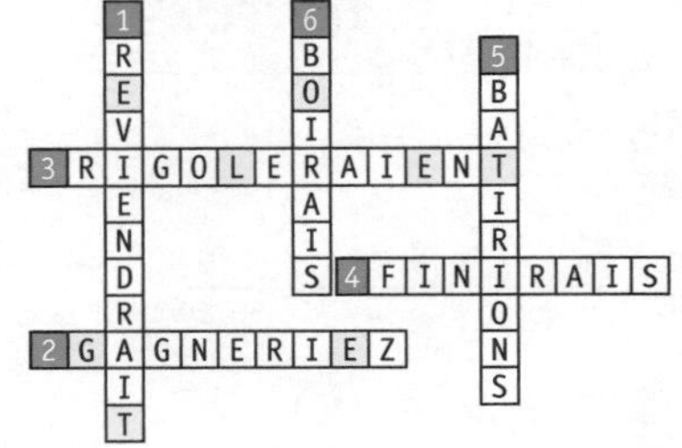

Maths (p. 115)

326 ÷ 10 = 32,6
1,74 ÷ 1 000 = 0,00174
235 000 ÷ 10 = 23 500
65 ÷ 100 = 0,65
579 321,8 ÷ 1 000 = 579,3218

Maths (p. 115)

Julia a parcouru 98 km pour rejoindre son lieu de vacances.

1	2	4	0	9	8
5	3	2	6	0,	7
7	9	1	5	1	4
8	4	0	2	4	2
6	5	0	0	3	,9
0	0	0	0	7	5

Français (p. 116)

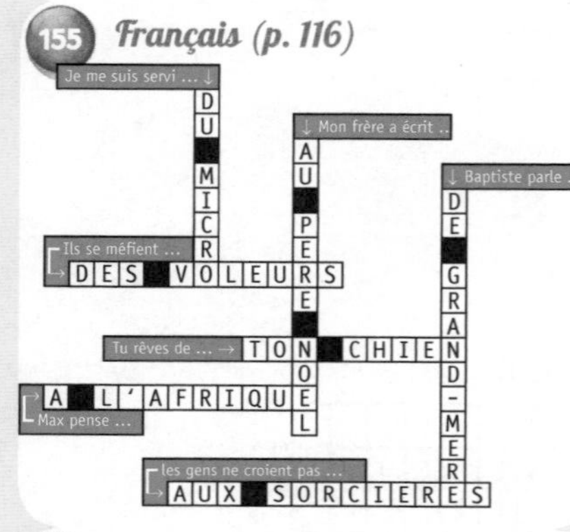

Maths (p. 117)

bouée canard = 15 €-20 % = 12 €
masque + tuba = 20 €-15 % = 17 €
lunettes de soleil = 53 €-50 % = 26,50 €
maillot de bain garçon = 14 €-25 % = 10,50 €
chapeau = 7 €-5 % = 6,65 €
maillot de bain fille = 19 €-30 % = 13,30 €
serviette de plage = 18 €-35 % = 11,70 €
sandales = 11 €-10 % = 9,90 €
palmes = 36 €-45 % = 19,80 €
casquette = 15 €-40 % = 9 €

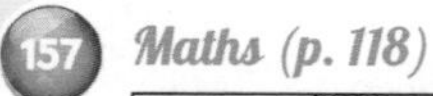

Maths (p. 118)

13 862,395	25 064,147	28 213,697
25 377,65	2 047,902	3 149,55
11 814,493	20 221,74	21 272,532
5 155,91	25 472,51	4 199,978

Maths (p. 118)

```
  2 4 0 8 2 , 0 3
+   2 0 9 7 , 5 7 6
-------------------
  2 1 9 8 4 , 4 5 4
```

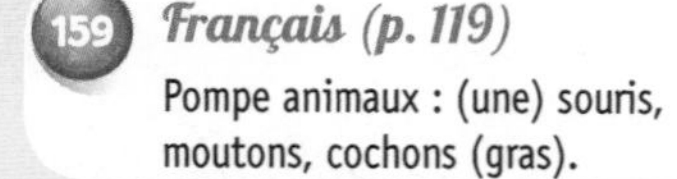

Français (p. 119)

Pompe animaux : (une) souris, moutons, cochons (gras).
Pompe objets : (cinquième) tasse, (la) souris, d'assiettes.
Pompe personnes : (quels) moutons, avocat, (des) cochons.
Pompe autres : (la) tasse, d'avocats, assiette.

Français (p. 119)

opéra	Animal au poil épais et frisé.
	Gâteau au chocolat.
	Moyen d'agir sur quelqu'un.
	Point d'accroche en escalade.
mouton	Mouvement de judo.
	Flocon de poussière.
	Scène filmée au cinéma.
	Action de prendre.
prise	Œuvre dramatique avec un accompagnement musical.
	Personne qui se laisse mener.
	Théâtre lyrique.
	Pour se brancher sur le courant électrique.

Français (p. 120)

cette nuit / pendant longtemps / hier
sur le sable / dans cette ville / sous la roche
à la nage / lentement / en train / en claquant la porte

Maths (p. 121)

premier	deuxième	troisième	quatrième
Mamadou	Coralie	Ahmed	Sonia

Maths (p. 121)

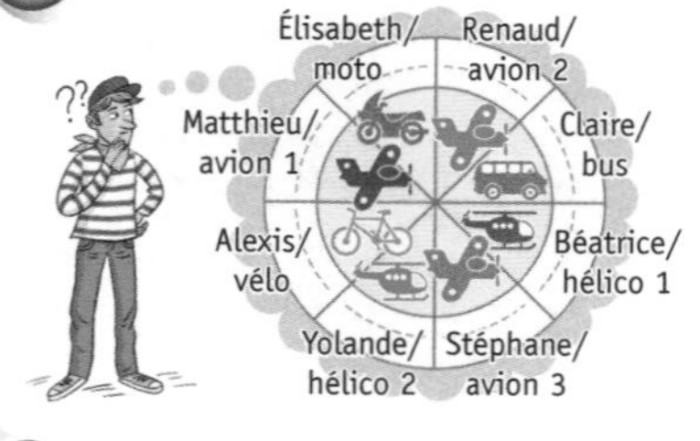

Maths (p. 122)

c) D = 1,5 cm x 3,14 = P = 4,71 cm
a) D = 3 cm x 3,14 = P = 9,42 cm
e) D = 5 cm x 3,14 = P = 15,7 cm
d) D = 3,3 cm x 3,14 = P = 10,362 cm
b) D = 4,8 cm x 3,14 = P = 15,072 cm

Maths (p. 122)

Pour construire un cercle : écarte ton compas d'un rayon de 7 cm puis place la pointe sur la feuille pour marquer le centre O. Trace le diamètre AB passant par O. Le périmètre est 43,96 cm.
D = 7 x 2 = 14 cm ; P = 14 x 3,14 = 43,96 cm.

Histoire (p. 123)

Histoire (p. 123)

Les plages choisies : Utah beach, Omaha beach, Gold, Juno et Sword.

Français (p. 124)

couleur entre noir et blanc : gris
une des matières du cerveau : grise
pour atteindre la couleur : griser
étoffe ordinaire : grisette
qui tend vers la couleur : grisâtre
peinture qui ne comprend que des tons de la couleur : grisaille
avoir les cheveux qui vieillissent : grisonner

Français (p. 124)

Il fallait trouver les 10 mots suivants :

PASSER	PASSERELLE
PASSAGE	PASSANT
PASSAGER	PASSADE
PASSAGÈRE	PASSERA
PASSEPORT	PASSÂMES

Maths (p. 125)

Pour son voyage M. Laurent Houtant dépense :
billet d'avion = 350 x 2 = 700 €
hôtel (7 jours) = 7 x 175 = 1 225 €
boisson et nourriture = 293 €
cadeau = 37 €
total = 2 255 €

Français (p. 126)

1) a et b
2) b
3) c

Français (p. 126)

IRréalisable
PRÉhistoire
INcompréhensible

MALhonnête
IMpassible
ENfumer
ILlogique
SUPERposer
EMporter

173 Maths (p. 127)

G / F / H / D / B / C / A et E / I

174 Géographie (p. 128)

Les 3 régions de France métropolitaine les plus peuplées sont : l'Île-de-France, les Hauts-de-France et la Provence-Alpes-Côte d'Azur.

175 Géographie (p. 128)

immigration
densité
espérance de vie

176 Maths (p. 129)

Ce sont les pièces C, D et E qui complètent la figure symétrique.

177 Maths (p. 129)

C'est la figure 2.

178 Maths (p. 130)

2,987	5,6	5,599					
2,978	6,9	6,97		0,5879	11,6	11,006	
9,8	6,87	7,82	7,802	10,9	10,99	14,3	15,01
3,57	6,801	8,3	8,49	9,01	8,753	13,4	
		7,68	7,45	9			

179 Français (p. 131)

1 TRAGIQUEMENT
2 RAREMENT
3 PHYSIQUEMENT
4 LOURDEMENT
5 LONGUEMENT
6 LÉGÈREMENT
7 LOGIQUEMENT
8 RONFLEMENT

180 Français (p. 131)

diablotin, motoriser, dessinateur, romancier.

181 Français (p. 132)

182 Maths (p. 133)

Le numéro de la porte du bungalow de la famille de Gabin est : 2010.

183 Maths (p. 133)

43	142	133	232	223	322	313	412	403
+ 99	– 9	+ 99	– 9	+ 99	– 9	+ 99	– 9	+ 99

Grand jeu de la ferme (p. 134-135)

Meuh !!!

```
E L L B C W V E T L O C E R
B R A A R N E L L M A N F P
A J I N O T U O M E M W W H
S K T O G Z Q C H E V A L P
S J E V E F O I N E R E A R
E C R E T G F R S E R F U U
C L I G A V N G L U P F R R
O F E N B J W A E L O E F A
U R D A L Z E T M U U E E L
R I E R E R C W R J L P R N
H I Q G E A J C A B E Q M L
B Z F C R B H A G T S T I S
Q C B T P E O S G F L F E M
S E A U F T V A C H E S R J
```

Sudœuf'ku

7	4	1	8	5	2	9	3	6
2	8	6	9	4	3	7	1	5
5	3	9	7	6	1	4	2	8
8	1	3	6	7	4	2	5	9
4	6	5	1	2	9	3	8	7
9	2	7	3	8	5	1	6	4
6	9	2	4	1	8	5	7	3
1	7	4	5	3	6	8	9	2
3	5	8	2	9	7	6	4	1

Petits petits

Il fallait relier entre eux : l'ânon et l'ânesse, le poussin et la poule, le porcelet et la truie, l'oison et l'oie, et l'agneau et la brebis.

La basse-cour

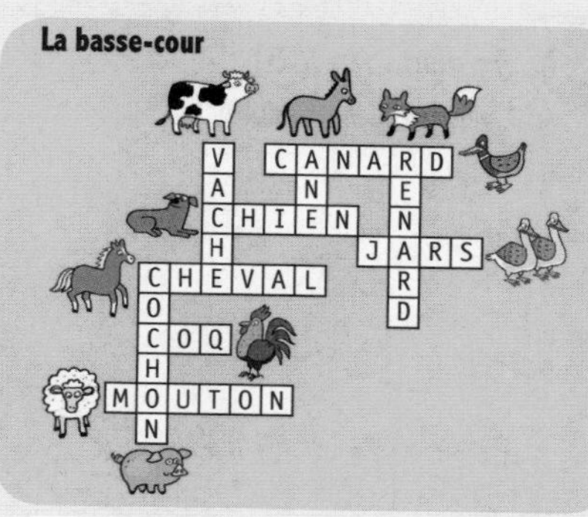

184 Histoire (p. 136)

- le premier homme sur la Lune /1969
- la France championne du monde de football / 1998
- la révolte étudiante de mai / 1968
- la chute du mur de Berlin /1989

185 Français (p. 137)

Une glace qui fond au soleil.
Les bonbons que l'on t'a offerts.
Des bijoux qui brillent au soleil.
Le cadeau qu'ils t'ont acheté.

186 Français (p. 137)

Une enquête policière /
Une enquête **de police**
Une maladie enfantine /
Une maladie **d'enfance**
Un acte courageux /
Un acte **de courage**
Les soldats français /
Les soldats **de France**
La pollution terrestre /
La pollution **de la terre**
Un geste menaçant /
Un geste **de menace**

187 Français (p. 138)

Il fallait numéroter les blocs de texte dans l'ordre suivant : 4, 3, 1, 5 et 2.
Comme il était fier de lui ! Il dominait la vallée et la beauté de son paysage. Soudain, une voiture rapide passa à côté de lui le laissant enveloppé dans une nuage de poussière et le cœur battant. Il en lâcha son vélo qui finit sa course contre le tronc de l'arbre le plus proche. Il ramassa son vélo et se remit en selle, mais impossible de reprendre la route avec un pneu à plat ; le choc avait crevé la chambre à air. Il n'avait aucun outil sur lui et pour l'instant, plus personne ne passait sur la route.

Français (p. 138)

À vérifier avec un adulte.

Maths (p. 139)

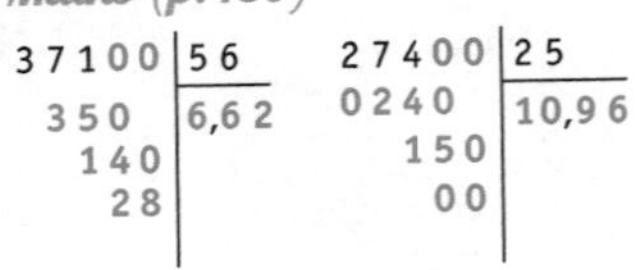

37100 : 56 = 6,62 (350 ; 140 ; 28)
27400 : 25 = 10,96 (0240 ; 150 ; 00)

19200 : 75 = 2,56 (420 ; 450 ; 00)
98,90 : 40 = 24,72 (18 ; 29 ; 10 ; 2)

6,62 + 10,96 + 2,56 + 24,72 = 44,86
Le code de la valise est donc 44,86.

Maths (p. 140)

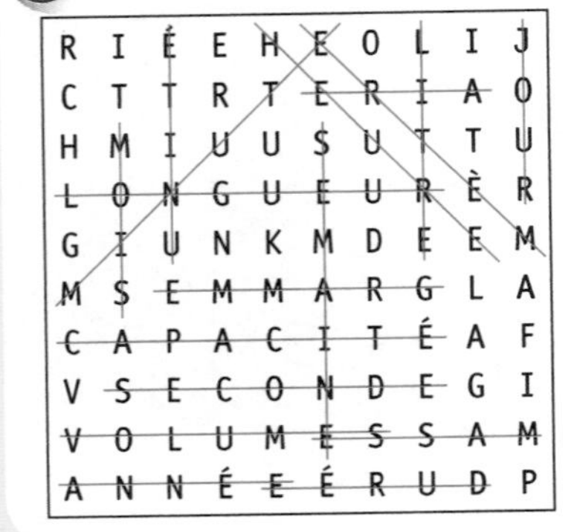

Maths (p. 140)

35 ans x 365 j = 12 775 j x 1,8 litre =
22 995 litres =
22,995 m^3 =
22 995 kg

Géographie (p. 141)

     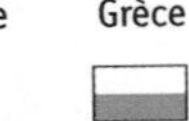

Croatie — France — Suède — Belgique — Grèce — Italie

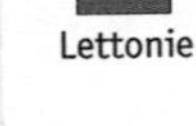        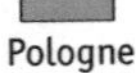

Lettonie — Espagne — Finlande — République Tchèque — Pologne

Français (p. 142)

Il fallait passer uniquement par les mots : chausson, chaussette, chaussure, déchausser, chausseur.

Français (p. 142)

maison, maisonnée, maisonnette
floralie, florale, fleur, fleuriste, floraison
lire, illisible, lecture, lecteur
baignade, bain, baignoire, baigneur

Maths (p. 143)

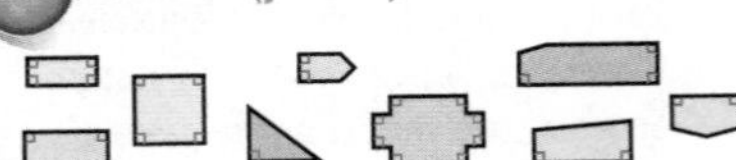

Maths (p. 143)

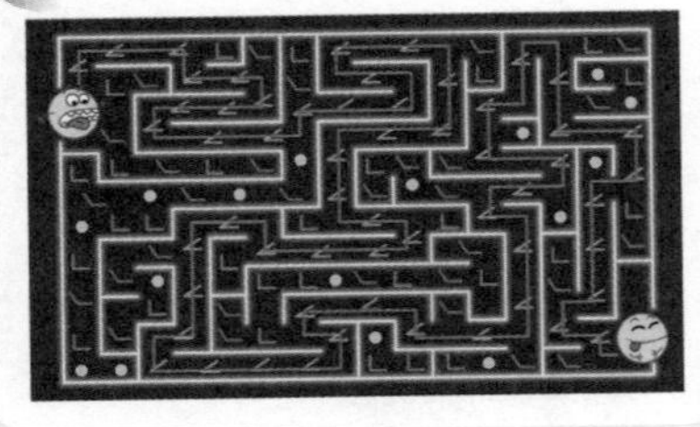

Français (p. 144)

aéroport
voler
piste
pilote
cabine
hôtesse
Le mot mystère est AVIONS.

Français (p. 144)

revue, publication
trace, sillage
congé, vacances
écrire, copier
voyage, excursion

Sciences (p. 145)

L'appareil circulatoire est formé de deux types de vaisseaux sanguins. Les artères partent du cœur gauche et emmènent le sang (rouge car riche en oxygène) dans tout le corps. Les veines au contraire, ramènent le sang (bleu sans oxygène) au cœur droit. Le sang circule à sens unique dans tout le corps.

Maths (p. 146)

1) 29 – 8 = 21
21 + 12 = 33
J'ai trente-trois grenouilles.
2) 27 – 9 = 18
18 + 27 = 45
Ils sont tombés quarante-cinq fois à eux deux.
3) 14 + 37 + 86 + 5 = 142
1 657 – 142 = 1 615
1 615 + 49 = 1 664
Il y a mille six cent soixante-quatre employés dans cette entreprise.

Maths (p. 147)

1) c
2) a
3) b

Maths (p. 147)

2 723 x 6,078 = 16 550,394
145,8 x 96,7 = 14 098,86
7 441 x 69,403 = 516 427,723
8 x 3,588 = 28,704
1 016,3 x 36 = 36 718,919
7 189 x 84,776 = 609 454,664
217 x 9,32 = 2 022,44
849 x 56,365 = 47 853,885

```
   1 0 5,1 9
×        1 1
   1 0 5 1 9
 1 0 5 1 9 0
 1 1 5 7,0 9
```

Français (p. 148)

1	P	L	A	C	E			
2	F	L	É	C	H	I	S	
3	R	E	L	Â	C	H	E	
4	R	E	N	T	R	E		
5	É	T	I	R	E			
6	A	B	A	I	S	S	E	
7	É	C	A	R	T	E		
8	R	E	L	Â	C	H	E	
9	R	E	C	U	L	E		
10	D	É	T	E	N	D	S	

La posture de l'arbre.

Maths (p. 149)

1) rectangle
2) carré
3) losange
4) trapèze

205 *Anglais (p. 150)*

1) GARAGE
2) BATHROOM
3) PARENTS BEDROOM
4) KITCHEN
5) BOY BEDROOM
6) GIRL BEDROOM
7) LIVING ROOM
8) TOILET

206 *Maths (p. 151)*

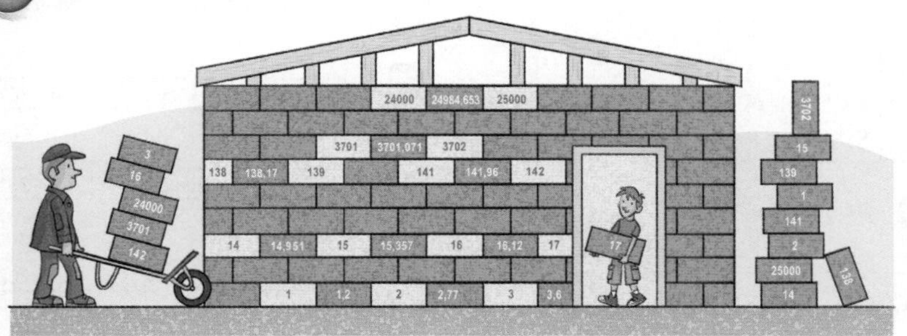

207 *Maths (p. 151)*

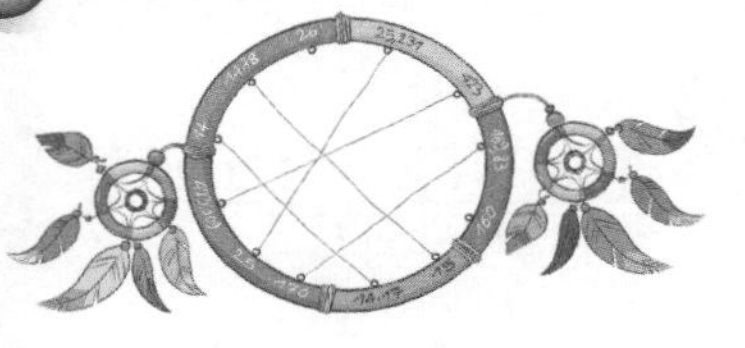

Ces baigneurs étaient partis le plus loin possible.
Elles lui avaient offert la bague de mamie.
Toi et moi étions arrivé(e)s depuis hier.

208 *Géographie (p. 152)*

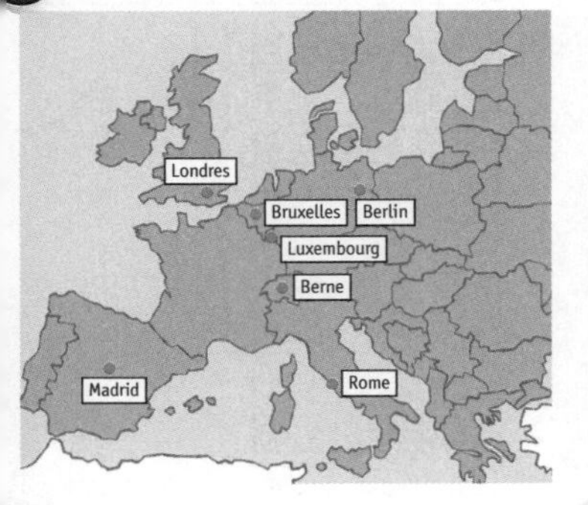

209 *Géographie (p. 152)*

L'Allemagne.

210 *Français (p. 153)*

J'étais allé(e) dans la forêt.
Tu avais travaillé le jour de l'an.
Il avait fini le dernier.
Elle avait suivi les plus rapides.
On avait observé cette vague.
Nous avions conduit notre belle moto.
Vous aviez couru longtemps.

Grand jeu de la plage (p. 154-155)

Baignade interdite

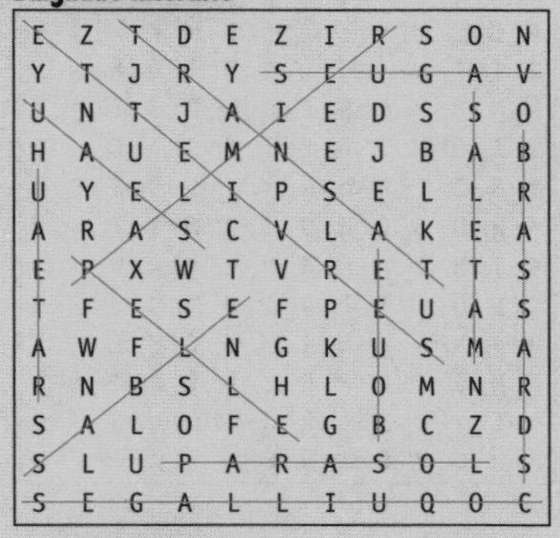

E	Z	T	D	E	Z	I	R	S	O	N
Y	T	J	R	Y	S	E	U	G	A	V
U	N	T	J	A	I	E	D	S	S	O
H	A	U	E	M	N	E	J	B	A	B
U	Y	E	L	I	P	S	E	L	L	R
A	R	A	S	C	V	L	A	K	E	A
E	P	X	W	T	V	R	E	T	T	S
T	F	E	S	E	F	P	E	U	A	S
A	W	F	L	N	G	K	U	S	M	A
R	N	B	S	L	H	L	O	M	N	R
S	A	L	O	F	E	G	B	C	Z	D
S	L	U	P	A	R	A	S	O	L	S
S	E	G	A	L	L	I	U	Q	O	C

Grand concours

Les enfants font des châteaux de sable à la plage.
(lait/ an / faon / fond / dé / chatte / eau / 2/ sa / bleu / A / la / plat / je)

Bain de soleil

Quiz

1) c. 2) b. 3) a.

211 *Maths (p. 156)*

On place la virgule entre le chiffre des unités et celui des dizièmes.
(On / plat / sss / la / virgule / entre / le / chiffre / dé / z' u / nid / thé / haie / celui / dé / 10 / z' i / aime).

212 *Maths (p. 156)*

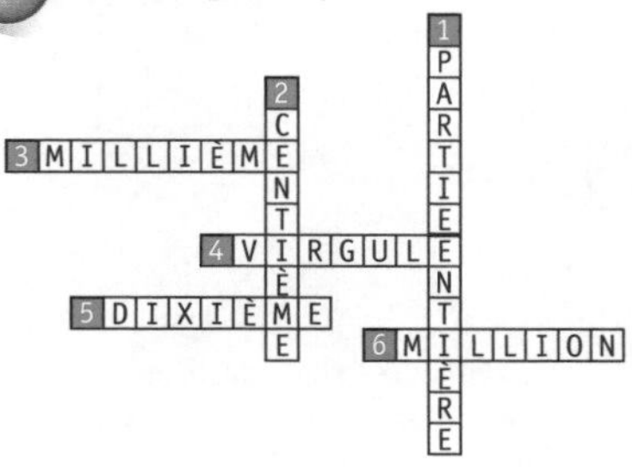

213 *Français (p. 157)*

214 *Français (p. 157)*

invalide
impossible
malhonnête
irrégulier
déranger
illisible

215 *Maths (p. 158)*

1) Isabelle achète 6 pochettes de 5 images de fées chacune qu'elle paye 18 € en tout. Combien possède-t-elle d'images ? Combien coûte une pochette ?
Isabelle possède :
a) 30 images (6 x 5)
Chaque pochette coûte :
b) 3 € (18 ÷ 6)

2) C'est la fête des lièvres de la forêt des Six Chênes. Douze familles de 10 lièvres chacune se retrouvent dans la clairière pour jouer à « chasser le lapin ». Il faut constituer des équipes de 4 lièvres.

Combien y aura-t-il d'équipes ?
b) 30 équipes (12 x 10 = 120 lièvres / 120 ÷ 4 = 30)
3) À la frontière franco-espagnole, il est passé 8 532 voitures en 12 heures. On compte en moyenne 3 personnes par voiture.
Combien de personnes ont franchi la frontière en 1 heure ?
Le nombre de personnes ayant franchi la frontière est de : c) 2 133 (8 532 ÷ 12 = 711 voitures par heure / 711 x 3 = 2 133)

216 Sciences (p. 159)

les **sucres** : bonbons, pâtisserie
les **féculents** : pâtes, pommes de terre, riz, pain
les **végétaux** : chou, pastèque, maïs, bananes, carottes, petits pois, pomme, poireau
les **animaux** : steack, saucisson, poisson, poulet rôti
les **produits laitiers** : lait, yaourt, beurre, fromage
les **graisses** : beurre , huile
les **boissons** : vin, café, jus d'orange, eau

217 Sciences (p. 159)

entrée : crudité (cru / 10 / thé)
plat : filet de dinde (fil / haie / 2 / d' 1 / 2)
accompagnement : pâtes aux courgettes (patte / eau / court / jette)
dessert : salade de fruits (salade / 2 / fruits)

218 Français (p. 160)

2	Je suis content.	3	Cet animal parait vieux.
10	L'étoile qui brille semble petite.	4	Tout le public lève la tête.
2	Je range mon vélo.	2	L'Amérique est un continent.
1	Il mange une pomme.	5	Les enfants regardent le paysage.
5	Mathias avale son goûter.	3	Tu cuisines des gâteaux.
4	Nous sommes des personnes responsables.	4	Le principal est de participer.

						Total
2	10	4	3	2	4	25
2	1	5	4	5	3	20

La victoire revient à l'équipe des « Attributifs » !

219 Français (p. 160)

220 Géographie (p. 161)

```
E P U O L E D A U G R
M A R T I N I Q U E E
E R P E T T O Y A M U
S A I N T M A R T I N
A E I S E N Y L O P I
J C A L E D O N I E O
E L O P O R T E M V N
O U T R E M E R Y E O
```

221 Français (p. 162)

```
Z V E N N O D Z E L L A W A
T E O Z D I T E S M K H J Y
S I I U É C R I R I O N S E
S N E R D S E M M O S E Y Z
S E O N I R Ê T E S A B Z T
I S S E D U A A L L O N S N
A H U S G R D I Z W T T R E
R T H I A N A N E X P H N U
I S Q F S F A I O N O U F O
D A N S E N T M S C T L M J
T N E I A R E L L I A T A B
W C V B V E R R I O N S J C
S N O Y O S S E T I A F F H
```

222 Maths (p. 163)

Il fallait colorier de la même couleur les paires suivantes :
A-3 ; B-5 ; C-2 ; D-4 ; E-1

223 Maths (p. 163)

- la pyramide
- le cône (glacé de préférence !)

224 Histoire (p. 164)

Charles de Gaulle	1959/1969

Georges Pompidou	1969/1974

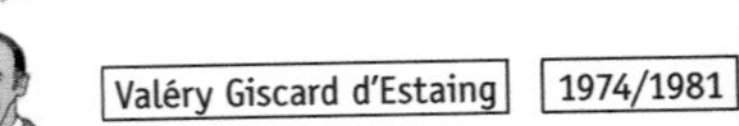

Valéry Giscard d'Estaing	1974/1981

François Mitterrand	1981/1995

Jacques Chirac	1995/2007

Nicolas Sarkozy	2007/2012

François Hollande	2012/2017

Emmanuel Macron	2017/2022

225 Histoire (p. 164)

Quinquennat (quin / quai / na).

226 Géographie (p. 165)

1 ARGENTINE
2 BRÉSIL
3 PÉROU
4 MEXIQUE
5 ÉTATS-UNIS
6 ESPAGNE
7 ALGÉRIE
8 LIBYE
9 ISRAËL
10 IRAK
11 IRAN
12 PAKISTAN
13 NÉPAL
14 CHINE

Ce qu'il faut surtout pour maintenir la paix, c'est la compréhension des peuples.

227 Français (p. 166)

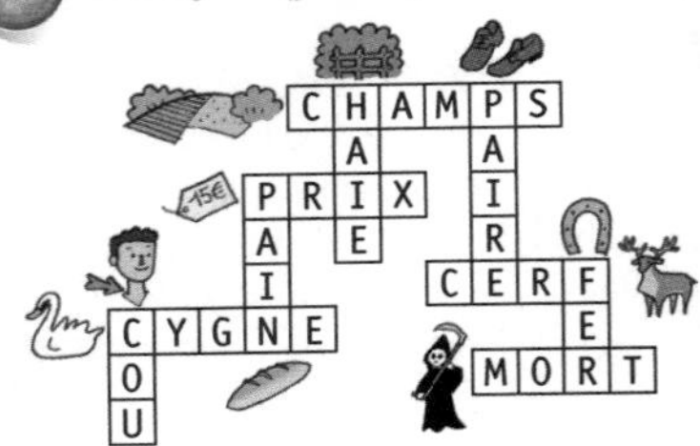

228 *Français (p. 166)*

Pour les vacances, je pars en voiture au bord de la mer.
Je vais planter ma tente au pied d'un pin ombragé.
Je vais vite oublier l'école pour ne rien faire.
Vive l'été !

229 *Maths (p. 167)*

Paris-Metz = 1,5 cm = 300 km
Metz-Lyon = 2,5 cm = 500 km
Lyon-Marseille = 1,5 cm = 300 km
Marseille-Toulouse = 2 cm = 400 km
Toulouse-Bordeaux = 1 cm = 200 km
Bordeaux-Nantes = 2 cm = 400 km
Nantes-Caen = 1,5 cm = 300 km
Caen-Lille = 2 cm = 400 km
Lille-Paris = 1 cm = 200 km
Les concurrents ont parcouru 3 000 km à moto.

230 *Sciences (p. 168)*

bouche
foie
pancréas
œsophage
estomac
intestin grêle
gros intestin
anus

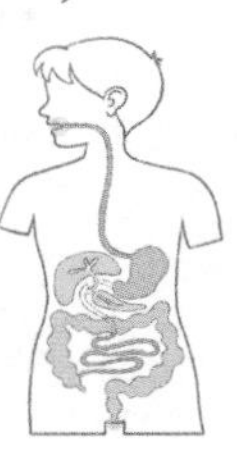

231 *Géographie (p. 169)*

232 *Géographie (p. 169)*

1) 220 millions
2) le français
3) le français
4) 115 millions
5) … encore le français !

233 *Français (p. 170)*

Il fallait colorier de la même manière les couples suivants :
- carnassier – carnivore
- infirme – infime
- vénéneux – venimeux
- officiel – officieux
- infecter – infester
- astronaute – astronome
- infraction – effraction
- incident – accident
- contracter – contacter
- capturer – captiver
- partial – partiel
- stade – stage

234 *Anglais (p. 171)*

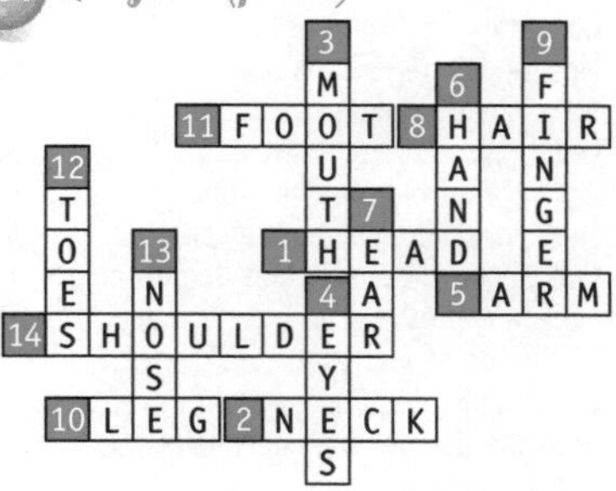

235 *Maths (p. 172)*

Marc part de chez lui, il regarde sa montre, il est 14 heures. Il se rend à la piscine qui se
Melle Delphine est couturière de mode. Elle travaille 5 jours par semaine de 9 h à 13 h et de
trouve à 1 500 mètres de sa maison. Aujourd'hui, il veut essayer de battre son record de
Enfin, c'est le départ pour le camp de vacances, direction le bord de la mer à 945 km de la
natation qui est de 13 longueurs. Il va parcourir des longueurs en plusieurs nages : 17 en
capitale. On a réservé 3 cars de 56 places chacun. Sachant qu'il y a 12 accompagnateurs,
crawl, 26 en brasse et 8 en papillon. Il rentre ensuite chez lui par le même chemin et arrive en
14 h 30 à 18 h.
même temps que sa sœur qui rentre à 16 h 30 de son cours de danse.
Elle reçoit un salaire mensuel (25 jours) de 2 393 euros.
combien d'enfants y a-t-il par accompagnateur ?
Combien de temps reste-t-il absent de chez lui ?
Calcule son salaire pour 1 jour de travail.

236 *Maths (p. 172)*

16 h 30 – 14 h = 2 h 30
Marc est absent de chez lui pendant deux heures et trente minutes.
2 393 ÷ 25 = 95,72
Le salaire journalier est de quatre-vingt-quinze euros soixante douze.
56 x 3 = 168
168 – 12 = 156
156 ÷ 12 = 13
Il y a treize enfants par accompagnateur.

237 *Français (p. 173)*

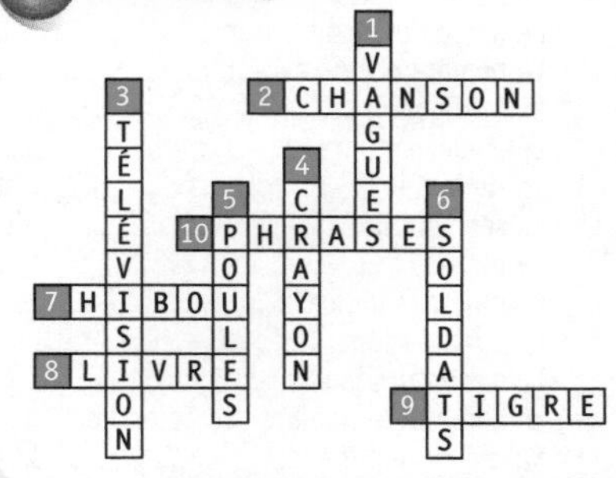

Grand jeu des sports (p. 174-175)

Quel athlète

E	S	N	A	D	N	X	E	E	T	T	F	I	L
E	G	J	B	T	Z	P	E	Q	D	G	L	Z	C
O	J	A	W	O	R	X	G	U	U	I	O	W	C
W	A	X	N	M	X	J	N	I	R	U	G	B	Y
M	Y	T	W	I	E	E	O	T	L	I	D	T	C
N	E	J	H	J	T	S	L	A	S	I	E	O	L
O	C	U	W	L	I	A	P	T	K	Z	D	L	I
I	V	D	P	N	E	Q	P	I	I	K	A	S	S
T	G	O	N	B	F	T	G	O	Y	B	L	L	M
A	O	E	I	J	W	G	I	N	E	B	A	H	E
T	T	I	G	L	Y	S	H	S	A	O	C	M	Y
A	C	W	Z	M	E	P	A	L	M	H	S	H	N
N	E	H	A	N	D	B	A	L	L	E	E	P	Q

Droit au but

C'est le chemin 5 qui mène au but.

Médaille d'or

GOLF, ROLLER, FOOTBALL, BADMINTON, ULM, LUGE, ESCRIME, LUTTE, TENNIS, KARATÉ, RUGBY, JUDO, NATATION, DANSE

Table des matières

Français

Maths

Histoire

Géographie

Sciences

Anglais

Grands jeux

Achevé d'imprimer par Canale à Bucarest – Roumanie
Dépôt légal 04395-4 / 03 – Mars 2020